KB219806

성령충만
은혜충만

CCM2u.com

'성령충만 은혜충만' 을 내면서...

세상에서 시달린 우리의 아픈 마음을 만지시는 주님의 손길을 느낄 수 있게 해준 찬양 곡들이 있습니다. 철야예배와 부흥회 때마다 하나님께 손뼉 치며 찬송하고, 눈물 흘리며 때론 성령의 불을 뜨겁게 사모하기도 하고, 전도할 때마다 예수님을 힘있게 증거할 수 있도록 해준 노래들이 있습니다. 또한 죄악의 고통가운데 신음하고 낙심한 우리들에게 소망을 주었던 찬양 곡들이 있습니다.

요즘 젊은 세대들이 하나님께 드리는 곡들도 소중하지만, 교회의 어른들인 장년들에게 찾아와 주셨던 성령 하나님을 향한 은혜의 찬양 곡들 또한 소중하기에 교회 장년들이 애창하는 은혜의 찬양 곡 **best 450**곡을 엄선하였습니다.

'성령충만 은혜충만' 은 철야예배, 수요예배, 기도집회 등 모든 예배 때나 구역예배에 권사님들 집사님들 모임을 가질 때 찬양집으로 활용하시면 매우 좋습니다. 찬송 중에는 청년들이 선호하는 곡들 또한 포함시켜서, 더욱 은혜로운 모임을 가질 수 있습니다.

또한 각 곡마다 **미가엘 번호**를 넣어 미가엘 반주기와 함께 사용하실 수 있습니다.

이 찬양집을 통해서 교회의 장년들이 하나님과의 첫사랑을 회복하고, 잊혀진 은혜를 다시 한번 상기하며 주님을 더욱 뜨겁게 사랑하는 은혜가 있기를 소망해봅니다. 잊혀졌던 눈물이 다시 한번 우리 마음속에 흐르고, 주님께 다시 한번 뜨겁게 찬양하고 기도하는 한국교회가 되길 소망합니다.

성도들은 주님 다시 오실 때까지 이 땅에서의 찬양을 멈추지 말아야 합니다. 어느 때든지 어디에서든지 날마다 주님을 찬송하시는 성도님 되시기를 진심으로 기도합니다.

"여호와 이스라엘의 하나님을 영원부터 영원까지 찬양할지어다
모든 백성들아 아멘 할지어다 할렐루야"
(시편 106:48)

가나다순 | 가사첫줄 · 원제목

가

F 가라 가라 세상을 향해 1
A 가서 제자 삼으라 3
E♭ 가시관을 쓰신 2
A 갈릴리 마을 그 숲속에서 3
D 갈릴리 바닷가에서 4
F 갈보리 224
F 갈보리 십자가의 주님을 5
Gm 감당 못 할 고난이 닥쳐와도 6
D 감사로 제사 드리는 자가 7
D 감사로 제사를 7
C 감사하신 하나님 에벤에셀 하나님 8
E 감사함으로 그 문에 들어가며 9
G 감사해 10
D 감사해요 12
D 감사해요 깨닫지 못했었는데 11
D 감사해요 주님의 사랑 12
A 강하고 담대하라 13
G 거룩 거룩 거룩하신 주 14
F 거룩하신 하나님 15
C 거리마다 오고가는 17
C 거절할 수 없는 주의 부르심 속에 16
G 겟세마네 동산에서 18
G 경배하리 주 하나님 19
A 고개 들어 20
D 고백 248
D 고요히 주님 앞에 와 21
C 괴로울 때 주님의 얼굴 보라 22
E 구원열차 43
F 구원의 기쁨 80
E 구하라 모든 열방들을 23
D 귀하신 나의 주 417
Em 그가 찔림은 우리의 허물을 24
A 그날 197
A 그날이 도적 같이 25
D 그는 나를 만졌네 26
Em 그는 여호와 창조의 하나님 27
F 그때 그 무리들이 28
A 그리스도의 계절 172
G 그리 아니하실지라도 29
E 그사랑 135
F 그 아무도 내게 30
Dm 그 어느날 새가 그물에 31
F 그의 생각*요엘에게 435
C 그 이름 높도다 32
F 그 크신 주 사랑 33
C 기대 389
E 기도 150
D 기도하세요 지금 34
G 기도하자 우리 마음 합하여 35
G 기도할 수 있는데 36
D 기름을 채우세 내 등불에 38
E 기뻐하며 승리의 노래 부르리 37
G 기뻐하며 왕께 노래 부르리 39
G 기쁨의 노래 350
C 기적 134
Dm 기적의 하나님 31
C 기회로다 204
Bm 길 282
D 길 잃은 청지기 89
E 깨끗이 씻겨야 하리 181
F 깨어라 성도여 40
Dm 깨어라 이스라엘 41

나

A 나 42
A 나 가진 재물 없으나 42
C 나는 가리라 184
E 나는 구원열차 43
E♭ 나는 길 잃은 나그네였네 44
D 나는 믿음으로 45
C 나는 순례자 46
G 나는 주님을 찬양하리라 47
G 나는 주를 작게 보았네 48
A 나는 찬양하리라 49
C 나는 행복해요 387
B♭ 나를 기가 막힐 웅덩이와 50
D 나를 받으옵소서 365
F 나를 사랑하시는 주님 51
C 나를 위해 오신 주님 52
E 나를 지으신 주님 53
D 나 무엇과도 주님을 54
Am 나 아무것 없어도 55
G 나 약해 있을 때에도 56
C 나에게 건강있는 것 57
D 나에겐 알 수 없는 힘 58
G 나의 가는 길 59
A 나의 가장 낮은 마음 60
D 나의 갈망은 61
A 나의 기도하는 것보다 62
E 나의 등 뒤에서 63
C 나의 만족과 유익을 위해 64
A 나의 모든 기도가 65
A 나의 모든 행실을 67
F 나의 모습 나의 소유 66
A 나의 반석이신 하나님 68
E 나의 발은 춤을 추며 69
E 나의 사랑 나의 어여쁜자야 70
E 나의 사랑하는 자의 목소리 70
C 나의 생활 나의 문제 71
A 나의 안에 거하라 72
A 나의 영혼이 잠잠히 73
C 나의 입술의 모든 말과 74
E 나의 주 나의 하나님이여 75
C 나의 찬미 252
D 나의 참 친구 272
E 나의 친구여 내 말 77
G 나의 하나님 그 크신 사랑 78
C 나의 하나님 나의 하나님 76
G 나의 힘이 되신 여호와여 79
F 나 이제 주님을 알았으니 80
A 나 자유 얻었네 81
G 나 주님의 기쁨되기 원하네 82
A♭ 난 가리라 249
A 난 예수가 좋다오 152
A 날 구원하신 주 감사 83
E 날마다 숨쉬는 순간마다 84
Cm 낮에나 밤에나 85
G 낮엔 해처럼 밤엔 달처럼 86
D 낮은 데로 임하소서 26
A 낮은 자의 하나님 60
C 내가 걷는 이 길이 혹 굽어 87
D 내가 그리스도와 함께 88
E♭ 내가 너를 도우리라 216
D 내가 너를 믿고 맡긴 사명 89
C 내가 만약 나비라면 90
G 내가 먼저 손 내밀지 못하고 92
C 내가 산을 향하여 91
Gm 내가 승리 하리라 6
E 내가 어둠 속에서 93

G 내가 주를 위하여 주의 영광 94
G 내가 주인 삼은 95
E 내가 지금 사는 것 96
C 내가 처음 주를 만났을 때 97
F 내 감은 눈 안에 99
G 내게 강 같은 평화 98
G 내게로 와서 마셔라 130
C 내게 오라 347
D 내게 있는 향유 옥합 100
C 내 구주 예수님 101
G 내 눈 주의 영광을 102
D 내 마음에 사랑이 103
A 내 마음에 주를 향한 사랑이 104
D 내 맘 깊은 곳 105
G 내 사랑하는 그 이름 106
D 내 생에 가장 귀한 것 107
G 내 손을 주께 높이 듭니다 108
C 내 안에 사는 이 109
D 내 안에 있는 그 이름 110
D 내 안에 있는 예수 110
A♭ 내 안에 주를 향한 이노래 111
E 내 이름 아시죠 53
B♭ 내일 일은 난 몰라요 112
E 내 주는 반석이시니 113
F 내 주의 은혜 강가로 114
D 내 평생 사는 동안 115
D 내 평생 살아온 길 116
G 내 하나님은 크고 힘 있고 117
E 너 근심 걱정와도 118
D 너는 그리스도의 향기라 119
E 너는 내게 부르짖으라 120
C 너는 내 아들이라 465
C 너는 담장 너머로 뻗은 나무 122
G 너는 무엇을 보았길래 121
E 너는 시냇가에 123
E 너도 나처럼 77
C 너무나도 아름답도다 124
D 너무 외로운 세상 125
Bm 너의 가는 길에 127
G 너 주님의 가시관 써 보라 126
A 너희는 가만히 있어 439
E 너희는 세상의 빛이요 128
E♭ 넘지 못 할 산이 있거든 129
G 누구든지 목마르거든 130
F 누구를 위함인가 156
G 누군가 널 위해 기도하네 141
F 눈물 없는 곳 334
F 눈물의 참회록 412
D 눈으로 사랑을 그리지 말아요 131
D 늘 노래해 459

다

G 다 와서 찬양해 132
G 달리다굼 428
Dm 담대하라 321
C 당신은 기적을 믿으시나요 134
D 당신은 사랑받기 위해 133
E 당신은 알고 있나요 135
G 당신은 영광의 왕 136
D 당신은 왕 당신은 하나님 137
A 당신은 지금 어디로 가나요 139
E 당신은 하나님의 언약안에 138
C 당신을 향한 노래 243
A 당신의 그 섬김이 140
D 당신의 뜻이라면 390
G 당신이 지쳐서 기도할 수 없고 141

Cm	더러운 이 그릇을	142
E	더욱 크신 은혜	96
F	돈으로도 못 가요	143
A	돌아온 탕자	159
E	두렵지 않아	460
E	두 손 들고 찬양합니다	144
D	때가 차매	145
G	때로는 너의 앞에	147
D	또 하나의 열매를 바라시며	11
A	똑바로 보고 싶어요	146

마

D	마음을 다하고	148
F	마음이 상한 자를	149
E	마음이 어둡고	150
G	마지막 날에	151
F	만족함이 없었네	187
A	많은 사람들 참된	152
D	말씀하시면	369
E	맑고 밝은 날	153
C	매일 스치는 사람들	155
A	머리들라 문들아	154
F	머리에 가시 면류관	156
F	먼 곳을 바라보자	157
C	먼저 그 나라와 의를 구하라	158
A	멀고 험한 이 세상 길	159
G	메마른 뼈들에 생기를	333
C	모두 다 나아와	160
A	모든 능력과 모든 권세	161
G	모든 민족에게	162
G	모든 열방 주 볼 때까지	102
D	모든 이름 위에 뛰어난 이름	163
C	모래 위의 집	164
D	목마른 사슴	165
G	목마른 사슴이 시냇물 찾 듯	166
G	목자의 심정	166
B♭	목적도 없이 나는	167
A	무화과 나뭇잎이 마르고	168
G	문들아 머리 들어라	169
G	문을 열어요 활짝	170
G	물이 바다 덮음 같이	210
F	미움으로 얼어붙은	171
A	민족의 가슴마다	172
G	믿음의 눈으로 보라	121

바

G	바다 같은 주의 사랑	173
Dm	반드시 내가 너를 축복하리라	174
C	발걸음	16
F	방황하는 나에게	175
F	백만년이 지나도	375
Am	벙어리가 되어도	391
D	베드로의 고백	193
G	보라 너희는 두려워 말고	176
D	보좌에 앉으소서	177
G	보혈을 지나	178
G	복된 예수	106
C	복음 들고 산을	179
A	볼찌어다 내가 문 밖에	180
C	부럽지 않네	212
E	부서져야 하리	181
A	부흥	323
D	부흥 2000	285
G	부흥 있으리라	182
F	불 속에라도 들어가서	344
Cm	불이야 성령의 불	183

C 비바람이 갈 길을 막아도 184
A 비전 308
E 빛 되신 주 185
E 빛이 없어도 186

사

F 사람을 보며 세상을 볼 땐 187
D 사랑 188
D 사랑은 더 가지지 않는 것 189
D 사랑은 언제나 오래 참고 188
D 사랑은 참으로 버리는 것 189
C 사랑의 손길 52
E 사랑의 종소리 353
D 사랑의 주님 닮기 원하네 190
D 사랑의 주님이 191
C 사랑하는 나의 아버지 192
C 사랑하는 자녀야 266
D 사랑하는 주님 193
G 사랑합니다 나의 예수님 194
E 사랑해요 목소리 높여 195
Dm 사막에 샘이 넘쳐 흐르리라 196
A 사망의 그늘에 앉아 197
G 사모합니다 198
C 살아 계신 성령님 199
A 살아계신 주 411
F 살피소서 오늘 내 마음 200
A 삶의 옥합 223
F 삶의 작은 일에도 202
G 새롭게 하소서 456
A 새벽 이슬 같은 242
G 생명수의 샘물 324
F 서로 사랑하라 201
D 선하신 목자 203
C 성도들아 이 시간은 204
G 성령님이 임하시면 205
F 성령 받으라 206
F 성령의 불길 424
E 성령의 불로 264
G 성령의 불타는 교회 205
G 성령의 열매 291
C 성령이 오셨네 458
F 성령 충만으로 207
C 성령 충만을 받고서 208
F 세 개의 못 28
D 세상 때문에 눈물 흘려도 209
G 세상 모든 민족이 210
D 세상 부귀 안일함과 211
C 세상 사람 날 부러워 212
C 세상에서 방황할 때 213
G 세상은 평화 원하지만 214
G 세상의 유혹 시험이 215
E♭ 세상 일에 실패 했어도 216
E 세상 향락에 젖어서 217
F 세상 흔들리고 218
F 소원 202
G 손에 있는 부귀보다 219
E 손을 높이 들고 220
E 손을 높이 들고 주를 찬양 220
G 수 많은 무리들 줄지어 221
Em 수 없는 날들이 222
G 순례자의 노래 331
A 순전한 나의 삶의 옥합 223
F 슬픔 걱정 가득 차고 224
G 승리는 내 것일세 225
C 승리하리라 226
C 시편 40편 442

G 시편 57편 290
G 시편 92편 244
D 신실하게 진실하게 227
C 실로암 250
C 심령이 가난한 자는 228
G 십자가 그 사랑 229
Em 십자가의 길 450
A 십자가의 길 순교자의 삶 104
Em 쓴 잔 380

아

C 아 값지게 하시었네 231
A♭ 아름다우신 111
C 아름다운 마음들이 모여서 230
G 아름다운 사랑을 나눠요 232
G 아름다운 이야기가 있네 233
D 아름다웠던 지난 추억들 234
A 아름답고 놀라운 주 예수 235
F 아름답다 예수여 236
C 아무 것도 두려워 말라 237
C 아버지 당신의 마음이 239
F 아버지 사랑합니다 240
A 아버지여 당신의 의로 부르소서 242
G 아버지 주 나의 기업 되시네 238
C 아주 먼 옛날 243
D 아침 안개 눈 앞 가리 듯 241
G 아침에 주의 인자하심을 244
D 알 수 없는 힘 58
F 알았네 나는 알았네 245
C 야곱의 축복 122
C 약한 나로 강하게 246
G 약할 때 강함 되시네 247
D 어느날 다가온 주님의 248
A♭ 어느 좋은 그 날 아침에 249
C 어두운 밤에 캄캄한 밤에 250
E 어두워진 세상 길을 251
C 어찌하여야 252
C 언제나 내 모습 253
D 언제나 주님께 감사해 241
Em 얼마나 아프셨나 254
C 얼마나 아프실까 255
E 에바다 251
C 에벤에셀 하나님 8
A 엠마오 마을로 가는 256
A 엠마오의 두 제자 256
G 여기에 모인 우리 257
Em 여호수아의 군대 302
G 여호와 나의 목자 258
C 여호와는 나의 목자시니 259
D 여호와를 사랑하라 148
G 여호와 이레 366
Em 여호와 이레 채우시네 260
A 여호와 이스라엘의 구원자 261
G 영광을 돌리세 262
F 영광의 길 너 걷기전에 263
C 영광의 나라 124
F 영원하신 나의 목자 51
D 영원한 사랑 131
F 예배합니다 296
E 예수 가장 귀한 그 이름 265
F 예수께 가면 415
E 예수님 목 마릅니다 264
C 예수님을 외면하며 266
G 예수님의 보혈로 267
D 예수님의 사랑 신기하고 놀라워 268
G 예수님이 말씀하시니 269

E 예수님이 좋은 걸 270
A 예수님 찬양 271
G 예수님 품으로 329
A 예수 믿으세요 139
D 예수보다 더 좋은 친구 272
E 예수 사랑 나의 사랑 273
C 예수 사랑해요 274
C 예수 안에 생명 348
G 예수 안에서 275
A 예수 우리 왕이여 276
G 예수 이름 높이세 221
F 예수 이름으로 277
D 예수 이름이 온 땅에 278
G 오 거룩하신 주님 그 상하신 279
C 오 거룩한 밤 별들 반짝일 때 280
G 오늘 나는 92
Am 오늘 내게 한 영혼 281
Bm 오늘도 하룻길 282
D 오늘 집을 나서기 전 283
D 오라 우리가 284
D 오소서 진리의 성령님 285
C 오 신실하신 주 443
G 오 예수님 내가 옵니다 286
G 오 이 기쁨 주님 주신 것 287
D 오 주님께서 나를 살리셨네 288
C 오 주님 나를 붙드시면 289
G 오 주여 나의 마음이 290
F 오직 믿음으로 218
G 오직 성령의 열매는 291
A 오직 주만이 73
D 오직 주의 사랑에 매여 292
C 오호라 나는 곤고한 사람 293
D 옥합을 깨뜨려 100
Em 온 땅이여 주를 찬양 294
F 온 맘 다해 362
D 온 세상이 아름답게 295
F 완전하신 나의 주 296
F 왕이신 나의 하나님 297
G 왜 299
C 왜 나만 겪는 고난이냐고 298
G 왜 슬퍼하느냐 299
D 외롭지 않아 209
F 요한의 아들 시몬아 300
C 용서하소서 359
D 우리가 걷는 이 길 301
Em 우리가 주님의 음성을 302
A 우리가 지나온 날들은 303
A 우리가 피차 사랑의 빚 304
A 우리가 하나된 이유 303
F 우리는 주의 백성이오니 305
E 우리 모두 함께 452
E 우리 모두 함께 기쁜 찬양 306
D 우리 모일 때 주 성령 임하리 307
A 우리 보좌 앞에 모였네 308
C 우리 승리하리 309
E 우리에게 향하신 310
A 우리의 어두운 눈이 311
G 우리 이 땅에 312
Em 우리 주의 성령이 313
G 우리 함께 433
E 우리 함께 기도해 314
E 우리 함께 기뻐해 315
A 우린 이 세상에서 할 일 많은 316
A 우린 할 일 많은 사람들 316
A 우물가의 여인처럼 317
E 위대하고 강하신 주님 318

A 유월절 어린양의 피로 319
C 은종 17
C 은혜로만 들어가네 320
F 은혜의 강가로 114
Dm 이것을 너희에게 321
Cm 이 그릇을 주님 쓰시려고 142
F 이 날은 322
A 이 땅의 황무함을 323
G 이 믿음 더욱 굳세라 257
A 이 산지를 내게 주소서 383
G 이 세상 어두움에 324
G 이 세상은 내 집 아니네 342
D 이와 같은 때엔 325
B♭ 이제 내가 살아도 326
C 이제라도 71
G 이젠 고난의 끝에 서서 327
C 이 험한 세상 328
G 인생길 험하고 마음지쳐 329
F 일사각오 40
E 일어나 걸어라 63
D 임하소서 378

자

D 작은 불꽃 하나가 330
D 작은 예수 125
G 저 멀리 뵈는 나의 시온성 331
Dm 저 성벽을 향해 332
G 저 죽어가는 내 형제에게 333
F 저 하늘에는 눈물이 없네 334
A 전능하신 나의 주 하나님은 335
F 전부 99
E 전심으로 주 찬양 336
G 정결한 마음 주시옵소서 337
G 정말일까 338
E 존귀 오 존귀하신 주 339
E 좋으신 하나님 340
F 좋으신 하나님 너무나 내게 341
E 좋은 일이 있으리라 440
G 죄 많은 이 세상은 342
D 죄송해요 343
F 죄악된 세상을 방황하다가 344
G 죄악에 썩은 내 육신을 345
C 죄악의 사슬에서 346
C 죄에 빠져 헤매이다가 347
C 죄인들을 위하여 348
A 주가 보이신 생명의 길 349
G 주가 지으신 주의 날에 350
A 주기도문 444
A 주께 가오니 351
C 주께 경배해 400
E 주께 두 손 모아 353
A 주께 드리는 나의 시 65
F 주께서 내 길 예비하시네 352
Dm 주께서 전진해 온다 354
C 주께 와 엎드려 355
D 주께 힘을 얻고 356
E 주 나의 사랑 나 주의 사랑 357
G 주님 가신 길 358
C 주님 것을 내 것이라고 359
A 주님 곁으로 날 이끄소서 360
Cm 주님 고대가 85
A 주님과 같이 361
F 주님과 함께하는 362
G 주님께 찬양하는 363
D 주님 나를 부르셨으니 364
D 주님 내가 여기 있사오니 365

D 주님 내게 오시면 211
G 주님 내 길 예비하시니 366
G 주님 내 길을 59
C 주님 내 안에 253
C 주님 다시 오실 때까지 367
C 주님 뜻대로 368
G 주님 만이 56
D 주님 말씀하시면 369
A 주님 보좌 앞에 나아가 370
G 주님 사랑해요 371
C 주님 손 잡고 일어서세요 298
D 주님 안에 살겠어요 374
D 주님 앞에 무릎 꿇고 21
G 주님여 이 손을 372
D 주님 예수 나의 동산 373
D 주님 예수 나의 생명 374
F 주님 오신 참 뜻을 375
E 주님을 따르리라 217
Cm 주님을 의지합니다 376
G 주님을 찬양하라 126
C 주님의 보혈 377
G 주님의 빚진 자 345
G 주님의 사랑 놀랍네 233
D 주님의 성령 지금 이곳에 378
E 주님의 손길 379
G 주님의 솜씨 448
Em 주님의 쓴 잔을 맛보지 380
G 주님의 아파하심으로 385
G 주님의 영광 262
F 주님의 영광이 임하여서 381
C 주님이 주시는 파도 같은 사랑 382
C 주님이 주신 기쁨 396
A 주님이 주신 땅으로 383
G 주님이 흘린 눈물은 385
A 주님 큰 영광 받으소서 384
G 주님 한 분 만으로 386
F 주님 한 분 만으로 236
C 주님 한 분 밖에는 387
G 주를 사랑하는가 219
G 주를 찬양 215
C 주를 처음 만난 날 97
E 주를 향한 나의 사랑을 388
A 주만 바라 볼찌라 441
G 주 말씀 향하여 447
C 주 안에 우린 하나 389
D 주여 나에게 세상은 390
Am 주여 우리의 죄를 용서하여 391
D 주여 이 시간 주께 의지 392
C 주여 이 죄인을 213
G 주여 인도하소서 414
D 주여 작은 내 소망을 393
D 주여 진실하게 하소서 394
A 주 여호와는 광대하시도다 395
E 주 예수 나의 당신이여 186
C 주 예수 사랑 기쁨 396
E 주 예수 오셔서 398
C 주와 함께라면 가난해도 397
G 주 우리 아버지 399
C 주의 거룩하심 생각할 때 400
Am 주의 사랑 온누리에 281
F 주의 사랑으로 사랑합니다 401
D 주의 생수 내게 넘치소서 402
C 주의 신을 내가 떠나 403
G 주의 영광 위하여 94
G 주의 이름 높이며 404
G 주의 이름 높이세 405

D 주의 이름 안에서 406
D 주의 인자는 끝이 없고 407
D 주의 임재 앞에 잠잠해 408
D 주의 자비가 내려와 409
E 주의 찬송 세계 끝까지 336
C 주 품에 품으소서 410
A 주 하나님 독생자 예수 411
F 지금껏 내가 한 일이 412
F 지금 우리는 171
A 지금은 엘리야 때처럼 413
G 지치고 상한 내 영혼을 414
F 짐이 무거우냐 415
D 짙은 안개 가득하던 416

차

D 찬바람 부는 갈보리산 417
G 찬송을 부르세요 418
G 찬송의 옷을 주셨네 108
C 찬송하며 살리라 328
D 찬양의 제사 드리며 406
A 찬양이 언제나 넘치면 419
G 찬양하라 내영혼아 420
A 찬양하세 421
E♭ 참 사랑 우리 맘에 422
G 참 좋은 나의 친구 423
F 참참참 피 흘리신 424
Em 참회록 222
G 창조의 아버지 425
Em 창조의 하나님 27
G 천년이 두 번 지나도 427
G 축복송 147
D 축복송 295
D 축복의 사람 356
E 축복의 통로 138
E 축복합니다 주님의 이름으로 426
D 친구의 고백 234

카

G 캄캄한 인생길 428
E 크신 주께 영광돌리세 429

타

E♭ 탕자의 눈물 2
D 탕자처럼 430
D 탕자처럼 방황할 때 430

파

C 파도 같은 사랑 382
Bm 파송의 노래 127
D 평안 416
D 평안을 너에게 주노라 431

하

G 하나님께로 더 가까이 432
G 하나님께서는 우리의 만남을 433
G 하나님께서 당신을 통해 434
C 하나님 아버지의 마음 239
Am 하나님 우리와 함께 하시오니 436
F 하나님은 너를 만드신 분 435
E 하나님은 너를 지키시는 자 437
C 하나님은 사랑이요 438
C 하나님은 실수하지 않으신다네 87
A 하나님은 우리의 피난처가 되시며
439
E 하나님을 아버지라 부르는 440
C 하나님을 위하여 57

A 하나님의 사랑을 사모하는 자 441
C 하나님의 음성을 듣고자 442
B♭ 하나님의 조건없는 사랑 50
C 하나님 한번도 나를 443
D 하늘 보아도 땅을 보아도 445
A 하늘에 계신 아버지 444
A 하늘 위에 주님밖에 446
G 하늘을 바라보라 448
G 하늘의 나는 새도 주 손길 447
D 하늘의 해와 달들아 449
Em 한걸음 또 한걸음 무거운 450
E 할렐루야 할렐루야 452
D 할 수 있다 하면 된다 451
C 할 수 있다 하신 이는 453
D 할 수 있다 해 보자 451
C 항상 진실케 454
A 해 같이 빛나리 140
E 해 뜨는 데부터 455
G 해 아래 새 것이 없나니 456
A 햇빛보다 더 밝은 곳 457
C 허무한 시절 지날 때 458
D 험하고 어두운 길 헤매일 때 459
E 험한 세상길 나 홀로 가도 460
B♭ 험한 십자가 능력있네 167
F 형제의 모습 속에 보이는 461
Am 호렙산 떨기나무에 462
G 호산나 463
D 호흡이 있는 자마다 449
E 흙으로 사람을 464
C 힘들고 지쳐 낙망하고 465
C 하나님이시여 274
A 하늘 위에 주님밖에 275
F 하늘의 나는 새도 주 손길 276
D 할렐루야 살아계신 주 277
C 항상 진실케 344
E 해 뜨는 데부터 345
F 해피송 20
F 햇살보다 밝게 빛나는 279
C 허무한 시절 지날 때 278
B♭ 험한 십자가 능력있네 95
F 형제의 모습 속에 보이는 346
G 호산나 280
E 호흡 있는 모든 만물 281
C 힘들고 지쳐 낙망하고 282
D Come 주께 경배 드리세 347

코드순 | 가사첫줄 · 원제목 가나다순

C

C 감사하신 하나님 에벤에셀 하나님 8
C 거리마다 오고가는 17
C 거절할 수 없는 주의 부르심 속에 16
C 괴로울 때 주님의 얼굴 보라 22
C 그 이름 높도다 32
C 기대 389
C 기적 134
C 기회로다 204
C 나는 가리라 184
C 나는 순례자 46
C 나는 행복해요 387
C 나를 위해 오신 주님 52
C 나에게 건강있는 것 57
C 나의 만족과 유익을 위해 64
C 나의 생활 나의 문제 71
C 나의 입술의 모든 말과 74
C 나의 찬미 252
C 나의 하나님 나의 하나님 76
C 내가 걷는 이 길이 혹 굽어 87
C 내가 만약 나비라면 90
C 내가 산을 향하여 91
C 내가 처음 주를 만났을 때 97
C 내게 오라 347
C 내 구주 예수님 101
C 내 안에 사는 이 109
C 너는 내 아들이라 465
C 너는 담장 너머로 뻗은 나무 122
C 너무나도 아름답도다 124
C 당신은 기적을 믿으시나요 134
C 당신을 향한 노래 243
C 매일 스치는 사람들 155
C 먼저 그 나라와 의를 구하라 158
C 모두 다 나아와 160
C 모래 위의 집 164
C 발걸음 16
C 복음 들고 산을 179
C 부럽지 않네 212
C 비바람이 갈 길을 막아도 184
C 사랑의 손길 52
C 사랑하는 나의 아버지 192
C 사랑하는 자녀야 266
C 살아 계신 성령님 199
C 성도들아 이 시간은 204
C 성령이 오셨네 458
C 성령 충만을 받고서 208
C 세상 사람 날 부러워 212
C 세상에서 방황할 때 213
C 승리하리라 226
C 시편 40편 442
C 실로암 250
C 심령이 가난한 자는 228
C 아 값지게 하시었네 231
C 아름다운 마음들이 모여서 230
C 아무 것도 두려워 말라 237
C 아버지 당신의 마음이 239
C 아주 먼 옛날 243
C 야곱의 축복 122
C 약한 나로 강하게 246
C 어두운 밤에 캄캄한 밤에 250
C 어찌하여야 252
C 언제나 내 모습 253
C 얼마나 아프실까 255
C 에벤에셀 하나님 8
C 여호와는 나의 목자시니 259

C 영광의 나라 124
C 예수님을 외면하며 266
C 예수 사랑해요 274
C 예수 안에 생명 348
C 오 거룩한 밤 별들 반짝일 때 280
C 오 신실하신 주 443
C 오 주님 나를 붙드시면 289
C 오호라 나는 곤고한 사람 293
C 왜 나만 겪는 고난이냐고 298
C 용서하소서 359
C 우리 승리하리 309
C 은종 17
C 은혜로만 들어가네 320
C 이제라도 71
C 이 험한 세상 328
C 죄악의 사슬에서 346
C 죄에 빠져 헤매이다가 347
C 죄인들을 위하여 348
C 주께 경배해 400
C 주께 와 엎드려 355
C 주님 것을 내 것이라고 359
C 주님 내 안에 253
C 주님 다시 오실 때까지 367
C 주님 뜻대로 368
C 주님 손 잡고 일어서세요 298
C 주님의 보혈 377
C 주님이 주시는 파도 같은 사랑 382
C 주님이 주신 기쁨 396
C 주님 한 분 밖에는 387
C 주를 처음 만난 날 97
C 주 안에 우린 하나 389
C 주여 이 죄인을 213
C 주 예수 사랑 기쁨 396
C 주와 함께라면 가난해도 397
C 주의 거룩하심 생각할 때 400
C 주의 신을 내가 떠나 403
C 주 품에 품으소서 410
C 찬송하며 살리라 328
C 파도 같은 사랑 382
C 하나님 아버지의 마음 239
C 하나님은 사랑이요 438
C 하나님은 실수하지 않으신다네 87
C 하나님을 위하여 57
C 하나님의 음성을 듣고자 442
C 하나님 한번도 나를 443
C 할 수 있다 하신 이는 453
C 항상 진실케 454
C 허무한 시절 지날 때 458
C 힘들고 지쳐 낙망하고 465

Am

Am 나 아무것 없어도 55
Am 벙어리가 되어도 391
Am 오늘 내게 한 영혼 281
Am 주여 우리의 죄를 용서하여 391
Am 주의 사랑 온누리에 281
Am 하나님 우리와 함께 하시오니 436
Am 호렙산 떨기나무에 462

D

D 갈릴리 바닷가에서 4
D 감사로 제사 드리는 자가 7
D 감사로 제사를 7
D 감사해요 12

D 감사해요 깨닫지 못했었는데 11
D 감사해요 주님의 사랑 12
D 고백 248
D 고요히 주님 앞에 와 21
D 귀하신 나의 주 417
D 그는 나를 만졌네 26
D 기도하세요 지금 34
D 기름을 채우세 내 등불에 38
D 길 잃은 청지기 89
D 나는 믿음으로 45
D 나를 받으옵소서 365
D 나 무엇과도 주님을 54
D 나에겐 알 수 없는 힘 58
D 나의 갈망은 61
D 나의 참 친구 272
D 낮은 데로 임하소서 26
D 내가 그리스도와 함께 88
D 내가 너를 믿고 맡긴 사명 89
D 내게 있는 향유 옥합 100
D 내 마음에 사랑이 103
D 내 맘 깊은 곳 105
D 내 생에 가장 귀한 것 107
D 내 안에 있는 그 이름 110
D 내 안에 있는 예수 110
D 내 평생 사는 동안 115
D 내 평생 살아온 길 116
D 너는 그리스도의 향기라 119
D 너무 외로운 세상 125
D 눈으로 사랑을 그리지 말아요 131
D 늘 노래해 459
D 당신은 사랑받기 위해 133
D 당신은 왕 당신은 하나님 137
D 당신의 뜻이라면 390
D 때가 차매 145
D 또 하나의 열매를 바라시며 11
D 마음을 다하고 148
D 말씀하시면 369
D 모든 이름 위에 뛰어난 이름 163
D 목마른 사슴 165
D 베드로의 고백 193
D 보좌에 앉으소서 177
D 부흥 2000 285
D 사랑 188
D 사랑은 더 가지지 않는 것 189
D 사랑은 언제나 오래 참고 188
D 사랑은 참으로 버리는 것 189
D 사랑의 주님 닮기 원하네 190
D 사랑의 주님이 191
D 사랑하는 주님 193
D 선하신 목자 203
D 세상 때문에 눈물 흘려도 209
D 세상 부귀 안일함과 211
D 신실하게 진실하게 227
D 아름다웠던 지난 추억들 234
D 아침 안개 눈 앞 가리 듯 241
D 알 수 없는 힘 58
D 어느날 다가온 주님의 248
D 언제나 주님께 감사해 241
D 여호와를 사랑하라 148
D 영원한 사랑 131
D 예수님의 사랑 신기하고 놀라워 268
D 예수보다 더 좋은 친구 272
D 예수 이름이 온 땅에 278
D 오늘 집을 나서기 전 283
D 오라 우리가 284
D 오소서 진리의 성령님 285

D 오 주님께서 나를 살리셨네 288
D 오직 주의 사랑에 매여 292
D 옥합을 깨뜨려 100
D 온 세상이 아름답게 295
D 외롭지 않아 209
D 우리가 걷는 이 길 301
D 우리 모일 때 주 성령 임하리 307
D 이와 같은 때엔 325
D 임하소서 378
D 작은 불꽃 하나가 330
D 작은 예수 125
D 죄송해요 343
D 주께 힘을 얻고 356
D 주님 나를 부르셨으니 364
D 주님 내가 여기 있사오니 365
D 주님 내게 오시면 211
D 주님 말씀하시면 369
D 주님 안에 살겠어요 374
D 주님 앞에 무릎 꿇고 21
D 주님 예수 나의 동산 373
D 주님 예수 나의 생명 374
D 주님의 성령 지금 이곳에 378
D 주여 나에게 세상은 390
D 주여 이 시간 주께 의지 392
D 주여 작은 내 소망을 393
D 주여 진실하게 하소서 394
D 주의 생수 내게 넘치소서 402
D 주의 이름 안에서 406
D 주의 인자는 끝이 없고 407
D 주의 임재 앞에 잠잠해 408
D 주의 자비가 내려와 409
D 짙은 안개 가득하던 416
D 찬바람 부는 갈보리산 417
D 찬양의 제사 드리며 406
D 축복송 295
D 축복의 사람 356
D 친구의 고백 234
D 탕자처럼 430
D 탕자처럼 방황할 때 430
D 평안 416
D 평안을 너에게 주노라 431
D 하늘 보아도 땅을 보아도 445
D 하늘의 해와 달들아 449
D 할 수 있다 하면 된다 451
D 할 수 있다 해 보자 451
D 험하고 어두운 길 헤매일 때 459
D 호흡이 있는 자마다 449

Bm

Bm 길 282
Bm 너의 가는 길에 127
Bm 오늘도 하룻길 282
Bm 파송의 노래 127

E

E 감사함으로 그 문에 들어가며 9
E 구원열차 43
E 구하라 모든 열방들을 23
E 그사랑 135
E 기도 150
E 기뻐하며 승리의 노래 부르리 37
E 깨끗이 씻겨야 하리 181
E 나는 구원열차 43
E 나를 지으신 주님 53

E 나의 등 뒤에서 63
E 나의 발은 춤을 추며 69
E 나의 사랑 나의 어여쁜자야 70
E 나의 사랑하는 자의 목소리 70
E 나의 주 나의 하나님이여 75
E 나의 친구여 내 말 77
E 날마다 숨쉬는 순간마다 84
E 내가 어둠 속에서 93
E 내가 지금 사는 것 96
E 내 이름 아시죠 53
E 내 주는 반석이시니 113
E 너 근심 걱정와도 118
E 너는 내게 부르짖으라 120
E 너는 시냇가에 123
E 너도 나처럼 77
E 너희는 세상의 빛이요 128
E 당신은 알고 있나요 135
E 당신은 하나님의 언약안에 138
E 더욱 크신 은혜 96
E 두렵지 않아 460
E 두 손 들고 찬양합니다 144
E 마음이 어둡고 150
E 맑고 밝은 날 153
E 부서져야 하리 181
E 빛 되신 주 185
E 빛이 없어도 186
E 사랑의 종소리 353
E 사랑해요 목소리 높여 195
E 성령의 불로 264
E 세상 향락에 젖어서 217
E 손을 높이 들고 220
E 손을 높이 들고 주를 찬양 220
E 어두워진 세상 길을 251
E 에바다 251
E 예수 가장 귀한 그 이름 265
E 예수님 목 마릅니다 264
E 예수님이 좋은 걸 270
E 예수 사랑 나의 사랑 273
E 우리 모두 함께 452
E 우리 모두 함께 기쁜 찬양 306
E 우리에게 향하신 310
E 우리 함께 기도해 314
E 우리 함께 기뻐해 315
E 위대하고 강하신 주님 318
E 일어나 걸어라 63
E 전심으로 주 찬양 336
E 존귀 오 존귀하신 주 339
E 좋으신 하나님 340
E 좋은 일이 있으리라 440
E 주께 두 손 모아 353
E 주 나의 사랑 나 주의 사랑 357
E 주님을 따르리라 217
E 주님의 손길 379
E 주를 향한 나의 사랑을 388
E 주 예수 나의 당신이여 186
E 주 예수 오셔서 398
E 주의 찬송 세계 끝까지 336
E 축복의 통로 138
E 축복합니다 주님의 이름으로 426
E 크신 주께 영광돌리세 429
E 하나님은 너를 지키시는 자 437
E 하나님을 아버지라 부르는 440
E 할렐루야 할렐루야 452
E 해 뜨는 데부터 455
E 험한 세상길 나 홀로 가도 460
E 흙으로 사람을 464

E♭

E♭ 가시관을 쓰신 2
E♭ 나는 길 잃은 나그네였네 44
E♭ 내가 너를 도우리라 216
E♭ 넘지 못 할 산이 있거든 129
E♭ 세상 일에 실패 했어도 216
E♭ 참 사랑 우리 맘에 422
E♭ 탕자의 눈물 2

Cm

Cm 낮에나 밤에나 85
Cm 더러운 이 그릇을 142
Cm 불이야 성령의 불 183
Cm 이 그릇을 주님 쓰시려교 142
Cm 주님 고대가 85
Cm 주님을 의지합니다 376

F

F 가라 가라 세상을 향해 1
F 갈보리 224
F 갈보리 십자가의 주님을 5
F 거룩하신 하나님 15
F 구원의 기쁨 80
F 그때 그 무리들이 28
F 그 아무도 내게 30
F 그의 생각*요엘에게 435
F 그 크신 주 사랑 33
F 깨어라 성도여 40
F 나를 사랑하시는 주님 51
F 나의 모습 나의 소유 66
F 나 이제 주님을 알았으니 80
F 내 감은 눈 안에 99
F 내 주의 은혜 강가로 114
F 누구를 위함인가 156
F 눈물 없는 곳 334
F 눈물의 참회록 412
F 돈으로도 못 가요 143
F 마음이 상한 자를 149
F 만족함이 없었네 187
F 머리에 가시 면류관 156
F 먼 곳을 바라보자 157
F 미움으로 얼어붙은 171
F 방황하는 나에게 175
F 백만년이 지나도 375
F 불 속에라도 들어가서 344
F 사람을 보며 세상을 볼 땐 187
F 살피소서 오늘 내 마음 200
F 삶의 작은 일에도 202
F 서로 사랑하라 201
F 성령 받으라 206
F 성령의 불길 424
F 성령 충만으로 207
F 세 개의 못 28
F 세상 흔들리고 218
F 소원 202
F 슬픔 걱정 가득 차고 224
F 아름답다 예수여 236
F 아버지 사랑합니다 240
F 알았네 나는 알았네 245
F 영광의 길 너 걷기전에 263
F 영원하신 나의 목자 51
F 예배합니다 296
F 예수께 가면 415

F 예수 이름으로 277
F 오직 믿음으로 218
F 온 맘 다해 362
F 완전하신 나의 주 296
F 왕이신 나의 하나님 297
F 요한의 아들 시몬아 300
F 우리는 주의 백성이오니 305
F 은혜의 강가로 114
F 이 날은 322
F 일사각오 40
F 저 하늘에는 눈물이 없네 334
F 전부 99
F 좋으신 하나님 너무나 내게 341
F 죄악된 세상을 방황하다가 344
F 주께서 내 길 예비하시네 352
F 주님과 함께하는 362
F 주님 오신 참 뜻을 375
F 주님의 영광이 임하여서 381
F 주님 한 분 만으로 236
F 주의 사랑으로 사랑합니다 401
F 지금껏 내가 한 일이 412
F 지금 우리는 171
F 짐이 무거우냐 415
F 참참참 피 흘리신 424
F 하나님은 너를 만드신 분 435
F 형제의 모습 속에 보이는 461

Dm

Dm 그 어느날 새가 그물에 31
Dm 기적의 하나님 31
Dm 깨어라 이스라엘 41
Dm 담대하라 321
Dm 반드시 내가 너를 축복하리라 174
Dm 사막에 샘이 넘쳐 흐르리라 196
Dm 이것을 너희에게 321
Dm 저 성벽을 향해 332
Dm 주께서 전진해 온다 354

G

G 감사해 10
G 거룩 거룩 거룩하신 주 14
G 겟세마네 동산에서 18
G 경배하리 주 하나님 19
G 그리 아니하실지라도 29
G 기도하자 우리 마음 합하여 35
G 기도할 수 있는데 36
G 기뻐하며 왕께 노래 부르리 39
G 기쁨의 노래 350
G 나는 주님을 찬양하리라 47
G 나는 주를 작게 보았네 48
G 나 약해 있을 때에도 56
G 나의 가는 길 59
G 나의 하나님 그 크신 사랑 78
G 나의 힘이 되신 여호와여 79
G 나 주님의 기쁨되기 원하네 82
G 낮엔 해처럼 밤엔 달처럼 86
G 내가 먼저 손 내밀지 못하고 92
G 내가 주를 위하여 주의 영광 94
G 내가 주인 삼은 95
G 내게 강 같은 평화 98
G 내게로 와서 마셔라 130
G 내 눈 주의 영광을 102
G 내 사랑하는 그 이름 106
G 내 손을 주께 높이 듭니다 108

G 내 하나님은 크고 힘 있고 117
G 너는 무엇을 보았길래 121
G 너 주님의 가시관 써 보라 126
G 누구든지 목마르거든 130
G 누군가 널 위해 기도하네 141
G 다 와서 찬양해 132
G 달리다굼 428
G 당신은 영광의 왕 136
G 당신이 지쳐서 기도할 수 없고 141
G 때로는 너의 앞에 147
G 마지막 날에 151
G 메마른 뼈들에 생기를 333
G 모든 민족에게 162
G 모든 열방 주 볼 때까지 102
G 목마른 사슴이 시냇물 찾 듯 166
G 목자의 심정 166
G 문들아 머리 들어라 169
G 문을 열어요 활짝 170
G 물이 바다 덮음 같이 210
G 믿음의 눈으로 보라 121
G 바다 같은 주의 사랑 173
G 보라 너희는 두려워 말고 176
G 보혈을 지나 178
G 복된 예수 106
G 부흥 있으리라 182
G 사랑합니다 나의 예수님 194
G 사모합니다 198
G 새롭게 하소서 456
G 생명수의 샘물 324
G 성령님이 임하시면 205
G 성령의 불타는 교회 205
G 성령의 열매 291
G 세상 모든 민족이 210
G 세상은 평화 원하지만 214
G 세상의 유혹 시험이 215
G 손에 있는 부귀보다 219
G 수 많은 무리들 줄지어 221
G 순례자의 노래 331
G 승리는 내 것일세 225
G 시편 57편 290
G 시편 92편 244
G 십자가 그 사랑 229
G 아름다운 사랑을 나눠요 232
G 아름다운 이야기가 있네 233
G 아버지 주 나의 기업 되시네 238
G 아침에 주의 인자하심을 244
G 약할 때 강함 되시네 247
G 여기에 모인 우리 257
G 여호와 나의 목자 258
G 여호와 이레 366
G 영광을 돌리세 262
G 예수님의 보혈로 267
G 예수님이 말씀하시니 269
G 예수님 품으로 329
G 예수 안에서 275
G 예수 이름 높이세 221
G 오 거룩하신 주님 그 상하신 279
G 오늘 나는 92
G 오 예수님 내가 옵니다 286
G 오 이 기쁨 주님 주신 것 287
G 오 주여 나의 마음이 290
G 오직 성령의 열매는 291
G 왜 299
G 왜 슬퍼하느냐 299
G 우리 이 땅에 312
G 우리 함께 433

G 이 믿음 더욱 굳세라 257
G 이 세상 어두움에 324
G 이 세상은 내 집 아니네 342
G 이젠 고난의 끝에 서서 327
G 인생길 험하고 마음지쳐 329
G 저 멀리 뵈는 나의 시온성 331
G 저 죽어가는 내 형제에게 333
G 정결한 마음 주시옵소서 337
G 정말일까 338
G 죄 많은 이 세상은 342
G 죄악에 썩은 내 육신을 345
G 주가 지으신 주의 날에 350
G 주님 가신 길 358
G 주님께 찬양하는 363
G 주님 내 길 예비하시니 366
G 주님 내 길을 59
G 주님 만이 56
G 주님 사랑해요 371
G 주님여 이 손을 372
G 주님을 찬양하라 126
G 주님의 빚진 자 345
G 주님의 사랑 놀랍네 233
G 주님의 솜씨 448
G 주님의 아파하심으로 385
G 주님의 영광 262
G 주님이 흘린 눈물은 385
G 주님 한 분 만으로 386
G 주를 사랑하는가 219
G 주를 찬양 215
G 주 말씀 향하여 447
G 주여 인도하소서 414
G 주 우리 아버지 399
G 주의 영광 위하여 94
G 주의 이름 높이며 404
G 주의 이름 높이세 405
G 지치고 상한 내 영혼을 414
G 찬송을 부르세요 418
G 찬송의 옷을 주셨네 108
G 찬양하라 내영혼아 420
G 참 좋은 나의 친구 423
G 창조의 아버지 425
G 천년이 두 번 지나도 427
G 축복송 147
G 캄캄한 인생길 428
G 하나님께로 더 가까이 432
G 하나님께서는 우리의 만남을 433
G 하나님께서 당신을 통해 434
G 하늘을 바라보라 448
G 하늘의 나는 새도 주 손길 447
G 해 아래 새 것이 없나니 456
G 호산나 463

Em

Em 그가 찔림은 우리의 허물을 24
Em 그는 여호와 창조의 하나님 27
Em 수 없는 날들이 222
Em 십자가의 길 450
Em 쓴 잔 380
Em 얼마나 아프셨나 254
Em 여호수아의 군대 302
Em 여호와 이레 채우시네 260
Em 온 땅이여 주를 찬양 294
Em 우리가 주님의 음성을 302
Em 우리 주의 성령이 313
Em 주님의 쓴 잔을 맛보지 380

Em 참회록 222
Em 창조의 하나님 27
Em 한걸음 또 한걸음 무거운 450

A

A 가서 제자 삼으라 3
A 갈릴리 마을 그 숲속에서 3
A 강하고 담대하라 13
A 고개 들어 20
A 그날 197
A 그날이 도적 같이 25
A 그리스도의 계절 172
A 나 42
A 나 가진 재물 없으나 42
A 나는 찬양하리라 49
A 나의 가장 낮은 마음 60
A 나의 기도하는 것보다 62
A 나의 모든 기도가 65
A 나의 모든 행실을 67
A 나의 반석이신 하나님 68
A 나의 안에 거하라 72
A 나의 영혼이 잠잠히 73
A 나 자유 얻었네 81
A 난 예수가 좋다오 152
A 날 구원하신 주 감사 83
A 낮은 자의 하나님 60
A 내 마음에 주를 향한 사랑이 104
A 너희는 가만히 있어 439
A 당신은 지금 어디로 가나요 139
A 당신의 그 섬김이 140
A 돌아온 탕자 159
A 똑바로 보고 싶어요 146
A 많은 사람들 참된 152
A 머리들라 문들아 154
A 멀고 험한 이 세상 길 159
A 모든 능력과 모든 권세 161
A 무화과 나뭇잎이 마르고 168
A 민족의 가슴마다 172
A 볼찌어다 내가 문 밖에 180
A 부흥 323
A 비전 308
A 사망의 그늘에 앉아 197
A 살아계신 주 411
A 삶의 옥합 223
A 새벽 이슬 같은 242
A 순전한 나의 삶의 옥합 223
A 십자가의 길 순교자의 삶 104
A 아름답고 놀라운 주 예수 235
A 아버지여 당신의 의로 부르소서 242
A 엠마오 마을로 가는 256
A 엠마오의 두 제자 256
A 여호와 이스라엘의 구원자 261
A 예수님 찬양 271
A 예수 믿으세요 139
A 예수 우리 왕이여 276
A 오직 주만이 73
A 우리가 지나온 날들은 303
A 우리가 피차 사랑의 빚 304
A 우리가 하나된 이유 303
A 우리 보좌 앞에 모였네 308
A 우리의 어두운 눈이 311
A 우린 이 세상에서 할 일 많은 316
A 우린 할 일 많은 사람들 316
A 우물가의 여인처럼 317
A 유월절 어린양의 피로 319

A 이 땅의 황무함을 323
A 이 산지를 내게 주소서 383
A 전능하신 나의 주 하나님은 335
A 주가 보이신 생명의 길 349
A 주기도문 444
A 주께 가오니 351
A 주께 드리는 나의 시 65
A 주님 곁으로 날 이끄소서 360
A 주님과 같이 361
A 주님 보좌 앞에 나아가 370
A 주님이 주신 땅으로 383
A 주님 큰 영광 받으소서 384
A 주만 바라 볼찌라 441
A 주 여호와는 광대하시도다 395
A 주 하나님 독생자 예수 411
A 지금은 엘리야 때처럼 413
A 찬양이 언제나 넘치면 419
A 찬양하세 421
A 하나님은 우리의 피난처가 되시며 439
A 하나님의 사랑을 사모하는 자 441
A 하늘에 계신 아버지 444
A 하늘 위에 주님밖에 446
A 해 같이 빛나리 140
A 햇빛보다 더 밝은 곳 457

Ab

A♭ 난 가리라 249
A♭ 내 안에 주를 향한 이노래 111
A♭ 아름다우신 111
A♭ 어느 좋은 그 날 아침에 249

Bb

B♭ 나를 기가 막힐 웅덩이와 50
B♭ 내일 일은 난 몰라요 112
B♭ 목적도 없이 나는 167
B♭ 이제 내가 살아도 326
B♭ 하나님의 조건없는 사랑 50
B♭ 험한 십자가 능력있네 167

Gm

Gm 감당 못 할 고난이 닥쳐와도 6
Gm 내가 승리 하리라 6

(미 1168)

가라 가라 세상을 향해

F C7 F

가 라 가 라 세상을향해 가 라 가 라 말씀가지고

F B♭ C7 F

가 라 가 라 온 땅 을 향 해 가 라 가 라 는 예 수 님 명 령

F C7

우 리 모 두 주 의 복 음 들 고 서 온 땅 의 모 든

우 리 모 두 주 의 명 령 을 따 라

C7 F 1. C7 F

사 람 들 에 게 예 수 님 의 사 랑 을 전 파 합 시

C7 2. B♭ F C7 F

다 사 랑 을 전 파 합 시 다

2 가시관을 쓰신

(탕자의 눈물)

(미 1269)

김석균

E♭ B♭ E♭ A♭ B♭7
1.가시 관 을 쓰신예 수날오 라 부 르 실때 에
2.어찌 할 꼬 이내죄 를어찌 다 용 서 받을 까
3.넓고 큰 길 가기보 다가시 밭 길 을 택하 리
E♭ Fm A♭ B♭7 E♭
방탕 한 길 못버 리 – 고세 상 길 로 만 향했 네
두손 모 아 참회 하 – 니흐 르 는 눈 물 뿐이 라
하늘 영 광 사모 하 – 며주 님 가 신 길 가오 리
A♭ E♭ B♭7 E♭
사랑 하 – 는내아 들 아부르 시 는내 아버 지
골고 다 – 의보혈 의 피무거 운 짐벗 기시 어
아버 지 – 여나에 게 도십자 가 들려 주소 서
A♭ E♭ B♭7 E♭
눈어 두 워보지 못 하니내죄 가 너무 큼이 라
천국 백 성되게 하 시니그사 랑 갚을 길없 네
땅끝 까 지증거 하 리다주님 사 랑전 하리 다

(미 1166)

갈릴리 마을 그 숲속에서

3

(가서 제자 삼으라)

최용덕

1. 갈- 릴 리 마을 그 숲속 에서 - - 주님
2. 미류 나 무 우거 진 숲속 에서 - - 주님
그 열 한 제자 다시 만나 시사 - - 마지 막 그들에게
그 열 한 제자 다시 부르 시사 - - 마지 막 그들에게
말씀하시기 를 - 너희 들은 - 가라 저 세상으 로 -
부탁하시기 를 - 너희 들은 - 가라 저 세상으 로 -
가 서 제 자삼으 라 세 상 많 은사람들 을
세 상 모 든영혼 이 네게 달렸나 니 -
가 서 제 자삼으 라 나 의 길 을가 르 치 라
내 가 너 희와 - 항상 함 께 하 - 리 라 -

4

갈릴리 바닷가에서

Alison Huntley

D A7 D D
1. 갈릴 리 바닷 가 에 서 - 주님 은 시 몬에
2. 사마 리아 우물 가 에 서 - 주님 은 여 인에
A7 D D7 G
게 물으셨 네 - 사랑 하 는시 몬 아 넌날
게 물으셨 네 - 사랑 하 는여 인 아 넌날
D D A7 D (G) D
사 랑하느 냐
사 랑하느 냐
오주 님 당 신만 이 아 십니 다 -

(미 989)

갈보리 십자가의 주님을

John w.Peterson

F C7

1.갈 보 리 - 십 자 가 의 주 님 을 - 바 라 볼 때 하 나
2.우 리 에 - 게 믿 음 과 소 망 을 - 주 - 시 며 사 랑
3.우 리 의 - 모 든 간 구 응 답 해 - 주 - 시 며 기 도

F B♭ F C7 F

님 - 크 신 사 랑 너 무 나 - 고 마 와 라
으 - 로 세 상 을 이 기 게 - 하 - 셨 네 예 수
의 - 은 혜 로 써 충 만 케 - 채 우 시 네

B♭ F C7

님 - 의 십 자 가 이 제 는 - 나 도 지 고 이 생

F C7 F

명 - 다 바 쳐 서 주 님 을 - 따 르 리 라

6

감당 못 할 고난이 닥쳐와도

(내가 승리 하리라)

김석균
Gm
F
B♭ D7
1. 감당못할고 난이 닥쳐와도- 나는두렵지않 네
2. 소돔같은재 앙이 온다해도- 나는두렵지않 네
3. 원치않는질 병이 찾아와도- 나는두렵지않 네
4. 부귀영화명 예가 떠나가도- 나는두렵지않 네
Gm
E♭
F
Gm
여호와의손 잡고 일어나- 반 드시승리하리 라
여호와는내 방패 이 시며- 피 난처되시는도 다
여호와의치 료의 손 길이- 내 몸을감싸주시 네
여호와로인 하여 감 사와- 기 쁨이넘쳐나도 다
Gm
D7
여 호와- 만군의하-나님이 나 에게- 능 력을-주시니
여 호와- 구원의하-나님이 나 에게- 새 힘을-주시니
여 호와- 창조의하-나님이 나 에게- 새 생명-주시니
여 호와- 전능의하-나님이 나 에게- 지 혜를-주시니
Gm
D7
Gm
무 슨- 일 을만 -나든지 내 가 승리하리 라
무 슨- 일 을만 -나든지 항 상 찬송하리 라
무 슨- 일 을만 -나든지 항 상 기뻐하리 라
무 슨- 일 을만 -나든지 항 상 감사하리 라

(미 626)

감사로 제사 드리는 자가

(감사로 제사를)

7

권혁진

D Bm G D Bm
감사로 제사 －드리 는 자 가 하나님을 영화 롭게
G A7 D Bm G D
하 나 니 그행위를 옳 게 하는 자 에 게
F#m Em A7 D D7
하나님 의 구원 －보이 시 리 라 감사드 려 －
G A F#m Bm Em A7 D D7
감사드리 －세 －아 버 지 께 감 사로 제 사 를 －
G A/G F#m Bm G A7 D D7
찬송드리 －세 －아 버 지 께 우 리의 찬 송 을 －
G A F#m Bm G A7 D D7
할렐루 야 할 렐 루 야 우 리의 찬 송 을 －
G A F#m Bm Em A7 D D7
할렐루 야 할 렐 루 야 영원토록 찬 송 을 －
G A7 D D7 Em A7 D G D
영원토 록 감 사 를 － 영원토록 감사찬송 을 －

8 감사하신 하나님

(미 2099)

(에벤에셀 하나님)

홍정식

C Em F G7 C G
감사 하신하나 님 에벤에셀하나 님
C Em F G7 C
살아 계신하나 님 에벤에셀하나 님
F Em F D G
여기까지인도 하셨네
장래에도인도 하시리
감사하신하나 님
F Em C B♭F/G G
장래까지인도 하셨네
장래에도인도 하시리
살아계신하나 님
C E7/B Am Dm C G
감 사 하신하나 님 에벤에셀 하 – 나 님
3
C E7/B Am Dm C
살 아 계신하나 님 에벤 에셀 하 나 님

(미 1289)

감사함으로 그 문에 들어가며

(He has made me glad)

Leona Von Brethorst

E A E A B7

감사 함으로그 문에 들어가–며 그의 궁정에들어 가––

E A E G♯/D♯ C♯m F♯m7 B7 E

주께 감사 드리며 그 이 름–을 송 축 할–지 어– 다

E A E A B7 E A E

주님의기쁨 내게임하네 나 항상기쁨안 에서 주 찬 양

E A E G♯/D♯ C♯m F♯m7 B7 E

주님의기쁨 내게임하네 나 기쁜찬송주께 드리 네

10

감사해

(미 1015)

(Thank You Lord)

Daniel L. Burgess

Gmaj7 C D/C Bm7 Em7
감-사 해 시험이닥쳐 올때에 주께서인도
세
Am7 D7 G Gmaj7 C D/C
하시니 두려움없 네 또감사- 해 고통이찾아
Bm7 Em7 Am7 D7 G
올 때에 주께서지 켜 주시니 승리하 리 라
Dm7/G Cadd9 C D/C Bm7 Em7
나의모든 생활속에서 주님이 함께하시니 주님의
Am7 D7 G Dm7/G Cadd9 C D/C
성령나를인 도하시리 시험이 나를찾아 올 때주님
Bm7 Em7 Am7 D7 G
지켜주시리 주님의성령- 나를 인 도하 시 리
1.Gmaj7 2.G/A A D E/D C#m7
감사드리 모두감사 해 절망속에서 새힘을
F#m7 Bm7 E7 A
새로운용 기 주 시는 주님께감 사

Em7/A
D
E/D
C♯m7
3
3
또감 사드 리세 - -- - 우리주님의 은혜로
F♯m7
B m7
D/E
A
B/A Bm7+5/A A
3
받은구원을 감 사해 주님을찬 양 해 - -

11 감사해요 깨닫지 못했었는데

(미 1632)

(또 하나의 열매를 바라시며)

설경욱

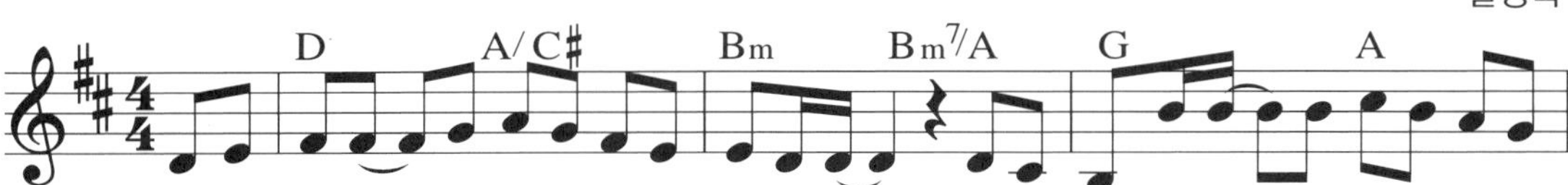

감 사 해요 – 깨닫지못했 었는데 – 내가 얼 마나 – 소중한 존재

라는걸 – 태 초 부 터 지 금 까 지 하 나 님 의 사 랑은 – 항

상 날 향하 고 있었 다 는걸 – 고 마 워요 – 그 사랑 을 가 르

쳐 준 당 신 께 – 주 께 서 허 락 하 – 신 당 신 께 그 리 스

도 의 사 랑 으 – 로 더 욱 섬 기 며 – 이제 나 도 세 상 에 – 전 하 리 라

– 당 신 은 사 랑 받 기 – 위 해 그 리 고

그 사랑 – 전 하 기 – 위 해 주 께 서 택 하 시 고 – 이 땅 에

심 으셨 네 또 하 나 의 – 열 매 를 바 라 시 며

(미 731)

감사해요 주님의 사랑

(Thank you Jesus for Your love to me)

Alison Revell

12

D Em A7 Dmaj7 D6
감 사 해 요 - 주 님 의 사 랑 -
F#○7 Em A7 D D7
감 사 해 요 - 주 님 의 은 혜 -
C/D D7 G A7 F#m7 C# 3 Bm
목 소 리 높 여 주 님 을 영 원 히 찬 양 해 요
Em7 A7 A7 D
나 의 전 부 이 신 - 나 의 주 님 -

13

강하고 담대하라

(Be strong and take courage)

Basil Chaisson

D/E A Bm/A Amaj7 Bm/A E/A A E/G♯ F♯m7 F♯m/E

강하 고-- 담대 하라 두려 워하--지말

Bm7 E Bm Bm/A A/E E

라-- 주가 네 앞서 가 시 며 너의

Bm A/E E A Bm/E A Bm/A

길 비추--시 리 강 하 고 담대

Amaj7 Bm/A E/A A E/G♯ F♯m7 F♯m/E Bm7 E

하라- 두려 워하--지 말 라-- 네안

3rd time to Coda

Bm A/E Bm7 A Bm7 A/C♯ D A/C♯ Bm7 A/E Bm/E

에 계시는 주--님- 오늘 너를 강하-게-하

A A Bm A/C♯ D A/C♯ Bm D/E A E/G♯

리 너의두 려 움 너의눈 물 주님께

주님품 안 에 안전하 니 아무도

F♯m F♯m/E Dmaj7 C♯m7 F♯m Dmaj7 F♯m/C♯ Bm F♯m/A G♯m7 Fdim

모 두 다맡기어 라 주 님 네고통을아

너 를 해치못하 리 주 의 사랑과능력

F♯m F♯m/E 3 Dmaj7 Bm7 3 D/E E
시-며- 네모 든 필요를다-아시 네--강하
으-로- 네영 혼 언제나자-유하 리--
Coda
A F♯m F♯m/D F♯m/C♯ Bm A/E Bm7 A Bm7 A/C♯ D
리 네안 에 계시 는 주--님-
3 A/C♯ Bm7 A/E D/E A
- 오늘 너를-강하-게-하 리

14 거룩 거룩 거룩하신 주

(Holy, holy, holy is the Lord)

G Em Bm Bm7
1. 거 - 룩 거 - 룩 거 룩 하 신 주
2. 존 - 귀 존 - 귀 존 귀 하 신 주
3. 예 - 수 예 - 수 예 수 나 의 주
4. 영 - 광 영 - 광 영 광 의 주 님
C Am D D2 1.D7 2. D7
전 능하신 하 나 - 님 - - - 어제
C B7 Em D7 G
도 계셨 고 오늘 도 - 계시 며 이제곧
Em Am9 D7 G C/G G
오 - 실 거 룩 하 신 주 -

(미 712)

거룩하신 하나님

(Give thanks)

Henry Smith

F C/E Dm Am
거 룩 하신 하 나님- 주 께 감사 드리세- 날
의 맘과 뜻 다해- 주 를 사랑 합니다- 날
B♭ F/A F E♭ 1. Gm7/C C7
위해 -이땅에 오신 독 생 자 -예 수 나
위해 -이땅에 오신 독 생 자 -예
2. Gm7/C C/B♭ Am7 Dm7 C/D Dm7 Gm7
수 내 가 약할 때 강 함 주 고 가 난
B♭/C C B♭/D C/E Fmaj7 Am/E Dm7 C Dm E♭
할 때 우 리 를 부요케 하 신나 의 주 감-
1. Gm7/C C C/B♭ 2. Gm7/C C7 B♭/C F B♭/F F
사 내 사 감 사 -

16

거절 할 수 없는 주의 부르심

(미 1980)

(발걸음)

원종수
B♭ F/A Gm Gm7 F
거절 할수없– 는 주의부 – 르 심 – 속에 – 믿 음
E♭ Fsus4 B♭ E♭/C D7
으로나 – 아가는발 – 걸음 – 처음 가 는 – 길이기 – 에
Gm Gm7/F E♭/C
두 려 움 도 있 – 지 만 – 나 의 갈 – 길 을 – – 주 – 가
F F7 B♭ F/A Gm Gm7/F
예 비 하 – 심을 – 나를 부르신 – 주의뜻 – 을믿 – 기에 – 어떤
E♭ Fsus4 B♭ E♭ D7
장애물 – 이앞에있 – 어도 – 나보 다 더 – 앞서가 – 신
Gm Gm7/F E♭/C Fsus4 E♭/F F
주의 걸음 뒤 – 따라 – 나의걸 – 음을 – 믿음으로 옮길 수있네 –
E♭/F F E♭/F F B♭9 Gm7 E♭
우 – – – 나의발 – 걸음 – – 온전히 주만바 – 라며 –

Cm
D7
Gm
G/B
Cm
F7
헛된것 - 가 운 - 데 있 지않 - 도록 - 정 - 금과 - 같은 - 온전
D
D7/F♯
Gm
E♭/C
F7
B♭
한 믿음 - - 으로 - - 주의 뜻가운 - 데머물게 하소서 -

17 거리마다 오고가는

(은종)

C C7 F
거리 마다 오고 가는 많은 사 람 들
G7 C
웃으 면서 기 다 리 던 크리스마스 –
C7 F
아이 들도 노인 들도 은종 을 만들 어
G7 C
거리 마다 크 게 울 리 네 –
C7 F G7
실버 벨 – 실버 벨 – 종 소 리
C C7
들 려 오 네 – – 실버 벨 – 실버
F G C
벨 – 크리 스 마스 다 가 오 네 –

(미 864)

겟세마네 동산에서

18

조용기 & 김주영
G C G D7 G
1.겟 세 마 네 동 산 에 서 기 도 하 실 - 때
2.빌 라 도 의 뜰 에 서 서 가 시 관 쓸 - 때
3.빌 라 도 의 군 인 들 이 때 린 채 찍 - 에
4.골 고 다 의 십 자 가 에 달 리 신 주 - 님
C G Am C D7 G
주 님 의 땀 방 울 은 - 피 로 변 했 네
주 님 의 온 얼 굴 은 - 피 로 젖 었 네
찢 어 져 피 로 물 든 - 주 님 등 어 리
손 과 발 옆 구 리 에 - 입 은 상 처 로
G C D7 Bm C A B7
하 나 님 을 거 역 - 한 나 를 위 하 여
온 인 류 의 저 주 - 를 속 하 시 려 고
온 인 류 의 질 병 - 을 속 하 셨 으 니
온 몸 의 물 과 피 - 를 다 흘 리 셔 서
C G C G D7 G
순 종 의 속 죄 피 - 를 흘 러 주 셨 네
저 주 의 가 시 채 - 로 관 을 쓰 셨 네
치 료 의 강 물 에 - 서 넘 쳐 흐 르 네
멸 망 의 죽 음 에 - 서 날 건 지 셨 네
Bm D C G D
아 아 아 아 주 의 사 랑 깊 고 크 셔 - 라
G G7 C G D G
내 - 영 혼 에 파 도 처 럼 메 아 리 쳐 온 - 다

19 경배하리 주 하나님

(미 736)

(I worship You, Almighty God)

Sondra Corbett

G2 G D/E Em Bm7 Am7 C/D
경 배 하리 주 하 나님 전능하 신
G C2/D G2 G D/E Em Bm7
주 경 배 하리 평 화 의 - 왕
Am7 Cmaj7/D D C/G Gmaj7
- 주를사랑 합 니다 찬 양 하 세
Em7 Am9 Am D C/D D
- 누가주와 같 으 리 - 경
G2 G D/E Em Bm7 Am7 C/D D7 G
배 하리 주 하 나 - 님 전능하 신 주

(미 790)

고개들어 주를 맞이해

(Lift up your heads)

Steve Fry

A Amaj7 A7 D E D/E E7 A D2/E
고 개 들 어 주 를맞 이 해
A Bm7 A7 D Esus4 E E7
엎 드리 어 경 배하 며 찬 (찬 양주님께영 광) 양
A Amaj7 A7 D E D/E E7 A D2/E
왕 의 위 엄 을 신 령과 진 정 한
A Bm7 A7 D Bm7 A E7 A
찬 양으 로 영 광돌 려 만 왕 의 왕 께

21

고요히 주님 앞에 와

(미 904)

(주님 앞에 무릎 꿇고)

윤용섭

D A/ D Em A
1. 고 요 히주님앞에 와 내- 모 습돌아볼 때
2. 겸 손 히머리를숙 여 기- 도 -드릴- 때
3. 두 손 을마주붙잡 고 눈- 을 -감으- 면
D D7 G D A7 D
순간 순 간의그모 든 일이 죄와 허 물-뿐 입니 다
순간 순 간의행한 일 들이 죄와 허 물-뿐 입니 다
순간 순 간의그모 든 일이 죄와 허 물-뿐 입니 다
A D D7 G E A
주님 의 손 과발 에 다시 못 을박던이죄 인
주님 의 그 허리 에 다시 창 을댔던이죄 인
주님 의 그 옷자 락 다시 잡 아찢던이죄 인
D Bm G E A
빌라도 의 병사보 다 악하 고 추한몸 이
빌라도 의 군중보 다 악하 고 추한몸 이
로마병 정 그보다 더 악하 고 추한몸 이
D D7 G D A7 D
주님앞 에 무릎꿇 고 용- 서 를-빕 니 다
우리주 님 그앞에 서 용- 서 를-빕 니 다
십자가 를 바라보 며 용- 서 를-빕 니 다

(미 1027)

괴로울 때 주님의 얼굴 보라 22

(In these dark days lift up your eyes)

Harry Bollback

1. 괴 로 울 때 주 님 의 얼 굴 보 라 평 화 의
2. 힘 이 없 고 네 마 음 연 약 할 때 능 력 의
주 님 바 라 보 아 라 – 세 상 에 서 시 달 린 친 구
주 님 바 라 보 아 라 – 주 의 이 름 부 르 는 모 든
들 아 위 로 의 주 님 바 라 보 아 라 –
자 는 힘 주 시 고 늘 지 켜 주 시 리 –
눈 을 들 어 – 주 를 보 라 – 네 모 든
염 려 주 께 맡 겨 라 – 슬 플 때 에 주 님 의 얼 굴
보 라 사 랑 의 주 님 안 식 주 리 라 –

23 구하라 모든 열방들을

(미 1882)

(나 여기 있으니 / Here am I)

Bob Kilpatrick

E G♯m7
1. 구 하라 - 모든열방 들 을
2. 하 나님 - 나여기있사 오 니
A2 F♯m7 Amaj7/E
유업으로 - - 네게 - 주리라 - 유업으로
열방중에 - - 보내 - 소 - 서 - 증인으로
Bm7/D A2/C♯ A/B B7 E
- - 네게 - 주리라 - 내 아들아 구 하라 -
- - 보내 - 소 - 서 - 내 아버지 하 나님 -
G♯m7
모든열방 들 을 유업으로
나 여기있사 오 니 열방중에
A2 Bsus4 B7 E A/E E
- - 네게 - 주리라 - 구 - 하라 - -
- - 보내 - 소 - 서 - 하 - 나님 - -

(미 1293)

그가 찔림은 우리의 허물을

24

노문환

Em B7 C B7
1. 그 가 찔 림 은 우 리 의 허 물 을 인 함 이 요
2. 그 가 멸 시 와 천 대 를 받 음 이 웬 말 이 요
Em B7 C B7 Em
그 가 상 함 은 우 리 의 죄 악 을 인 함 이 라
그 는 추 함 도 사 악 한 죄 악 도 없 음 이 라
Em B7 C G
그 가 징 계 를 받 음 으 로 우 리 가 나 음 을 입 었 도 다
그 가 조 롱 을 받 음 으 로 우 리 가 귀 함 을 얻 었 도 다
Em Am Em B7
우 리 는 다 양 같 아 서 그 릇 행 하 여
Em B7 C B7
각 기 제 길 로 갔 거 늘 각 기 제 길 로 갔 거 늘
Em B7 C B7 Em
여 호 와 께 서 우 리 의 죄 악 을 그 에 게 담 당 시 켰 도 다

25 그 날이 도적같이

(미 1073)

김민식

A Amaj7 Bm Bm7 Esus4
1. 그 날 이 도 적 같 이 이 를 줄 너 희 는
2. 평 강 의 하 나 님 이 너 희 를 거 룩 하
E A A7 D Dmaj7
모 르 느 냐 – 늘 깨 어 있 으 라 –
게 하 시 고 – 온 몸 과 영 혼 이 –
A F♯m Bm7 E7 A
잠 들 지 말 아 라 – 주 님 과 동 행 하 라
주 오 실 그 날 에 – 흠 없 기 원 하 노 라
A7 D A
– 항 상 기 뻐 하 라 – 쉬 지 말 고
F♯m E E7 A G/A A7
기 도 하 라 – 범 사 에 감 사 하 라 –
D A
이 는 예 수 안 에 서 – 너 희 에 게
F♯m Bm E7 A D/A A
향 – 하 신 – 하 나 님 뜻 이 니 라 –

(미 1295)

그는 나를 만졌네

(낮은 데로 임하소서)

26

D G A Bm A7 Bm A7 D A7
그 는 나 를 만 졌 네 – 내 영 혼 을 –
그 는 나 를 버 리 지 – 아 니 하 고 –
D A7 F♯m7 Bm Em D A7 D Fine
나 는 그 를 느 꼈 네 – 그 숨 결 을
나 는 그 를 떠 나 지 – 아 니 하 리
Bm G D G D D7
주 의 사 랑 있 으 면 나 외 롭 지 않 아
G D E7 A7 D.C.
주 의 사 랑 안 – 에 서 나 두 렵 지 않 네

27 그는 여호와 창조의 하나님

(미 690)

(창조의 하나님 / He is Jehovah)

Betty Jean Robinson

B7sus Em B7 Em D7
1. 그 는 여 호 – 와 창 조 의 하 나 님 그 는 여
2. 지 존 의 하 나 님 아브라함의 하 나 님 여 호 와
3. 여 호 와 이 – 레 그는나 의 공 급 자 구 원 의
G B Em B7
호 와 전 능 의 하 나 님 길르앗의 향 료 요 반 석 의
샬 롬 평 강 의 하 나 님 이스라엘의 하 나 님 영 원 한
하나 님 구 주 의 하 나 님 아 들 을 보 내 어 그를증거
Em B7 Em/B B7 Em
하 나 님
하 나 님 그 는 여 호 와 치 료 의 하 – 나 님
하 셨 네
D7 G Em D7
찬 양 – 하 세 할 렐 – 루 야 찬 양 –
G B7 Em B7
하 세 오 – 할 렐 루 야 그 는 여 호 – 와 전 능 의
Em B7 Em/B B7 Em
하 나 님 그 는 여 호 와 치 료 의 하 – 나 님

(미 869)

그때 그 무리들이

(세 개의 못)

F F7 B♭ B♭m
1. 그 때 그 무 리 들 이 예 수 님 못 박 았 네
2. 주 여 저 들 의 죄 를 용 서 하 여 주 소 서
3. 비 웃 는 저 무 리 들 주 의 옷 벗 긴 후 에
4. 주 여 나 의 영 혼 을 받 아 주 시 옵 소 서
F Dm Gm7 Csus4
녹 슨 세 개 의 그 못 으 로 –
주 님 눈 물 로 기 도 했 네 –
주 님 몸 깊 이 찔 렀 – 네 –
그 때 구 원 을 이 루 셨 네 –
C7 F F7 B♭ B♭m
망 치 소 리 내 맘 을 울 리 면 서 들 렸 네
귀 중 한 그 보 배 피 나 를 위 해 흘 렸 네
귀 중 한 그 보 배 피 나 를 위 해 흘 렸 네
마 지 막 피 한 방 울 나 를 위 해 흘 렸 네
F C7sus4 C7 F B♭/F F
그 피 로 내 죄 씻 었 – 네 –
그 피 로 내 죄 씻 었 – 네 –
그 피 로 내 죄 씻 었 – 네 –
그 피 로 내 죄 씻 었 – 네 –

29 그리 아니하실지라도

(미 768)

안성진

G Em C D
1. 그 리 - 아니 하 실 지 라 도 감 사 해
2. 그 리 - 아니 하 실 지 라 도 사 랑 해
G Em C D G Dm F/G G7
요 주 님 뜻 을 믿 기 때 문 이 죠 -
요 합 력 해 서 선 을 이 루 어 요 -
C D7 G Bm7/F# Em
언 제나 나를 향 - 한 신 실 한 사 랑 -
C D G F/G G7
우 리 를 향 한 그 크 신 사 랑 -
C D G B m7/F# Em Em/D
우 리가 함께 높 이 며 주 를 찬 양 해 -
C D G C/G G
할 렐 루 야 하 나 님 께 영 광 -

30

그 아무도 내게

F Fmaj7 B♭/F
그아무도-내게 마음주지 - 않 을 때-에-
Gm F
나의마음- 모두 이 해 하신- 주 -님 -
Fmaj7 B♭ Gm
그아 무도- 나의눈물 - 모 를 때
F Fmaj7 C7 F F7
나의 눈 물 -닦아 주 신 나의 - 예 수 님
B♭ Am7 Dm7 Gm7 C7 F E♭/F F
당신 -은나의 구 세 - 주 진실 - 한 내 친 구
B♭ Am7 Dm7 G9 Gm B♭/C C
내 맘 과 영 혼- 어 루 만 지 - 고 - 내 계 새 삶 주 신 주 님----
B♭ Am7 Dm7 Gm7 C7 Dm
당 신 은 나 의 사 - 랑 영 원 한 내 친 구 나의
F Fmaj7 Gm7/C F
마 음 다 해 - 사 랑 하 리 - 주 님 을

31 그 어느날 새가 그물에

(미 1687)

(기적의 하나님)

김의수 & 김동국

Dm Gm F A7
1. 그 어느날- 새가 그물에 걸림같이- 내삶속에 덫이임했네 -
2. 그 어느날- 아무 예고 - 도 - 없 이- 내삶속에 슬픔임했네 -
Dm Gm F A7 Dm
몸- 부림쳤지만- 허우 적 거렸지만- 나는약한 자 였 었네 -
원- 인을찾으며- 애 - 써 봤 -지만- 나는무력 한 자 였네 -
Gm F Gm B♭ A7
내 영 혼아 네가 어찌 하 여 낙 망하며불안하여 하 는 고
Dm C
너는하나 님 을 바 라라- 그 얼 굴의 도 우 심 을 - 인하여
B♭ A7 Dm
내 가 오 히 려 찬 송 하 리 라 나 의 좋 으 신 주 님 -
Gm F Em Asus4 A7 Dm
태 - 양을 멈 추 며 - 혈 루증을 고쳤 던주님 - 기적의하나 님
죽은 자를 살리며 - 문둥병 을고쳤 던 주님 - 기적의하 나 님
Gm F A7 Dm
능 력의 하나 님 그는 나 를 고 쳐 주 셨 네

그 이름 높도다 32

(His name is higher)

C Fmaj7 F/E Dm7 G7 Cmaj7 C/B
1. 그 이 름 높 도 다 - 세 상 누 구 보 다
2. 그 이 름 기 묘 자 - 그 이 름 모 - 사
A7 Dm6 Dm7 Gsus4 G7 Cmaj7
그 이 름 예 - 수 - 오 나 의 주
평 강 의 왕 이 요 - 전 능 의 주
B♭2/C C7 Fmaj7 F/E Dm7 G7 Cmaj7 C/B
그 이 름 높 도 다 - 세 상 누 구 보 다
A7 Dm6 Dm7 Gsus4 G7 C F/C C
그 이 름 예 - 수 - 오 나 의 주

33 그 크신 주 사랑

F C
그 크 신주 사 랑 나 어 찌갚 을 까 이 죄 인 위
밤 하 늘별 빛 이 날 개 를펼 칠 때 내 눈 은 간
날 위 해흘 리 신 주 님의그 보 혈 그 무 엇 으
Gm C F B♭/F F B♭/F F F/A
하 여 주 죽 으셨 네 주 께 드릴 것 은 나의겸 손 한
절 히 주 님 바라 네 주 이 름부 를 때 난 느 낄 수
로 도 값 을 수없 네 날 향 한주 사 랑 변 찮 는 그
B♭ Gm F/C C F
마 음 나의정 결 한 영 혼 신 실 한 헌 신 뿐 주 받 으 소 서
있 네 날 위 해 펼 치 신 변 함 없 는 사 랑 따 스 한 손 길
자 비 내 노 래 내 눈 물 내 마 음 내 영 혼 주 받 으 소 서
B♭ F C F B♭/F F
나의정 결 한 영 혼 신 실 한 헌 신 뿐 주 받 으 소 서 –
날 위 해 펼 치 신 변 함 없 는 사 랑 따 스 한 손 길 –
내 노 래 내 눈 물 내 마 음 내 영 혼 주 받 으 소 서 –

(미 1287)

기도하세요 지금

김석균
기도하세 요 -지 금 - 아직 포기하 지 마 -세 요 -
1.주님앞 에 무릎꿇 고 - 겸손 하게 기 도 해보세 요 -
2.주님앞 에 무릎꿇 고 - 간절 하게 기 도 해보세 요 -
내 앞 길 가로막는 장애물있다해 도 걱정하지마세 요
하 늘 이 무너져도 절망하지마세 요 주님의지하세 요
돌아서지마세 요 슬픔도 고통도 괴 로 움 도
믿음을가지세 요 슬픔도 고통도 괴 로 움 도
기도로이겨낼 수 있잖아 요 - 기도하 세 요
기도하 세 요 주님 은 당신 편 입 니 다 -

35 기도하자 우리 마음 합하여

(미 1108)

Maori Tune
G C G G7 C G
1. 기 도하 자우 리 마 음 합 하 여 – –
2. 찬 송하 자우 리 모 두 주 님 께 – –
3. 걸 어가 자하 늘 영 광 저 문 을 – –
4. 바 라보 자주 님 계 신 천 국 을 – –
G C G Am D7
기 도하 자우 리 마 음 합 하 여 – –
찬 송하 자우 리 모 두 주 님 께 – –
걸 어가 자하 늘 영 광 저 문 을 – –
바 라보 자주 님 계 신 천 국 을 – –
G G7 C C7
할 렐 루 야 아 –멘– 할 렐 루 야 아 –멘–
G D7 G C G
기 도하 자우 리 마 음 합 하 여 – –
찬 송하 자우 리 모 두 주 님 께 – –
걸 어가 자하 늘 영 광 저 문 을 – –
바 라보 자주 님 계 신 천 국 을 – –

(미 1099)

기도할 수 있는데

고광삼
G D D7 G
기도 할 수있는 데 왜- 걱 정하십니 까
할 수있는 데 왜- 실 망하십니 까
C G D 1.G 2.
기도 하면서 왜 염 려 하십니 까 기도
기도 하면서 왜 방 황 하십니 까
C G A D
주님 앞에 무릎 꿇고 간 구해보세 요
C G A D
마 음을 정결 하게 뜻 을다하 여
G D D7 G
기도 할수있는 데 왜- 걱 정하십니 까
C G D G
기도 하 면서 왜 염 려 하십니 까

37 기뻐하며 승리의 노래 부르리

(미 663)

(We will rejoice)

David Fellingham

E C#7 F#m B6 B

기 -뻐하며 - 승리 의노래부 르 리

G#m B/A A F#m/A E/B B

그 백성 주가회복 시 -키시 네

E C#7 F#m E/B B 3

그 -사랑으 로 억눌 렸던자모 아 칭찬과

E F#m B E

명-성얻 게 하시 네 -전심으

B7 E

로--- -기 뻐 하 리

로기 뻐하리 - 전능의 왕우리함께

E B7 E
- 전 능 의 왕 - - - - 함 께 하 시 네
- 우 리 의 강 하 신 용 사 - 구 원 과 승 리 주 시 네
E7 A E
- 기 뻐 외 치 며 - 주 께 두 손 들 리 -
C♯7 F♯m B7 E
- 춤 을 추 며 - 왕 께 찬 양 해 -
E7 A E
- 모 든 원 수 를 - 멸 하 신 주 님 -
C♯7 F♯m B7 E A/E E
- 전 능 의 왕 - 함 께 하 시 네 -

38 기름을 채우세 내 등불에

A7 D D7 G A7 D E7 A
1. 기름 을 채우세 내등 불에 - 믿음 의기름을 채 워
2. 기쁨 을 채우세 내맘 속에 - 기도 로기쁨을 채 워
3. 평화 를 채우세 내맘 속에 - 온유 한성품을 채 워
4. 사랑 을 채우세 내맘 속에 - 섬김 의사랑을 채 워
A7 D D7 G D A7 D
주예 수 우리를 찾으 실때 - 예비 하고맞아드리 리
주안 에 거하는 참기 쁨을 - 이웃 에게또한전하 리
주께 서 보이신 그평 화를 - 이세 상에널리펼치 리
주께 서 베푸신 그사 랑을 - 모든 사람에게베푸 리
D G E A7 D G D
호 산나를 소리높여 주께찬양노래 부르자
D G E A7 D
호 산나를 소리높여 찬 양노래부르 자

(미 767)

기뻐하며 왕께 노래 부르리

(Shout for joy and sing)

David Fellingham

기 뻐 하 며 왕 께 노 래 부 르 리 - 소 리
높 여 할 렐 루 야 부 르 리 - 주 님
앞 에 나 와 찬 양 드 리 며 - 우 리
주 님 과 함 - 께 기 뻐 하 리 라 - 나 의 창 조
- 자 나 의 구 원 - 자 - 가 장 귀 한
나 의 예 수 님 - 찬 양 합 니 - 다 - 나 의 치 료
- 자 - 나 의 선 한 목 자 되 - 신 주 - 예 수
나 의 주 찬 양 하 리 -

40 깨어라 성도여

(일사각오)

주기철

1. 깨 - 어 라 성 - 도 여 징 조 를 보 라
2. 우 - 리 의 힘 으 로 는 옳 게 못 살 고
3. 마 - 귀 는 네 믿 음 을 빼 앗 으 려 고
4. 주 - 님 의 이 름 위 해 옥 에 갇 히 고
5. 성 - 경 과 기 - 도 로 무 기 삼 으 니
신 랑 예 수 구 름 타 고 오 시 려 한 다
네 - 신 앙 가 지 고 는 순 교 못 하 니
사 망 권 세 가 지 고 서 위 협 을 하 나
갖 은 고 생 다 하 다 가 죽 을 지 라 도
불 - 타 는 나 의 소 원 일 사 각 오 뿐
환 난과 핍 박 이 날 기 다 리 니
성 령권능 나 에 게 충 만 케 하 사
강 하고 담대 하 여 두 려 워 말 라
십 자가의 큰 은 혜 생 각 할 때 에
죽 도록 싸우 다 가 쓰 러 진 후 에
믿 음 대 로 이 길 준 비 어 서 합 시 다
성 경 대 로 살 - 다 가 죽 게 하 소 서
승 - 리 자 예 수 님 이 나 의 편 이 다
아 - 직 도 내 고 생 이 부 족 하 도 다
천 - 국 에 영 광 집 에 편 히 쉬 리 라
깨 어라 주 재림 가 깝다 -
주 를 위 해 살 다 가 주 위 해 죽 자

(미 1570)

깨어라 이스라엘

(Awake,O Esrael)

Merla Watson

A7 Dm Gm Dm
1.깨어라이스라엘 주님의 진 -리 네게 자 유 주 시
나님 모든고 통 에서 너를 구 원 하 시
리를 택하신 하 나님 네모 든 것 아 셨
Asus4 A Dm Gm B♭ C
네 구 원의 날에 너의구 원 -자 시온 에 서 오-시
고 주 님의 은혜 네게베 푸 시네 아름 답 게 하-시
네 주 님의 백성 다모으 시 -고 그땅 에 인 도-하
Dm Dm Gm Dm Asus4 A
네
네 오할렐 루야 오할렐 루 -야 할렐 루야 주 찬 양 오할렐
네
Dm Gm B♭ 1.2. Dm A7 3. Dm
루야 오할렐 루 -야할렐 루 야 주-찬 양 2.너의하 양
3.주는우

42 나 가진 재물 없으나

(미 968)

(나)

송명희 & 최덕신

나 가진재물 없으나- 나 남이가진지식 없으나-
나 남에게있는건강있지 않으나- 나 남이없는것 있으 니
나 남이못본것을 보았고- 나- 남이 듣지못한음성
들었고- 나 남이받 지못-한사랑 받았고 - 나
남이모르는것 깨 달 았네 - - 공 평하신 -
하 나 님이 - 나남이 가진것나 없지만 - 공 평하신 -
하 나 님이 - 나 남이없는것 갖게 하 셨네 -

(미 1194)

나는 구원열차

(구원열차)

1. 나는 구 원 열 차 올라타고서 하늘 나 라 가 지 요
2. 나는 구 원 방 주 올라타고서 하늘 나 라 가 지 요

죄악 역 벗 어 나 달려가다가 다시 내 리 지 않 죠
험한 시 험 물 결 달려들어도 전혀 겁 내 지 않 죠

차표 필요없어요 주님 차장되시니 나는 염 려 없 어 요
배삯 필요없어요 주님 선장되시니 나는 염 려 없 어 요

나는 구 원 열 차 올라타고서 하늘 나 라 가 지 요
나는 구 원 방 주 올라타고서 하늘 나 라 가 지 요

44 나는 길잃은 나그네였네

(미 1020)

John W. Peterson

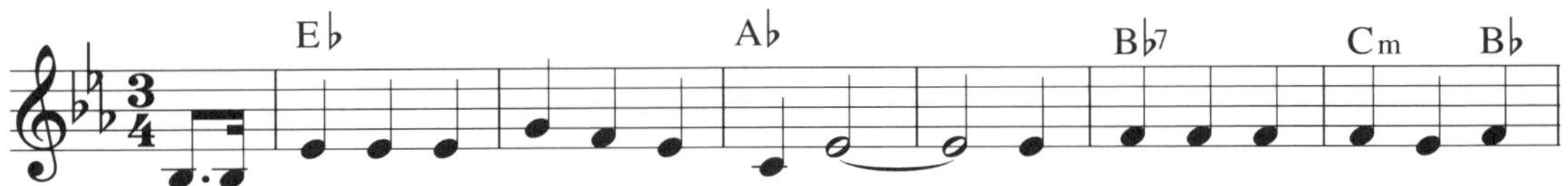

1. 나는 길잃은 나그네 였네 - 죄 중에헤 매이는
2. 나의 영혼이 피곤할 때에 - 날 붙들어 힘주시
3. 내가 이세상 살아갈 동안 - 주 는곁에 함께하

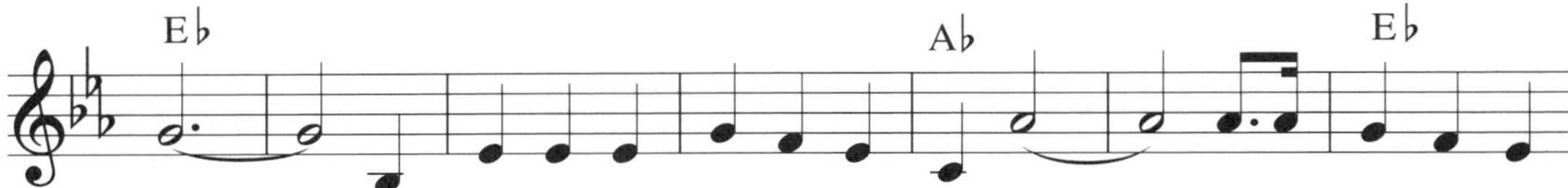

데 - 사 랑의왕 내목자 예수 - 나를 집으로
며 - 날 위로해 주시는 예수 - 나와 언제나
사 - 늘 보호해 주시는 예수 - 나를 안전케

인도하 네
동행하 네 - 진- 실-로선 함-과그 인 자하심이 날마
하시리 라

다 함께하 -시 리- - - 라 진- 실-로선 함-과그

인 자하심 이 날마 다 함께 하시리 라 - 영원토

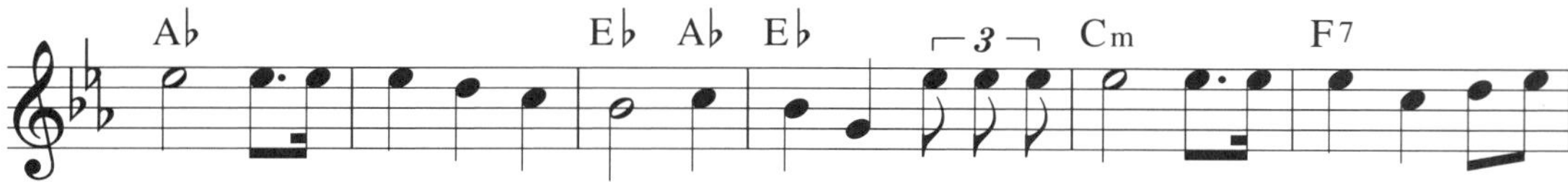

록 주안 에내가 거하 리라영원토 록 주안 에 나안식

B♭7
E♭
하 리 라 진- 실-로 선 함-과 그 인 자 하 심 이 날 마
B♭7
E♭
B♭7
E♭
다 함께 하 시 리 라 -날 마 다 함께 하 시 리 라 -

45

나는 믿음으로

(미 1582)

(As for me)

Dan Marks

D D M7 E m7
나 - 는 믿 음 으 로 주 얼 굴 보 리 니
A7 E m7 A7 D D M7
- 아 침 에 깰 때 에 주 형 상 에 만 족 하 - 리
D7 G A/G F♯m7 B m
나 주 님 닮 기 원 하 네 믿 음 으
E m7 A7 1. D G/A
로 주 얼 굴 보 리 라 - 나 -
2. F♯m7 B 7/F♯ E m7
라 - 믿 음 으 로 주 얼 굴
A7 D
보 리 라 -

(미 1190)

나는 순례자

JOYCE. LEE
1. 나는순 례 자 - 이세상 에 서 - 언젠가 집에 - 돌아가 리 - 어두운 세 상 - 방황치 않고 - 예수와 함 께 - 돌아가 리 -
2. 나는순 례 자 - 방황하 지 만 - 예수내 구주 - 이끄시 네 - 영광의 나 팔 - 소리들 릴때 - 천사날 위 해 - 찾아오 리 -
3. 나는순 례 자 - 피곤한 몸 을 - 하늘나 라에 - 누이시 네 - 주볼때 마 다 - 영광나 타나 - 승리를 위 해 - 찬양하 리 -
나는순 례 자 - 돌아가 리 - 날기다 리는 - 밝은곳 에 - 곧돌아 가 리 - 기쁨의 나라 - 예수와 함 께 - 길이살 리 -

47 나는 주님을 찬양하리라

(I will celebrate sing unto the Lord)

Rita Baloche

G
Em7
나 는 주 님 을 - 찬 양 하 리 라 -
Cmaj7
Am7/D
Am7/G
G
새 - 노 래 로 - 주 찬 - 양 - - - -
G
C/G
G
Em
D/E
Em
나 는 주 님 을 - 찬 양 하 리 라 -
Cmaj7
C/D
Am/G
G
1. 3.
C/D
새 - 노 래 로 - 주 찬 양 -
Fine
2. G
Bm
D/E
- 온 맘 과 - 뜻 다 하 - 여 서
Dm/E
Am
C/D
D7
- 주 님 을 - 기 뻐 - 하 - 리 두 손
Bm
D/E
Dm/E
Am
을 - 높 이 - 들 고 서 주 님 을 -
C/D
D7
C/D
D7
경 배 - 하 - 리 -
D.C.

나는 주를 작게 보았네

(광대하신 주님 / Be Magnified)

Lynn DeShazo

1. 나는주를작게 – 보았네 – – – 용서 – 하소서 – 나를
2. 사람들을의지 – 했던나 – – – 용서 – 하소서 – 주의
–도울수–없다는 – – 거짓 –말을믿–고있었 – 네 – 이제
–자비와–빛보다 – – 사람 –들에게–의지했 – 네 – 이제
– 내잘 – 못알 –았 네– – 내마음 치료 –하소서–
– 내잘 – 못알 –았 네– – 주능력 보여 –주소서–
나의눈과 노래 –안 에– 광– – 대 하 신 –주님 – – 광—
대 하 신 –주님– – 광 대하신 –주 님 – 주는높이 들
리–리– 능치못할일 없 –으 리– 내눈 – 주바
–라보리– 광– 대 하신 – – 광– – 대 하 신 –주님 –

49

나는 찬양하리라

(미 807)

(I sing praises to Your name O Lord)

Terry MacAlmon

1. 나는찬양하리 라 주 – 님 그이름찬 양 예 – 수
리 주 – 께 영광의이 름 예 – 수

크신 주 이 름 나 찬 양 하 리 라 나는찬양하리 라
크신 주 이 름 나 찬 양 하 리 라 나는영광돌리 리

주 – 님 그이름찬 양 예 – 수 크신 주 이름
주 – 께 영광의이 름 예 – 수 크신 주 이름

나 찬 양 하 리 라 2.나는영광돌리 라 –

나를 기가 막힐 웅덩이와

(하나님의 조건없는 사랑)

1. 나 를 기 가막힐웅덩 이와- 수 렁에서끌어올리
2. 높 음 이 나깊-음이 나-- 다 른아무피조물이

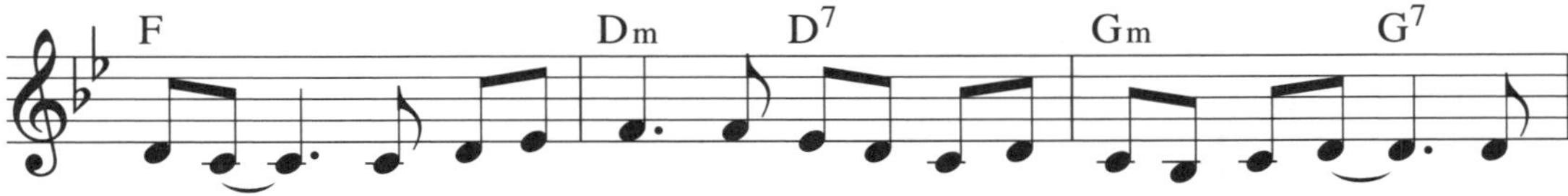

시고- 내 발을 반 석위에두신 하나님의- 그
라도- 우 리를 예 수안에있는 하나님의- 사

사 랑을노래합니 다 허물 로 죽은-나를 살 리셨고또한
랑 을끊을수없으 리 우리 가 운데역사하 시 는데로내가

나 를일으키시 사 -그리스도안에 서 함께하늘 에 앉히신하
구 한모-든것 에 -더넘치 도 록능-히- 하시-는하

나 님의조건없는 그 사랑끝이 없 는하나님의그사랑은-

영원 전부터 영 원--까지 변 함없는하나

님의그사랑어 떤언어로표현하리 요 -

51 나를 사랑하시는 주님

(미 1703)

(영원하신 나의 목자)

안철호

1. 나를 사랑- -하시는 주님- 나의 곁에- -항상계 셔
2. 나를 축복- -하시는 주님- 주의 성령- -부으시 사
3. 나를 사랑- -하시는 주님- 주의 말씀- -내게주 사

나의 맘과- 모든 생각- 지키 시고- 인도 하네-
나의 말과- 모든 행실- 주를 위해- 이끄 시네-
나의 발과- 모든 길을- 비추 시고- 인도 하네-

나의 슬픔- 위로 하고- 나의 멍에- -함께메 어주시는
세상 이길- 힘주 시고- 천성 향해- -날인도 해주시는
푸른 초장- 물가 으로- 나를 항상- -인도하 여주시는

사랑 의주- 예수 님은- 영원 하신- -나의목 자
능력 의주- 예수 님은- 영원 하신- -나의소 망
사랑 의주- 예수 님은- 영원 하신- -나의목 자

그의 품에- 안기 어서- 영원 토록- 나살 으리-
그의 나라- 가기 까지- 주를 위해- 나살 으리-
그의 사랑- 영원 토록- 감사 하며- 나살 으리-

(미 913)

나를 위해 오신 주님

(사랑의 손길)

문찬호

C Am G C
1. 나를위 해 오신주 님 나의죄 를 위하여 서
2. 이세상 에 오신주 님 나의죄 를 위하여 서
C Em G G7 C
유대민 족 들-에 게 잡히시 던 -- 그날밤 에
로마병 정 창과칼 에 찔리시 던 -- 그날오 후
C Am G C
아무런 말 도-없 이 우리에 게 사-랑 을
아무런 말 도-없 이 우리에 게 평-안 을
C Em G C
보여주 신 주님예 수 십자가 를 -- 지-셨 네
약속하 신 주님예 수 십자가 에 -- 못박혔 네
C Em F G
그러나 언 젠가 주님을 부인 하며 원망 하 고 있을때 에
C F D D7 G
나에게 오 셔서 사랑의 손 길로 어루 만 지 셨 네
G7 C C7 F C G
거절할 수 없어 외면할 수 없어 주님의 그 손을 잡았었 네
Am F G C
주님의 사 랑에 뜨거운 눈 물을 흘리고 야 말았 다 네

53 나를 지으신 주님

(미 1712)

(내 이름 아시죠 / He knows My Name)

Tommy Walker

E F#m E/G# A E/B Bsus4 B7
나를 - 지으 신주님 - 내안 - 에계셔 -
E F#m E/G# A E/B B E F#m7 E/G#
처음 - 부터 내 삶은 - 그 의 손에 - 있었죠 -
A E B E A E B E
내이 - 름아 - 시죠 - 내모 - 든생 - 각 도 -
A E B C#m A B E
내흐 - 르는 - 눈물 - 그 가 닦아 - 주셨죠 -
아바 - 라부 - 를때 - 그 가 들으 - - 시죠 -
Fine
E F#m E/G# A E/B Bsus4 B7
그는 - 내아 - 버지 - 난 그 - 의소유 -
E F#m E/G# A E/B B E F#m7 E/G#
내 가 - 어 딜 가 든 지 - 날 떠 나 지 - 않죠 -
D.S.

(미 1713)

나 무엇과도 주님을

(Heart and Soul)

Wes Sutton

D A/C♯ G/B D/A
나 무엇과 - 도 주님을바 - 꾸 지 - 않 으 리 -
G A D Asus4 A
다 른 어 떤 - 은 혜 - 구 하 지 않 - 으 리 -
D A/C♯ G/B D/A
오직 주님 만 - 이 내 삶 에 - 도 움 이 - 시 니 -
G A D C/D D7 G A
주 의 - 얼 굴 보 기 - 원 합 니 다 - 주 님 사 랑 - 해 요
Bm Bm/A G A Bm Bm7/A G A
- 온 맘 과 정 성 다 해 - 하 나 님 - - 의
Bm A G D/F♯ Em7 A D
신 실 - 한 - 친 구 되 기 - 원 합 니 다 -

55 나 아무것 없어도

(미 2003)

송명희 & 김성조
Am E7 Am
나 -아 무 것 없 어 도 주 님 이 있 고
Dm C Am E7 Am
나 -아 무 것 할 수 없 으 나 주 하 시 네
Am E7 Am
나 -무 -력 해 -도 주 는 강 하 시 며
Dm C Am E7 Am
나 -모 든 것 모 르 -나 주 는 다 아 시 네
Dm C E7 Am E7
나 -어 두 울 때 주 빛 되 시 고
Dm C Am B7 E7
나 어 디 가 야 좋 을 지 모 를 때 주 나 의 빛 - 되 시 네
Am E7 Am
나 -슬 픔 에 잠 기 어 낙 심 될 때
Dm C Am E7 Am
선 하 신 주 의 -팔 날 -붙 드 셨 네

(미 1819)

나 약해있을 때에도

56

(주님 만이)

조효성

G G7 C E7 Am A7 D7
나 약 해 있을 때 에 도 주 님 은 함 께 계 시 고
시 험 당 할 때 에 도 주 님 이 지 켜 주 시 고
G G7 C E7 1. Am A7 D7
나 소 망 잃 을 때 에 도 주 님 은 내 게 오 시 네 나
실 망 당 할 때 에 도
2. Am D7 G Am
님 이 위 로 하 시 네 주 님 만 - 이
D7 G B7 Em Am
내 힘 이 시 며 오 주 님 만 - 이
D7 G Am D7
날 도 우 시 네 오 나 의 주 - 님 내 아 버 지
G B7 Em Am D7 G
여 오 나 의 주 - 님 내 사 랑 이 여

57 나에게 건강있는 것

(미 1673)

(하나님을 위하여)

김석균
C Am7 G7 C
1. 나에 게 건강있는 것 주님 일 하라준것인 데 나에
2. 나에 게 물질있는 것 주님 일 하라준것인 데 나에
3. 나에 게 하나님한 분 그것 으 로-족하지 요 한순
C Cmaj7 G7 C
게 지식있는 것 주님 일 하라준것인 데 너희
게 명예있는 것 주님 일 하라준것인 데 재물
간 한-순간 이 은혜 와 감격뿐이지 요 먼-
C G G7 C
는 청년의때 에 창조 주 -하나님 을 기억
과 하-나님 을 겸하 여 -섬-기 지 못하
저 그의나라 와 그의 의 -를구하 라 세상
C C7 F C D G7
하 라말씀하신 하 나-님 왜 -잊었는 가 금보
리 라말씀하신 하 나-님 왜 -잊었는 가 썩을
살 아가는법을 말 씀하신 나 -의하나 님 지금
C G G7 C
다 귀 한세 월 나를 위 해무엇했느 냐 예수
것 위 해서 는 수많 은 시간을쓰면 서 주님
의 나 된것 은 주님 의 크신은혜이 니 일할
C C7 F C G7 C
님 -나에게 물-으시니 회개 의 눈물 뿐이 네
을 -위해서 무얼했는지 부- 끄 러움 뿐이 네
수 -있을때 힘써일하라 하- 나 님을 위하 여

나에겐 알 수 없는 힘

58

(알 수 없는 힘)

최용덕

D G D A
1. 나에겐 알수없는 힘 어디서 생겨나-는 지
2. 나에겐 알수없는 사랑 어디서 생겨나-는 지
D G D G D
지금도 알수 없는 - 강하 고 담-대한 힘
지금도 알수 없는 - 강하 고 따뜻한사 랑
D G E A
언 제 어 디 서든 쓰 러 진 다하여 도
누 가 - 나 를- 미 워 한 다하여 도
D G D A7 D
주님의 도움때문 에 일어 설 수있 어 요
주님의 도움때문 에 사랑 할 수있 어 요

59

나의 가는 길

(미 1988)

(주님 내 길을 / God will make a way)

Don Moen

G D2/F# C/E G/D
나 의가 - 는 길 - 주님 인 도하 - 시 네 - 그는
C G/B Am7 Cmaj7/D D
보 이지 - 않아 도 - 날 위해 - 일 하 - 시네 -
G D2/F# D/F# C/E G/D G/B
주 나의 - 인 도 - 자 항상 함 께하 - 시 네 - 사
C G/B Em7 Am7
랑 과힘 - 베 푸 시며 - 인 도하 - 시 네
D/A Am7 D/A Cmaj7/D G
- 인 도 하 - 시 - 네
Fine
1. Am D/A C/D D
2. G G/F E♭
광 야 에 길 을

F
E♭B♭
B♭
F/G Gm7
만 드시 – 고 – 날 인 도 해 사
E♭
F
Gsus4 G Gsus4
G
막 에강 – 만 드 – 신 것 – 보라 –
C
D/C
3
Bm
B/D♯
Em
하늘과땅 – 변 해 – 도 주의 말 씀영 – 원히 – 내
C
D
B sus4/E
E D/F♯
D.C.
삶 속에 – 새 일 을행 – 하리 – –

60

나의 가장 낮은 마음

(미 1490)

(낮은 자의 하나님)

양영금 & 유상렬

A F#m7 Bm/D E
1. 나 의가-장- 낮은마-음- 주님께-서- 기 뻐하-시고
2. 내 가지-쳐- 무력할-때- 주님내-게- 힘 이되-시고
A F#m7 Dmaj7 E7 A E7
작 은일-에- 큰 기쁨-을- 느 끼게하시 는도-다-
아 름다-운- 하 늘나-라- 내 맘에주시 는도-다-
D E/D C#7 F#m
우리에게- 축 복 하신- 하 나 님 사랑 -
D E A G/A A7
낮은자를- 높 여 주 시고 - -
D E/D C#7 F#m
아름다운- 하 늘 나라- 허 락 하 시고 -
D B7/D# Esus4 E7
내모 든-것- 예 비 하시네 - -
A F#m F#m7 D Esus4 E
찬 양 함 에 기 쁨을 - 감 사 함 에 평 안을-
C# F#m D
간 구 함 에 하 나님 - 알 도 록 -
Dm 1. A D/E 2. A D/A A A+
하 셨 네 - 네 -

나의 갈망은
(This is my desire)

Scott Brenner

A D A/C♯ Bm
나의갈망 -은 - - -주 께서날알 -듯 - - 나도주님
-은 - - 내모든삶 -을 - - -사 랑의제사
Em Em7/D Asus4 A D A/C♯
-을 - - -온전히아는 -것 - - 나의갈망 -은 - - -주날사랑하
-로 - - -주께드리는 -것 - - 내사랑주 -의 - - 기쁨이되
Bm Em Em7/D Asus4 A
-듯 - - 나도주님 -을 - - 사랑하는 -것 - 주얼굴보
-리 - - 주의사랑 -의 - - 빛을비추 -리 -
G D/F♯ G Asus4 A G/B D/A
-게하-소서- 주더욱알-게하-소서- -주님 -의눈-에비-춰진-아름
E/G♯ Asus4 A G D/F♯ G A F♯/A♯
-다움-보리- 주모든것 -주셨-으니- 주형상닮-기위-하여-나의-모든
Bm A G A 1.G/B Asus4 A G/B Asus4 A 2.G/B Asus4 A
Fine
-것을-주님-께드 립니다 - 나의갈망 -
G/B D/A G/B G/B D/A 1.2.3.G/B Asus4 A 4.G/B Asus4 A D.S.
나의갈--망 은 - 나의갈 --망은 - - - 주얼굴보

62 나의 기도하는 것보다

(미 2091)

홍정식

A E/G# F#m D Bm E
나 의 기 도 하 - 는 것 보 다 - 더 욱 응 답 하 실 하 나 님
A E/G# F#m D Bm C#sus4
나 의 생 각 하 - 는 것 보 다 - 더 욱 이 루 시 는 하 나 님
F#m C#m/E D A/C#
우 리 가 운 데 역 사 하 신 능 력 대 로 우 리 들 의
Bm A/C# D B/D# E
간 구 함 을 넘 치 도 록 능 히 하 실 주 님 께 모 든
A E/G# F#m F#m/E D B/D# Esus4 E
영 광 과 존 귀 찬 양 과 경 배 를 돌 릴 지 어 다 모 든
A E/G# F#m F#m/E D E A
영 광 과 존 귀 찬 양 과 경 배 를 돌 릴 지 어 다

(미 1016)

나의 등 뒤에서

(일어나 걸어라)

63

최용덕
E B7 A B7
나 의등 뒤에 서 나를 도 우시는 주
E B7 E B7
나 의 인생－길에 서 지치 고 곤하 여
평 안 히길－을갈 땐 보이 지 않아 도
때 때 로뒤돌아보 면 여전 히 계신 주
A E C#m E B7 E
매 일 처럼 주저 않고 싶을－때 나를 －밀어주시 네
지 치 고곤 하여 넘어 질때－면 다가 와손내미시 네
잔 잔 한미 소로 바라 보시－며 나를 －재촉하시 네
E B7
일 어나 걸 어라 내가 새힘을주리 니
(○ ○아! 일어 나라)
E A E B7 E
일 어나 너 걸 어라 내 너를 도 우 리

64 나의 만족과 유익을 위해

(Knowing You)

Graham Kendrick

나 의 만 족 과 유 익 을 위 - 해 가 지 려 했 던 세
의 능 력 체 험 하 면 - 서 주 의 고 난 에 동
상 일 들 이 젠 모 두 다 해 로 여 기 - 고 주 님
참 하 고 주 의 죽 으 심 본 을 받 아 - 서 그 의
을 위 해 다 버 리 네 내 안 에 가 장
생 명 에 참 예 하 네 내 안 에 가 장
귀 한 것 주 님 을 앎 이 라 모 든
귀 한 것 주 님 을 앎 이 라
것 되 시 며 - 의 와 기 쁨 되 신 주 사 랑 합 니 다
- 부 활 합 니 다 - 나 의 주 -

나의 모든 기도가

(주께 드리는 나의 시)

김성조

나의 모든기도가- 주님 께드려지는- 아름
모든생각이- 주님 께올라가는- 향기

다운시가되-게하여 주소서- 나의 모든찬양이-아름
로운향이되-게하여 주소서- 나의 모든행실이-하-

다운노래가- 되 기를- 원하나이다 - 나의

나의예배가- 되 기 를원하나이다 - 당-

신의- 크고도 놀라운- 사 랑을의지하-며경배

드리니 나- 의 고통과 나-약함을- 사랑

으로- 감싸주소서 - 오- 전 능하 신주여 -

나의 영혼을-깨끗하게하 - 시고 주여 당신의- 영광을

위하여- 날마다 찬양하게하-여주소서 -

66 나의 모습 나의 소유

(미 1517)

(I offer my life)

Claire Cloninger & Don Moen

나의모습 - 나의소유 - 주님앞에 - 모두드 - 립니다 -
어제일과 - 내일일도 - 꿈과희망 - 모두드 - 립니다 -

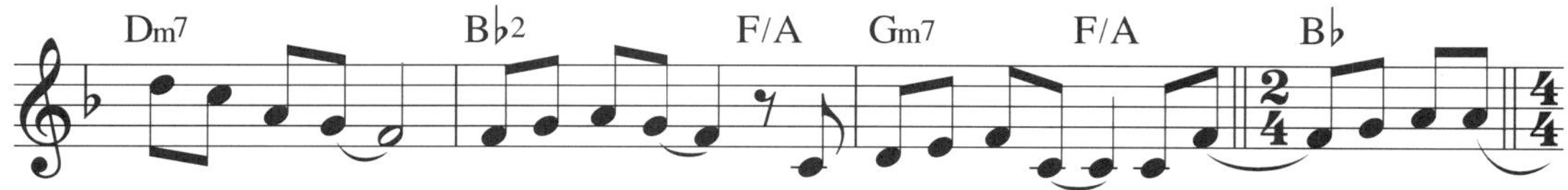

모든아픔 - 모든기쁨 - 내 모든 눈물 - 받아 - 주소서
모든소망 - 모든계획 - 내 손과 마음 - 받아 - 주소서

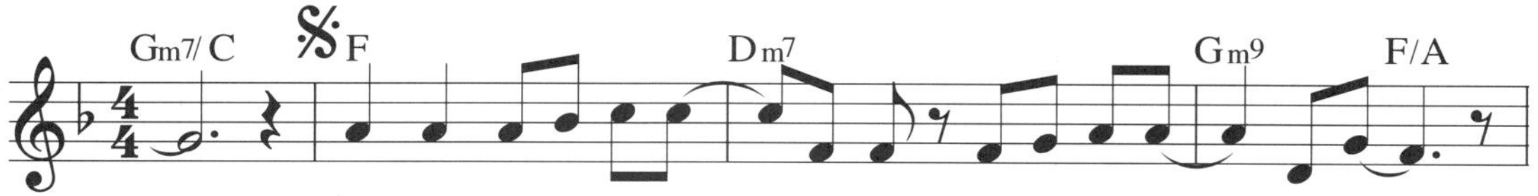

- 나 의 생명을드 - 리니 주영광위 - 하여 -

사용하옵소서 내 가 사는날동 - 안에 주를찬양 - 하며 -

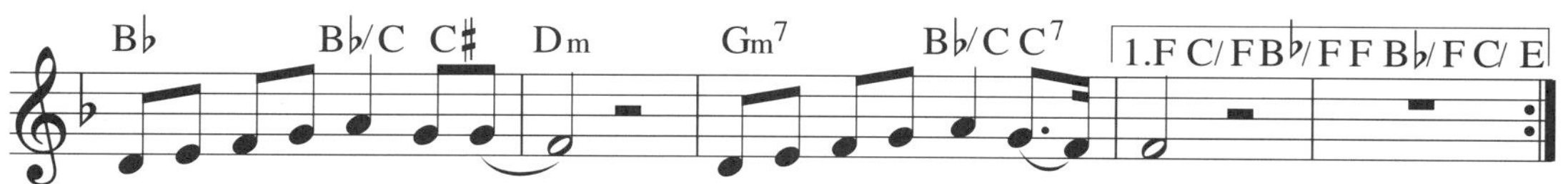

기쁨의제물되리 - 나를받아주소 - 서

서 우리 가진 - 이 모든 것들 - 을 다

B♭m9
E♭
Cm7
Fm
B♭m9
E♭
주 께 서 우 - 리 에 게 주 시 었 네 - 몸 밖 에 드 - 릴 것 이
Cm7
E♭/F F
B♭m7
A♭/C
B♭/C
3.
F
Fine
D.S
- 없 으 - 니 내 삶 을 받 아 - 주 소 서 서 -

67 나의 모든 행실을

(미 855)

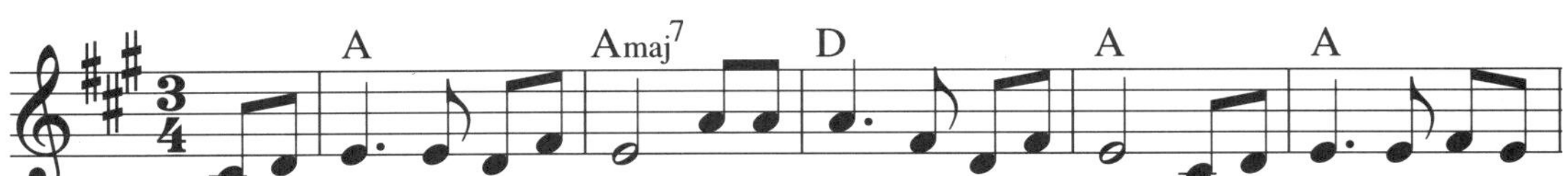

1. 나의모 든행실 을 주여 기 억마시 고 바른길 로인도
2. 나의모 든실수 를 주여 용 서하시 고 바른길 로인도
3. 이땅위 의모든 것 마지 막 날될때 에 주여나 를받아

하 소 서 - 기쁠때 나슬플 때 나와 동 행하시 며
하 소 서 - 주의크 신사랑 과 하늘 나 라영광 을
주 소 서 - 주의얼 굴대할 때 귀한 상 급주시 고

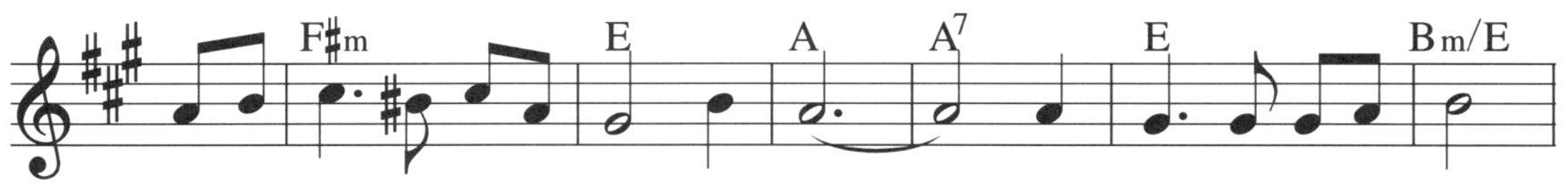

밤낮으 로인도 하 소 서 -
나도전 파하게 하 소 서 - 내 모 든형편 을
면류관 을쓰게 하 소 서 -

다 기 억하시고 늘 나 와동행 하 옵 소 서 -

나의 생 명주앞 에 남김 없 이드리 니

주여 나 를지켜 주 소 서 -

(미 575)

나의 반석이신 하나님

(Ascribe greatness)

Mary Kirkbride & Mary Lou Locke
나 의 반 석 이 신 하 나님 행 하 신
모 든 것 완 전하 시 니 - 나 의
생 명 되 신 하 나님 내 게 행 하 신 일
찬 양합 니 다 - 신 실 하 신하나- 님
실수-가 없으-신- 좋 으 신 나의 주---
- 신 실 하 신하나- 님 실수-가
없으-신- 좋 으 신 나 의 주 -

69 나의 발은 춤을 추며

(미 662)

E A2
나 의 발은춤을추며나의 손은손뼉치며나의
E F♯m Bsus4 B7 E
입은기뻐 노래부르 네 나 의 발은춤을추며나의
A2 E F♯m/B B7 E
손은손뼉치며나의 입은기뻐노래부르 네
A2 B7 E
내가 주 께 찬 양 해 내가 주 께 찬 양 해
A2 E/B B7 E
내가 주 께 찬 양 하 며 주 사 랑 해

나의 사랑하는 자의 목소리

(나의 사랑 나의 어여쁜자야)

이길로

E
E/G♯
A2
/B
E
나의 사랑하는자의목소-- 리- 듣기원-하-네 나
A
E/G♯
F♯m E
D
Bsus4 B7
E
E/G♯
의사랑나의 어여쁜-자-야바위 틈은밀-한곳에--서-
A2
/B
E
F♯m
E/B B7
1. E
A2/B
듣기원-하-네 부드 러운주님의- 음 성 나의
2.E
E/G♯
A2
/B
E
성 나의 사랑 -나의사랑 -나의 어여쁜-자-야 일
A
E/G♯
F♯m E
Bsus4 B7
E
E/G♯
어-나함 께가- 자 나의 사랑 -나의사랑 -나의
A2
/B
E
F♯m
E/B B7
E
어여쁜-자-야 일-어나 - 함께가 자

71 나의 생활 나의 문제

(이제라도)

박장호

C G7
1. 나의생 활 나의문 제 내 맘대로 안되 요
2. 없는것 이 죄인가 요 나 를멀리 하여 도
3. 나의소 망 나의기 도 주 님이루 십니 다
C G7 C
나의연 단 나의시 험 아 무 도모 릅니 다
가 - 진 것 없 - 어 도 영생 복 락있 잖아 요
때가되 면 나에게 도 주 실 줄믿 습니 다
G7 F C
만가지 가 내것인 줄 내맘 대 로살 아왔 네
받은사 랑 많았는 데 베풀 줄 도몰 랐었 네
받은말 씀 많았는 데 실행 할 줄몰 랐었 네
F C G7 C
이제라 도 주님앞 에 크게 한 번 울고 싶어 라
이제라 도 주님앞 에 감사 하 며 살아 가야 지
이제라 도 주님앞 에 말씀 대 로 살아 가야 지

(미 2081)

나의 안에 거하라

72

류수영

나의 안에 거하라- 나는네 하나 님이니- 모든
환난가운데-너를 지키는자라- 두려워하지말라- 내가널
도와주리니- 놀라지말라- 네손잡아주리라 - 내가너를

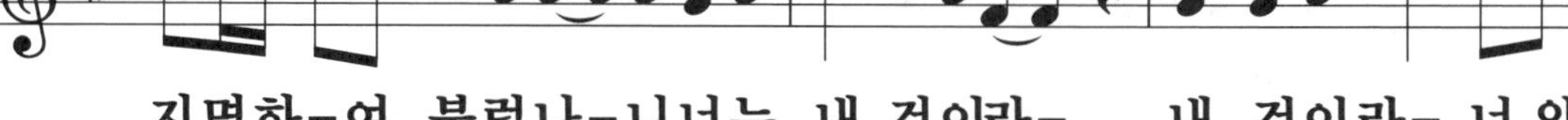

지명하-여 불렀나-니너는 내 것이라- 내 것이라- 너의

하 나 님 이 라 - 내가너를 보 배 롭 - 고 존귀하 - 게

여 기 노라 - 너를 사 랑하 - 는 네여호와라 -

73

나의 영혼이 잠잠히

(미 805)

(오직 주만이)

이유정

A E/G# D/F# D/B E E7
1. 나의영혼이- 잠잠히 하나님만바람이여 -
2. 나의영혼이- 간절히 여호와를갈망하며 -
A E/G# F#m D E7 A D/E
나의구원이- 그에게-서- 나-는도 다
나의입술이- 여호와-를- 찬-양하 리
A E/G# D/F# D/B E E7
나의영혼아- 잠잠히 하나님만-바라라 -
나의영혼이- 즐거이 여호와를따르리니 -
A E/G# F#m D E7 A A7
나의소망이- 저에게-서- 나-는도 다 오직
나의평생에- 여호와-를- 송-축하 리
D A/C# Bm E A A7
주만이- 나의 반-석- 나의 구-원- 이시 니 오직
D B7/D# A/E F#m Bm7 D/E E7 1. A 2 3. A
주만이- 나의 산-성 내가 요동치아니하 리 리
Fine
F F/G G7 C G/B Am Dm7 G7 C C/B
나의구원나의 영 광 하나님께있으 니 내
Am Am/G Am/F# B/D# Esus4 E7 D.S.
힘의- 반 석과- 피난처되시 네 - 오직

(미 820)

나의 입술의 모든 말과

(Let the words of my mouth)

Joe Mackey

C2 F/C C G G7 C2
나 의 입 술 의 모 든 말 과 나 의 마 음 의 묵 상 이
F/C C G C F C
주 께 열 납 되 기 를 원 하 네 –
Fine
F C C7
생 명 이 – 되 신 주 –
소 망 이 – 되 신 주 –
F Gsus4 G7
반 석 이 – 되 신 주 –
능 력 이 – 되 신 주 –
D.C.

75 나의 주 나의 하나님이여

(미 1741)

(깨뜨릴 옥합 내게 없으며 / Adonai)

Stephen Hah

E B/D# A A/B B E A/B B
나의주 나의하나 님 이 여 주 를경배합 니 다
E B/D# A A/B E E7
Fine
주 사 랑하는나의 마 음을 주께 서 아시 나이 다
A B/A E/G# C#m F#m B E D/F#
깨 뜨 릴옥합내게 없 -으며주께 드 릴향유없지 만
고 통 속에방황하 는 내마음주- 께 로갈수없지 만
E/G# A B/A E/G# C#m F#m E/B B
하 나 님형상대로 날 빛으사 새 영 을내게부어 주소-서
저 항 할수-없는 그 은혜로주 님 의길을걷게 하소-서
E B/D# A A/B B E
나의주 나의하나 님 이 여 주 를경배합 니 다 주
E B/D# A B E D.S.
사랑하는나의 마 음을 주께 서 아시 나이 다 나의

(미 923)

나의 하나님 나의 하나님

강태원

C Em Am G G7
나의 하나님나의 하나님나와 함 께하신하나 님 주님
C Em G7 C
뜻 대로살기 원 하여 이처 럼간 구 합니 다 아버 지 아버
G C D7 G G7 C CM7
지 죄인부 르신아버 지 감사 합 니다감사 합 니다 늘찬
지 나를구 하신아버 지 감사 합 니다감사 합 니다 이몸
C G G7 C G C D7 G G7
송하게합소 서 아버 지 아버 지 은혜베 푸신아버 지
바쳐살렵니 다 아버 지 아버 지 축복해 주신아버 지
C Em Am G
Fine
감사 합 니 다 감사 합 니 다 영광받 아 주 옵소 서
감사 합 니 다 감사 합 니 다 사명 감 당케 합소 서
C F C G7
나의 하나님 나의 하나님 나의 하나 님 아버 지
C F C G7 C
D.S
감사 합니다 감사 합니 다 진정 감 사 합 니 - 다

77

나의 친구여 내 말

(너도 나처럼)

(미 889)

최용덕

E A E B7
나 의 친 구 여 – 내 말 들 어 보 렴
E A B7 E
나 의 이 기 쁨 – 알 고 싶 잖 니
E A E B7
나 의 친 구 여 – 내 말 들 어 보 렴
E A B7 E
나 의 이 소 망 – 알 고 싶 잖 니
E E7 A
나 는 무 어 든 할 수 있 단 다 내 게 주 어 진 일 들
전 엔 천 국 은 어 느 곳 에 도 없 다 말 했 었 지 만
F#m A B7 E
가 난 한 것 도 외 로 운 것 도 모 두 참 을 수 있 고
이 젠 이 렇 게 믿 을 수 있 어 주 님 계 신 천 국 을
E E7 D A
견 딜 수 없 는 슬 픔 있 어 도 다 시 웃 을 수 있 어
우 린 언 제 나 우 울 했 잖 니 아 무 까 닭 도 없 이

E F#m A B7
내맘 에 주님 을 모- 신 이후로부 터
그러 나 이제 는 너도 나 처럼될거 야
E A E B7
너 의 맘 속에- 예수님모시 면
E A B7 E
항 상 행 복해- 너도나처 럼

78

나의 하나님 그 크신 사랑

(미 1736)

유상렬

나 의하나님- 그 크-신사랑- 나의 마음속에-언제나

- 슬픈 눈물지을때- 나의 힘이되시는- 나의

영원하신- 하나님 - 나의 구원의반석- 나의

생명의주인- 나의 사-랑의-노-래 - 실패

하여지칠때- 나의 위로되시는- 나의 하나님을- 찬양해

- 세월이 지나도 변치않으리-내 가-주를-사랑하는

마 --음 즐 거운날이나- 때론 슬플날이나- 모두

외 로운밤이나- 험한 골짜기라도- 나의

Am
D7
G
G7
Am
D7
하나님 - 을 사랑합 - 시 다 세 월이 지나도 - 비 -
하나님 - 은 동행하 - 시 니 내 영혼 언제나 - 하나
B7
Em
Am
D7
G
바람 불어도 - 모두 하나님 - 을 사랑합 - 시 다
님을 바라며 - 세상 끝날까 - 지 사랑하 - 리 라

79 나의 힘이되신 여호와여

은지영

G
C
D
G
나 의힘 이 되 - 신 여 - 호 와- 여 -
할 수있 거 든 - 이 무 슨말 이- 냐 -
내 게능 력 주 시는 예 수안 에- 서 -
C
D
G
내 가내 가 주 를 사 랑하 나이 다
할 수있 거 든 이 무 슨말 이- 냐
내 가모 든 것 을 할 수있 느니 라
C
D
G
나 의힘 이 되 - 신 여 - 호 와 여
믿 는자 들 에 게는 믿 는자 들 에게는
내 게능 력 주 시는 예 수안 에 서
C
D
G
내 가내 가 주 를 사 랑하 나이 다
능 치못 할 일 이 전 혀없 느니 라
내 가모 든 것 을 할 수있 느니 라

(미 1871)

나 이제 주님을 알았으니

80

(구원의 기쁨)

추정엽

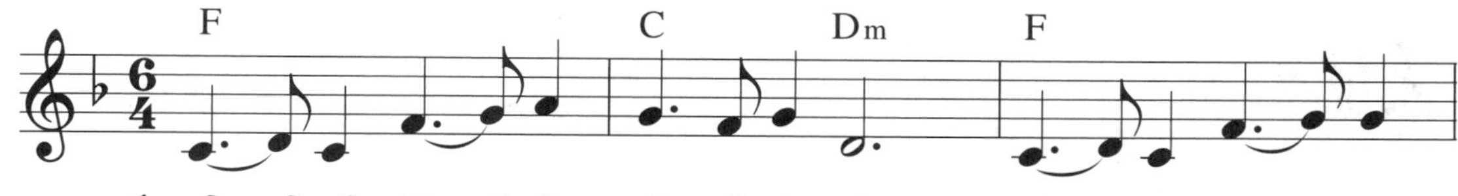

1. 나 이제 주 님을 알 았으니 이 소식전 하려
2. 찬 -양 찬 -양 찬 양하세 우 -리주 -님

네 - 죄 속 에 빠져있 던 이 -내 영 혼 -
을 - 날 위 해 돌아가 신 우 -리 주 님 -

주 님구 원 하셨 네 - 이 세 상 어딜 가도 우 리주님
손 들어 찬 양하 세 - 이 세 상 어딜 가도 우 리주님

rit. a tempo
동 행하 시네 - 동 행하 시네 - 할 렐루 야
동 행하 시네 - 동 행하 시네 - 할 렐루 야

나 이제 주 님을 알 았으니 이 소식 전 하려 네 -
찬 -양 찬 -양 찬 양하세 우 -리주 -님 을 -

죄 속에빠져있던 이 -내영혼- 구 원한사 -실 을 -
날 위해돌아가신 우 -리주님- 손 들어 찬 양하 세 -

81 나 자유 얻었네

(미 940)

A D E7 A E7 A
1. 나 자유 얻 었네 너 자 유 얻었네 우 리자 유 얻-었 네- -
2. 나 구원 받 았네 너 구 원 받았네 우 리구 원 받-았 네- -
3. 나 성령 받 았네 너 성 령 받았네 우 리성 령 받-았 네- -
4. 나 기뻐 하 겠네 너 기 뻐 하겠네 우 리기 뻐 하-겠 네- -
5. 나 은혜 받 았네 너 은 혜 받았네 우 리은 혜 받-았 네- -
6. 나 믿음 얻 었네 너 믿 음 얻었네 우 리믿 음 얻-었 네- -
7. 나 감사 하 겠네 너 감 사 하겠네 우 리감 사 하-겠 네- -
D E7 A Fine
나 자유 얻 었네 너 자 유얻 었네 우리자유 얻-었 네 -
나 구원 받 았네 너 구 원받 았네 우리구원 받-았 네 -
나 성령 받 았네 너 성 령받 았네 우리성령 받-았 네 -
나 기뻐 하 겠네 너 기 뻐하 겠네 우리기뻐 하-겠 네 -
나 은혜 받 았네 너 은 혜받 았네 우리은혜 받-았 네 -
나 믿음 얻 었네 너 믿 음얻 었네 우리믿음 얻-었 네 -
나 감사 하 겠네 너 감 사하 겠네 우리감사 하-겠 네 -
D A B7 E7 D.S.
주말씀 하시길 죄사슬 끊겼네 우리 자유 얻 -었 네 할렐루야

(미 1284)

나 주님의 기쁨되기 원하네

82

(To be pleasing You)

Teresa Muller

G G/B C G/B Am D
나주님 – 의 기 쁨되 –기 원하네 – 내 마 음을 – 새롭게하 – 소 –
겸손히 – 내 마 음드 –립 니 – 다 – 나 의모 – 든것받으 – 소 –
Am/G G G G/B C G/B
서 – – 새 부대 – 가되 – 게하 – 여 – 주 – 사 – 주
서 – – 나 의맘 – 깨끗 – 케씻 – 어 – 주 – 사 – 주
Am C/D Am/G G C/D G D/F#
님 의빛 – 비 추게하 – 소 – 서 – – 내 가 원 – – 하는 –
의 길로 – 행 하게하 – 소 – 서 – –
C/E G/D C Am C/D D7
한 – – 가지 – 주님의 – 기 쁨이 되 는것 – 내 가
G D C D Em Am D7 G
원 – – 하는 – 한 가 – 지 – – – 주님의 – 기 – 쁨이 되는것 – – –

83 날 구원하신 주 감사

(미 1601)

(Thanks for God for my redeener)

Arr. Roy Brunner & John A Hultman

A Bm E A
1. 날 구 원 하 신 주 감 사 모 든 것 주 심 감 사
2. 응 답 하 신 기 도 감 사 거 절 하 신 것 감 사
3. 길 가 의 장 미 꽃 감 사 장 미 꽃 가 시 감 사
A D E A
지 난 추 억 인 해 감 사 주 내 곁 에 계 시 네
헤 쳐 나 온 풍 랑 감 사 모 든 것 채 우 시 네
따 스 한 따 스 한 가 정 희 망 주 신 것 감 사
D A F♯m B7 E
향 기 론 봄 철 에 감 사 외 론 가 을 날 감 사
아 픔 과 기 쁨 도 감 사 절 망 중 위 로 감 사
기 쁨 과 슬 픔 도 감 사 하 늘 평 안 을 감 사
C♯/E♯ F♯m A/E D Bm A/E E7 A
사 라 진 눈 물 도 감 사 나 의 영 혼 평 안 해
측 량 못 할 은 혜 감 사 크 신 사 랑 감 사 해
내 일 의 희 망 을 감 사 영 원 토 록 감 사 해

(미 1009)

날마다 숨쉬는 순간마다

(Day by day)

Arr. PD. Berg Sandell & Ahnfelt Oscar

E F♯m B7 E
1. 날마 다 숨쉬는순간 마 다 내앞 에 어려운일보 네 주님
2. 날마 다 주님내곁에 계 셔 자비 로 날감싸주시 네 주님
3. 인생 의 어려운순간 마 다 주의 약 속생각해보 네 내맘
E F♯m B7 E
앞 에이몸을맡 길 때 슬픔 없 네 두려움없 네 주님
앞 에이몸을맡 길 때 힘주 시 네 위로함주 네 어린
속 에믿음잃지 않 고 말씀 속 에 위로를얻 네 주님
E E7 Amaj7 F♯m/A B7 E A/B
의 그자비로운 손 길 항상 좋 은것주시도 다 사랑
나 를품에안으 시 사 항상 평 안함주시도 다 내가
의 도우심바라 보 며 모든 어 려움이기도 다 흘러
E F♯m B7 E
스 레아픔과기 쁨 을 수고 와 평화와안식 을
살 아숨을쉬는 동 안 살피 신 다약속하셨 네
가 는순간순간 마 다 주님 약 속새겨봅니 다

85

낮에나 밤에나

(주님 고대가)

(미 1270)

손양원

Cm C Fm G
1. 낮 -에나 밤 -에나 눈물머금 고
2. 고 적하고 쓸 -쓸한 빈들판에 서
3. 먼 -하늘 이 -상한 구름만떠 도
4. 내 -주님 자 -비한 손을붙잡 고
5. 신 부되는 교 -회가 흰옷을입 고
6. 천 -년을 하루같이 기다린주 님
Cm G G7 Cm
내 -주님 오시기만 고대합니 다
희 -미한 등 -불만 밝히어놓 고
행 -여나 내 -주님 오시는가 해
면 -류관 벗어들고 찬송부르 면
기 름준비 다해놓고 기다리오 니
내 -영혼 당하는것 볼수없어 서
C Fm G7
가 -실때 다시오마 하신예수 님
오 실줄만 고대하고 기다리오 니
머 리들고 멀리멀리 바라보는 맘
주 님계신 그 -곳에 가고싶어 요
도 적같이 오시마고 하신예수 님
이 시간도 기다리고 계신내주 님
Cm G G7 Cm
1.2.3.4.5. 오 -주여 언 -제나 오시렵니 까
6. 오 -주여 이시간에 오시옵소 서

(미 1088)

낮엔 해처럼 밤엔 달처럼

최용덕
1. 낮 엔해처럼 밤 엔달처 럼 그렇게 살순없을까 -
2. 예 수님처럼 바 -울처 럼 그렇게 살순없을까 -
욕 심도없이 어둔세상비추 어 온전히 남을위 해살듯이 -
남 을위하여 당신들의온몸 을 온전히 버리셨 던것처럼 -
나 의일생에 꿈 이있다 면 이땅에 빛과 소금 되 어 -
주 의사랑은 베 푸는사 랑 값없이 거저 주는 사 랑 -
가 난한영 혼 지 친영혼을 주님 께 인도하 고 픈 데 -
그 러나나 는 주 는것보 다 받는 것 더욱좋아 하 니 -
나 의욕심 이 나의못 난자아 가 언제나 -커다란짐되어 -
나 의입술 은 주님닮 은듯하 나 내맘은 -아직 도 추하여 -
나 를짓눌 러 맘을곤 고케하 니 예수여 나를 도 와주소 서 -
받 을사랑 만 계수하 고있으 니 예수여 나를 도 와주소 서 -

87 내가 걷는 이 길이 혹 굽어

(미 2031)

(하나님은 실수하지 않으신다네)

A.M.오버톤 & 최용덕

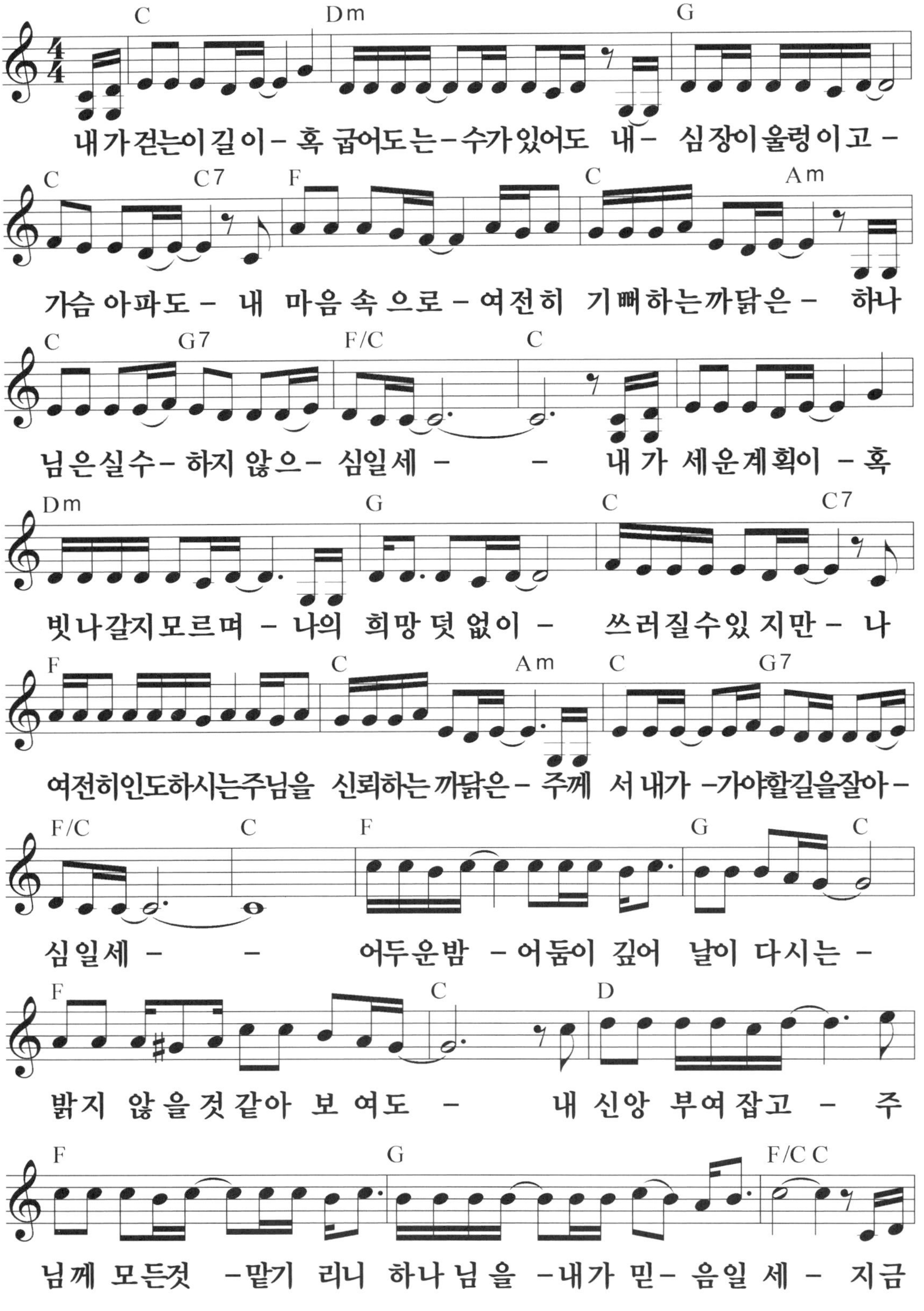
C Dm G
내가걷는이길이－혹 굽어도는－수가있어도 내－ 심장이울렁이고－
C C7 F C Am
가슴아파도－ 내 마음속으로－여전히 기뻐하는까닭은－ 하나
C G7 F/C C
님은실수－하지 않으－ 심일세－ － 내가 세운계획이 －혹
Dm G C C7
빗나갈지모르며 －나의 희망 덧없이－ 쓰러질수있 지만－ 나
F C Am C G7
여전히인도하시는주님을 신뢰하는까닭은－ 주께 서내가 －가야할길을잘아－
F/C C F G C
심일세－ － 어두운밤 －어둠이 깊어 날이 다시는－
F C D
밝지 않을것같아 보 여도 － 내 신앙 부여잡고 － 주
F G F/C C
님께 모든것 －맡기 리니 하나님을 －내가 믿－ 음일 세－ 지금

C/G
Am
F/C
은 내가 볼수 없 는것 너무많아서 - 너무 멀리 - 가물가물 -
C
G
C
Em
어른거려도 - 운명 이여 - 오라 - 나 두 려워 - 아니 하리 - 만-
F
C
Am
사를주 님 께 - 내어 맡기리 - 차츰 차츰 - 안개는 걷히고 - 하나
D
G
C
님 지으신 - 빛이 뚜렷이 보이리라 - 가는 길이 온통 - 어-
F
1
G
C
D.S.
둡게만 보여도 - 하나 님은 - 실수하지 않으신 - 다네 - 차츰
2
님은- 실 수 하 지 않 으 신 - 다 - 네 -

88 내가 그리스도와 함께

(미 1249)

박윤호

내가 그 리스 도 와 함 – 께 십자 가 에못

박 혔나 니 – 그런 즉 이– 제 내가

산 것아니 요 오 직 내안 에 예수 께 – –

서 사 신 – 것 이– 라 – 이제

내 – – 가 육체 가 운– 데 사 는 것

은 – – – 나를 사 랑하사 자 기 몸

버 리 신 예수 위 해 산 것이 라 –

(미 1090)

내가 너를 믿고 맡긴 사명

89

(길 잃은 청지기)

주숙일

1. 내가너를 믿 고 맡긴사 명 너는왜잊 어 버렸나
2. 내가너를 믿 고 맡긴재 물 왜너의배 만 채우나

나만따르 리 라 하던약 속 너는왜잊 어 버렸나
나를위해 다 시 바치리 라 그약속잊 어 버렸나

위로하기 보다는위로하 고 사랑받기 보 다 는 사랑하며
위로하기 보다는위로하 고 사랑받기 보 다 는 사랑하며

십자가만 면류관만 바 라보며 - 의의길 간 다 더 니 -
십자가만 면류관만 바 라보며 - 의의길 간 다 더 니 -

위로하기 보다는 위로받 고 사랑을받 기 원하네
위로하기 보다는 위로받 고 사랑을받 기 원하네

90

내가 만약 나비라면

(미 1452)

(If were a Butterfly)

Brian Howord

C F F7
1. 내 가 만 약 나비라면- 내 날 개 주 신 주께감사- 또
2. 내 가 코 끼 리-라면- 내 코 를 들 어 주께감사- 또
3. 내 가 지 렁 이-라면- 난 땅 을 기 며 주께감사- 또
C Dm G7
내 가 나 무 위의새라면 난 지 저 귀 며 찬양 해- 또
내 가 캉 가 루--라면 난 높 이 뛰 며 찬양 해- 또
내 가 만 약 악어-라면 내 큰 입 으 로 찬양 해- 또
C F
내 가 바 다 고기라면- 꼬 리를치 며 기쁨 으로찬양-
내 가 만 약 문어라면- 내 팔을들 고 기쁨 으로찬양-
내 가 만 약 곰이라면- 따 뜻한털 을 주신 주를찬양-
G G7 F C
감 사 드 리 세 날만드신 주를 찬 양 네 게
F
즐거움과- 기쁨 주시었네- 하 나 님 자녀삼아 주시었네-
G G7 F C
감 사 드 리 세 날만드신 주를 찬 양

(미 592)

내가 산을 향하여

김영기

C F C
1. 내 가 산 을 향 하 여 - 눈 을 들 리 라
2. 내 가 손 을 들 고 서 - 기 도 하 리 라
C G7 F C G7
나 의 도 움 이 어 디 서 올 - 꼬
나 의 응 답 이 어 디 서 올 - 꼬
C F C
천 지 지 으 신 여 호 와 - 나 의 왕 이 여
전 지 전 능 한 하 나 님 - 나 의 주 시 여
C G7 F G7 C
영 원 무 궁 히 지 키 시 리 로 다
나 의 출 입 을 지 키 시 리 로 다

92 내가 먼저 손 내밀지 못하고

(미 1244)

(오늘 나는)

최용덕

1. 내가먼저손내밀지 못하고- 내가먼저용서하지 못-하고-
2. 내가먼저섬겨주지 못하고- 내가먼저이해하지 못-하고-

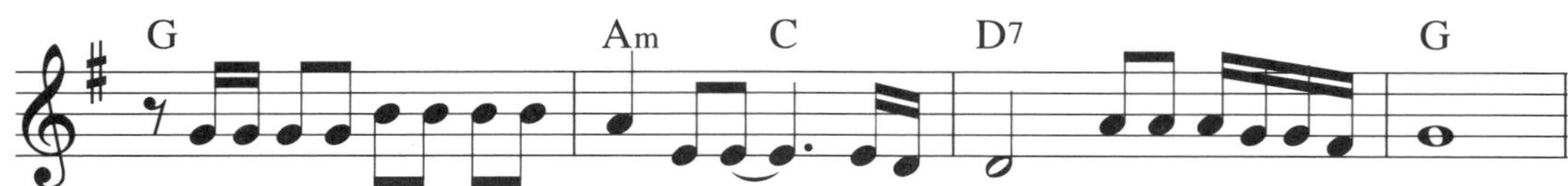

내가먼저웃음주지 못 하고- 이렇 게 머뭇거리고있 네
내가먼저높여주지 못 하고- 이렇 게 고집부리고있 네

그가먼저손내밀기 원 했고- 그가먼저용서하길 원-했고-
그가먼저섬겨주길 원 했고- 그가먼저이해하길 원-했고-

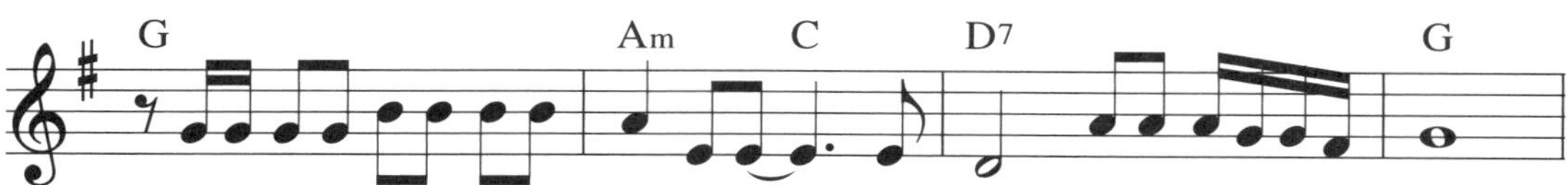

그가먼저웃음주길 원 했네- 나 는 어찌된사람인 가
그가먼저높여주길 원 했네- 나 는 어찌된사람인 가

오 -간교한 나의입술이여- 오 -옹졸한 나의마음이여-
오 -추악한 나의욕심이여- 오 -서글픈 나의자존심이여

왜나의입은- 사랑을말하면서- 왜나의맘은- 화해를말하면서-

G C G D D7
왜 내가먼저 - 져줄수없 는가 - 왜 내가먼저 - 손해볼수없 는가 -
G G7 C G D7
오 - 늘 나 는 오 늘 나 - 는
G Em C D7
주님 앞에서 - 몸 둘바 모르 - 고 이렇게 흐느끼며 서있 네
G C D7 G
어찌 할 수없는이맘을 - 주님 께 - 맡긴채 로

93 내가 어둠 속에서

(미 1124)

문경일
1. 내가 어둠속에서- 헤맬때에도- 주님은 -
2. 내가 은밀한곳에서- 기도할때도- 주님은 -
3. 힘이 없고 연약한- 사람들에게- 주님은 -
함께 계셔 - 내가 시험당하여-
함께 계셔 - 내가 아무도모르게-
함께 계셔 - 세상 모든형제와-
괴로울때도- 주님은 - 함께 계셔 -
선한일할 때도- 주님은 - 함께 계셔 -
자매들에게- 주님은 - 함께 계셔 -
기뻐 찬양하네 할렐루 할렐루야 할렐
루 할렐루야 우리모두찬양할렐루 할렐루
야 - - - 주님 나와함께 계시네 -

(미 980)

내가 주를 위하여 주의 영광

(주의 영광 위하여)

이희수

G C (A7) D7 G
1. 내가 주 를위 하- 여 주의 영 광위-하- 여
2. 나는 주 님때 문- 에 주의 사 랑인-하- 여
3. 주께 모 두드 리- 리 주의 사 업위-하- 여
G C (A7) D7 G
내가 주 를위 하- 여 주의 영 광위 하- 여
나는 주 님때 문- 에 주의 사 랑인 하- 여
주께 모 두드 리- 리 주의 사 업위 하- 여
C D7 A D D7
이몸 주 께드 리- 리 나의 일 생다-가도 록
오직 주 만따 르- 리 나의 생 명다-하도 록
내것 모 두드 리- 리 당신 내 게주신것이 니
G C G D7 G
내가 주 를위-하- 여 주의 영 광위 하- 여
나는 주 님때-문- 에 주의 사 랑인 하- 여
주께 모 두드-리- 리 주의 사 업위 하- 여

95

내가 주인 삼은

(미 1926)

전승연

G D/F♯ Em
내 가 주 인 삼 은 - 모 든 것 내 려 놓 고 - 내
C G/B Am D G D/F♯
주 되 신 주 앞 에 나 가 - 내 가 사 랑 했 던 - 모 든 것
Em C D 1 G
내 려 놓 고 - 주 님 만 사 랑 해 -
G 2 G D G D/F♯ Em
내 가 - 주 사 랑 거 친 풍 랑 에 도 - 깊 은
C G/B Am D G
바 다 처 럼 - 나 를 잠 잠 케 해 - 주 사 랑 내 영
D/F♯ Em C D G
혼 의 반 석 - 그 사 랑 위 에 - 서 리 -

(미 909)

내가 지금 사는 것

(더욱 크신 은혜)

96

김한준

E A E A E
1. 내-가 지 금사-는 것 주님의 크 신은-혜 요
2. 세-상 에 서당-하 는 환-난 고 초많-으 나
3. 하-늘 에 는영-광 이 우-리 에 겐기-쁨 이
A B E
주-를 믿 게된-것 은 더욱 크 신은-혜 라
이-길 힘 을주-시 니 더욱 크 신은-혜 라
날-로 더 해가-는 것 더욱 크 신은-혜 라
A E
넘-치 는 주의사 랑 놀-라 운 주의은 혜
답답할 때 기-도 로 쓰러질 때 손-길 로
쌓-여 진 사-랑 도 감당할 길 없-어 서
A E A B7 E A E
날-마 다 경험하 며 주-께 감 사합-니 다
어루만 져 주-시 니 주-여 감 사합-니 다
몸-과 맘 드립니 다 진-정 감 사합-니 다

97 내가 처음 주를 만났을 때

(미 946)

(주를 처음 만난 날)

김석균

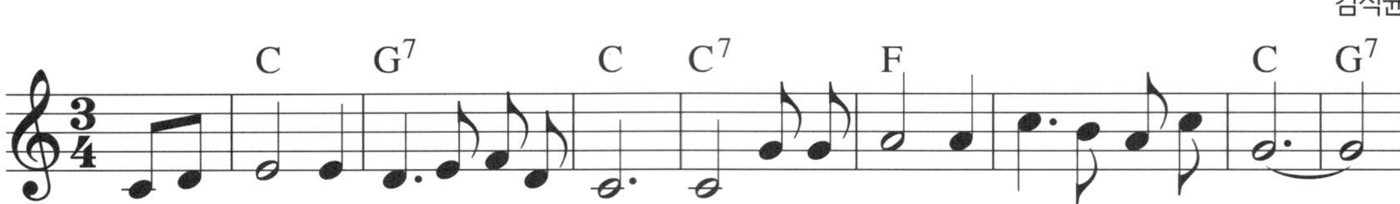

1. 내가 처 음 주를만났 을 때외롭 고 도 쓸쓸한모 습 -
2. 내가 다 시 주를만났 을 때죄악 으 로 몹쓸병든 몸 -
3. 내가 이 제 주를만남 으 로죽음 의 길 벗어나려 네 -

말없 이 홀로 걸어가신 길 은영-광 을 다- 버린나그 네 -
조용 히 내손 잡아이끄 시 며병-든 자 여- 일어나거 라 -
변찮 는 은혜 와사랑베 푸 신그-분 만 이- 나의구세 주 -

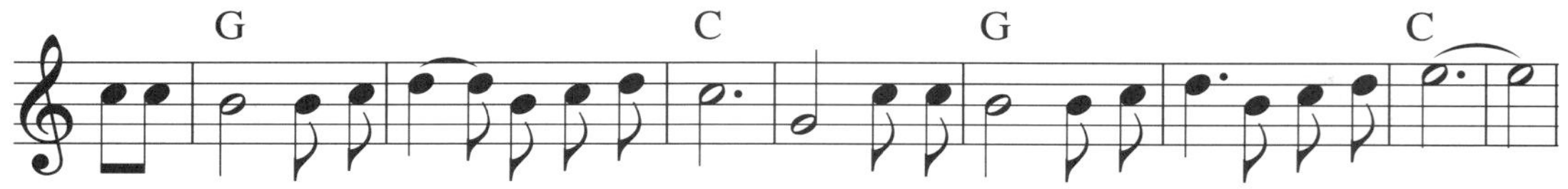

정녕 그 분이내형제구원 했 나 나의영 혼도 구원하려 나 -
눈물 흘 리며참-회하였 었 네 나의믿 음이 뜨거웠었 네 -
주예 수 따라항-상살리 로 다 십자가 지고 따라가리 라 -

의심 많 은 도 마처럼 물 었 네 내가 주 를 처 음만난 날 -
그러 나 죄 악 이나를 삼 키 고 내영 혼 갈 길 을잃었 네 -
할렐 루 야 주 를만난 이 기 쁨 영광 의 찬 송 을돌리 리 -

(미 1496)

내게 강같은 평화

1. 내 게 강 같 은 평 화 내 게 강 같 은 평 화
2. 내 게 바다 같 은 사 랑 내 게 바다 같 은 사 랑
3. 내 게 샘 솟 는 기 쁨 내 게 샘 솟 는 기 쁨
4. 내 게 믿음 소 망 사 랑 내 게 믿음 소 망 사 랑

내 게 강 같 은 평 화 넘 치 네 –
내 게 바다 같 은 사 랑 넘 치 네 –
내 게 샘 솟 는 기 쁨 넘 치 네 –
내 게 믿음 소 망 사 랑 넘 치 네 –

내 게 강 같 은 평 화 내 게 강 같 은 평 화
내 게 바다 같 은 사 랑 내 게 바다 같 은 사 랑
내 게 샘 솟 는 기 쁨 내 게 샘 솟 는 기 쁨
내 게 믿음 소 망 사 랑 내 게 믿음 소 망 사 랑

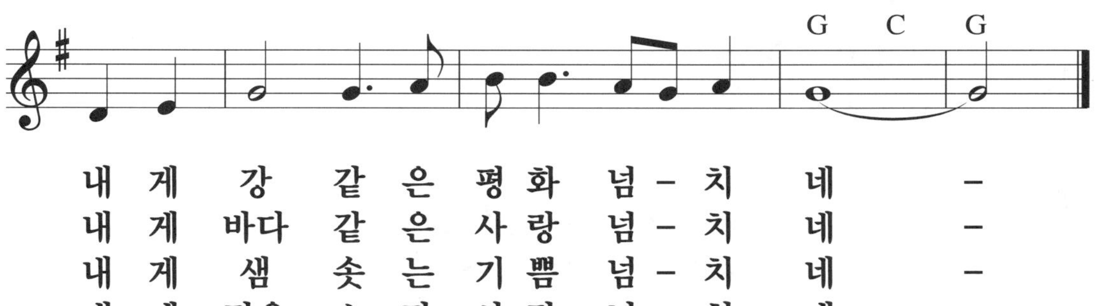

내 게 강 같 은 평 화 넘 – 치 네 –
내 게 바다 같 은 사 랑 넘 – 치 네 –
내 게 샘 솟 는 기 쁨 넘 – 치 네 –
내 게 믿음 소 망 사 랑 넘 – 치 네 –

99

내 감은 눈안에

(전부)

최경아 & 유상렬

F C/E Dm
내 감은 - 눈 안에 이미 들어와 - 계신
Am/C B♭ F/A Gm7
예수님 - 나보다 - 앞서 나 - 를 - 찾 아 주시
Csus4 C7 F C/E Dm
네 내 뻗은 두손 위로 자비 하심을 - 내어
Am/C B♭ F Gm7 C7
주시니 - 언제나 - 먼저 나 - 를 - 위 로 - 하시
F F7 B♭ C C7/B♭ Am
네 내 노래 - 가 운데 함 께 즐거워
Dm Gm C7 F E♭/F
하시는 - 늘 - 나의 - 기 쁨이 되시 네
F F7 B♭ C C7/B♭ Am
- 수 많은 - 사 람중에 - 나 를 택해잡

Dm
Gm
E♭
C sus4
으 시 고 - 눈 물 거 두 어 - 빛 살 가 루 채 우 시 니
C7
Fmaj7
Dm
Gm
C7
C7/B♭
- 그 분 은 - 내 자 랑 나 의 기 쁨 나
Am
D7
Gm7
C7
B♭/F
F
의 노 래 - 나 의 전 부 되 시 - 네 -

100

내게 있는 향유 옥합

(옥합을 깨뜨려)

(미 613)

박정관

D A/C♯ Bm F♯m/A G E7/G♯ Asus4 A7
내 게 있 는 향 유 옥 합 주 께 - 가 져 와
D A/C♯ Bm F♯m/A G A7 D
그 발 위 에 입 맞 추 고 깨 뜨 - 립 니 다
D A/C♯ Bm F♯m/A G E7/G♯ Asus4 A7
나 를 위 해 험 한 산 길 오 르 - 신 그 발
나 를 위 해 십 자 가 에 달 리 - 신 그 발
주 님 다 시 이 땅 위 에 임 하 - 실 그 때
D A/C♯ Bm F♯m/A G A7 D
걸 음 마 다 크 신 사 랑 새 겨 - 놓 았 네
흘 린 피 로 나 의 죄 를 대 속 - 하 셨 네
주 의 크 신 사 랑 으 로 날 받 아 주 소 서

(미 1614)

101

내 구주 예수님

(Shout to the Lord)

Darlene Zschech

1. 내 구 주 예 수 님 주같은분 – 없 – 네 – 내평생에
2. 위 로 자 되 시 며 피난처되 – 신주님 – 나의영혼
– 찬양하리 – – 놀라운주의 사 랑 을
– 온맘다해
– 주 를 경 배 합 니 다
온땅이여 – 주님께 – 외쳐라 – – 능력과위 – 엄 의왕 – 되신주 –
산과바다 – 소리쳐 – 주의 – 이름 을 – – 높 이 리 –
주행한일 – 기뻐노 – 래하며 – 영 원히주님 – 을사랑 – 하리라 –
신실하신 – 주의약 – 속나받 – 았 네 – –

102

내 눈 주의 영광을

(미 1742)

(모든 열방 주 볼 때까지)

고형원

내 눈 주의 영광 을 보네 우리가 운데- 계신주 님

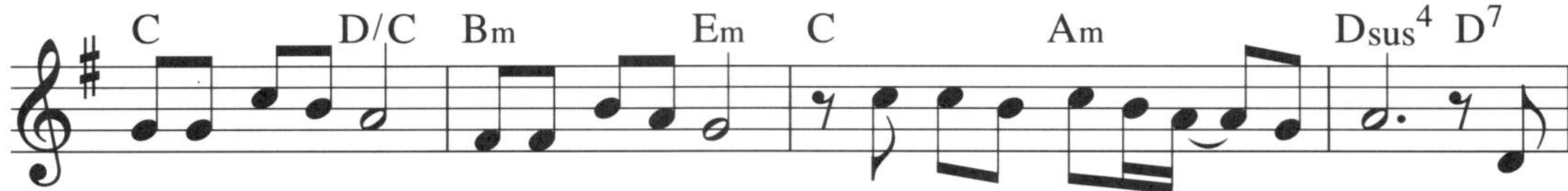

그빛난영광 온하늘덮고 그찬송온땅가-득 해 내

눈 주의 영광 을 보네 찬송가운데-서신주 님 주

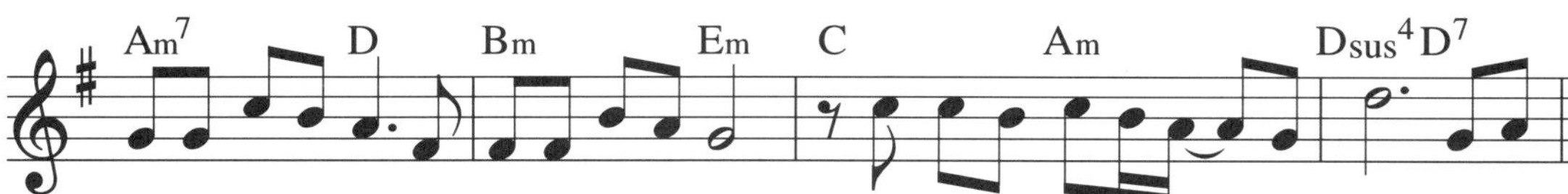

님의얼굴은온 세상향하네 권능의팔을드-셨 네 주의

영광이곳에-가득 해 우린 서네 주님과함 께---

찬양하 며 우리는전진 하-리- 모든열-방주볼때까 지

하늘 아버지 -우릴 새롭게 하 사 열방 중에서-주를

3
B♭ B♭/D E♭ F/E♭ Dm7 Gm
섬기게 하소서- 모든 나라일어나- 찬송부르며-
Gm7 Am7 Dsus4 D7
D.S
영광의 주님을- 보게하-소 서 주의

(미 775)

내 마음에 사랑이

103

D G
내 마 음 에*사 랑 이 싹 이 트 고 있 어 요 예 수 님

D A7 D
만 난날 부 터 내 마 음 에 사 랑 이 One Way Je-sus

* 기쁨, 평화, 인내, 충성, 근심....사라지고 있어요.

104 내 마음에 주를 향한

(미 1608)

(십자가의 길 순교자의 삶 / The way of cross the way of martyr)

하 스데반

A E/B A/C♯ D F♯/C♯
1. 내마음에주를향한 사랑이 - 나의 말엔주가주신
2. 내입술에찬 - 양의 향기가 - 두손 에는주를닮은
Bm7 E E7 1. A
진 리 로 - 나의눈에주의눈물 채 워 주 소 서
섬 김 이 - 나의삶에주의흔적 남 게 하 소
D/E 2. A D/E A
서 하나 님의사랑이 - 영원
Amaj7 A7 D
히함께하리 - 십자 가의길을걷는자에 게 순교
Bm E D/E A
자의삶을사는이에 게 조롱하는소리와 - 세상
Amaj7 A7
유혹 속에도 - 주의 순결한신부가되리
D Bm7 A/E E7 A
라 내생 명 주님 께 드리 리

(미 1503)

내 맘 깊은 곳

(Deep in my heart)

예수전도단 번역

D F♯m7/C♯ Bm7 Bm7/A G E9/G♯ Gmaj7/A A9
1. 내 맘 깊 은 – 곳 주 께 노 래 하 네
2. 내 맘 깊 은 – 곳 주 를 찬 양 하 네
3. 새 로 운 노 래 로 주 를 찬 양 하 세
4. 할 렐 – 루 – 야 할 – 렐 루 야 –
D C♯dim7 Bm7 Bm7/A G A7 D
내 맘 깊 은 – 곳 주 께 노 래 해
내 맘 깊 은 – 곳 주 를 찬 양 해
새 로 운 노 래 로 주 를 찬 양 해
할 렐 – 루 – 야 할 – 렐 루 야

106 내 사랑하는 그 이름

(미 695)

(복된 예수)

A.H. Acley

G C G D D7 G C G D7 G D7 G G7 C A D D7 G7 C G D7 G
1.내 사 랑하 는 그이름 예 수 복된 예 수
2.내 맘 에계 신 그이름 예 수 복된 예 수
3.주 예 비하 신 하늘집 예 수 복된 예 수
내 귀 에음 악 같도다 예 수복된 예 수
내 눈 에눈 물 씻기는 예 수복된 예 수
내 구 원하 신 그이름 예 수복된 예 수
아귀하 다 그의이 름 갈보리 산 의어린 양
귀한생 명 버리셨 네 예 수 복된 예 수

내 생에 가장 귀한 것

107

(The greatest thing in all my life)

M. Pendergrass

D Bm D/E Em Asus4 A7

1. 내 생에 – 가장 귀한 것 주 앎이라 –
2. 내 생에 – 가장 귀한 것 주 사랑함 –
3. 내 생에 – 가장 귀한 것 주 찾는 것 –
4. 내 생에 – 가장 귀한 것 섬기는 삶 –

Em G/A A7 G/D D C/D D7

내 생에 – 가장 귀한 것 주 앎이라 –
내 생에 – 가장 귀한 것 주 사랑함 –
내 생에 – 가장 귀한 것 주 찾는 것 –
내 생에 – 가장 귀한 것 섬기는 삶 –

G D Em A7 D

주님을 알기를 간절히 원하네
주 사랑하기를 간절히 원하네
주님을 찾기를 간절히 원하네
주님을 섬기기 간절히 원하네

D Bm Em G/A D

내 생에 – 가장 귀한 것 주 앎이라
내 생에 – 가장 귀한 것 주 사랑함
내 생에 – 가장 귀한 것 주 찾는 것
내 생에 – 가장 귀한 것 섬기는 삶

108 내 손을 주께 높이 듭니다

(미 757)

(찬송의 옷을 주셨네)

박미래 & 이정승

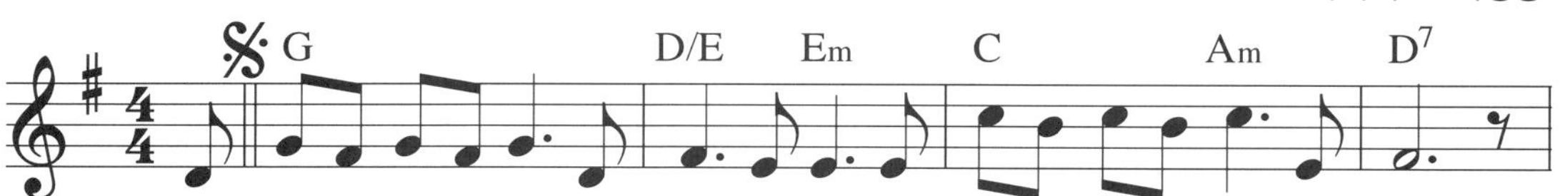

G
D/E
Em
C
Am
D7

내 손을주께높이 듭니다내 찬양받으실주 님
라라라라라 라 라라라라 라라라라라라 라

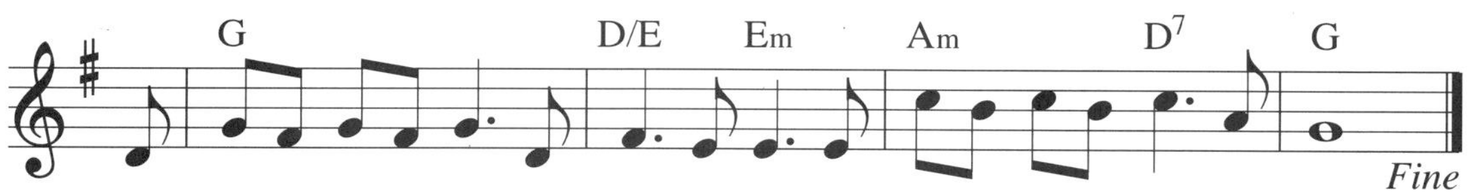

G
D/E
Em
Am
D7
G
Fine

내 맘을주께활짝 엽니다내 찬양받으실주 님
라 라라라라라라 라라라라 라라라라라라 라

G
B7
Em
Em/D
C
Am
Dsus4
D7
슬 픔 대 신 희 락 을 재 대 신 화 관 을
G
B7
Em
Em/D
Am
D7
G
C/D
D.S.
근 심 대 신 찬 송 을 찬 송 의 옷 을 주 셨 네 라

(미 752)

내 안에 사는 이

(Christ in me)

Gary Garcia

C G/B Am Am/G F G C G
내 안에 사는 이 예 수 - 그 리 스 도 - 니
2nd time to Coda
C G/B Am Am/G F G C Csus4 C7
나 의 죽 음 - 도 유 익 - 함 이 라 나 의
Fmaj7 G/F Em7 Am7 Dm7 F/G Cmaj7 Csus4 C7
왕 내 노 래 내 생 명 - 또 내 기 쁨 나 의
Fmaj7 G/F Em7 Am7 B♭ F C G
힘 나 의 검 내 평 화 - 나 의 주 -
D.C
Coda F G G7 C
익 - 함 이 라

110

내 안에 있는 예수

(미 611)

(내 안에 있는 그 이름)

송명희 & 최덕신

내안에있-는 예 수---그 이 름- -

세상과는- 비 교-할수없 네 - 그 이름-의

아 름다-운 사 랑은-- - 어둠에 있던나를 빛으로

인도 하 셨 네 - 그이름은 나에게 놀 라-운

권 세를 주심으 로 내 가 모든것을- 이 기 네 -

그이름에 내가 거 하-고 그 이름 의사랑 이 내안

에-있네- 그 이-름의- 사랑 이-- - 그이

름안에서- 내가 영원히살-기 원하 네

내 안에 주를 향한 이노래

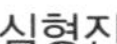

(아름다우신)

심형진

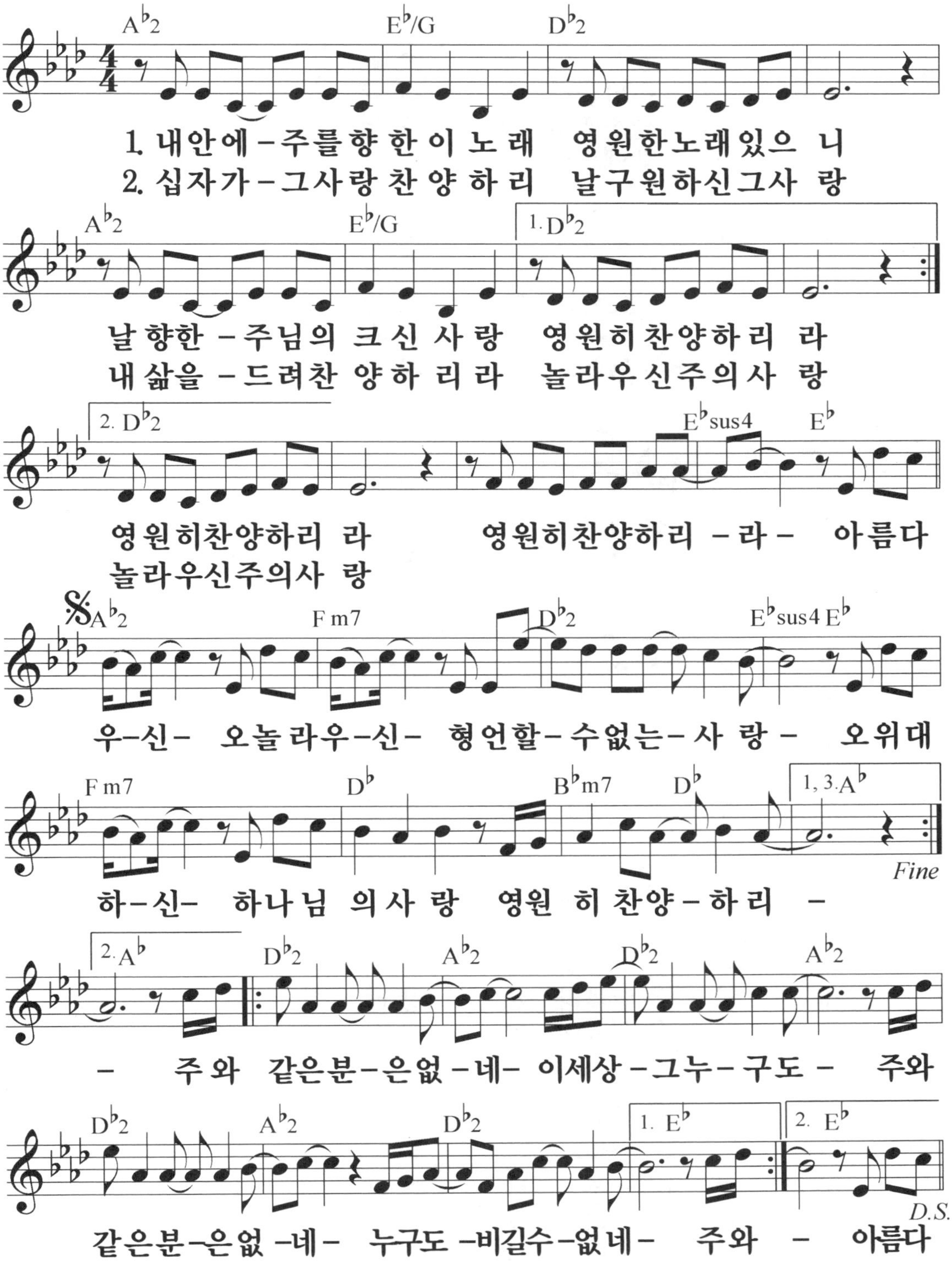
A♭2 E♭/G D♭2
1. 내안에 - 주를향한이노래 영원한노래있으 니
2. 십자가 - 그사랑찬양하리 날구원하신그사 랑
A♭2 E♭/G 1. D♭2
날향한 - 주님의크신사랑 영원히찬양하리 라
내삶을 - 드려찬양하리라 놀라우신주의사 랑
2. D♭2 E♭sus4 E♭
영원히찬양하리 라 영원히찬양하리 - 라 - 아름다
놀라우신주의사 랑
A♭2 F m7 D♭2 E♭sus4 E♭
우 - 신 - 오놀라우 - 신 - 형언할 - 수없는 - 사 랑 - 오위대
F m7 D♭ B♭m7 D♭ 1, 3. A♭
하 - 신 - 하나님 의사랑 영원 히 찬양 - 하 리 -
Fine
2. A♭ D♭2 A♭2 D♭2 A♭2
- 주 와 같은분 - 은없 - 네 - 이세상 - 그누 - 구도 - 주와
D♭2 A♭2 D♭2 1. E♭ 2. E♭
같은분 - 은없 - 네 - 누구도 - 비길수 - 없네 - 주와 - 아름다
D.S.

112 내일 일은 난 몰라요

(미 825)

(I know who holds my hand)

Ira F. Stanphill

B♭ E♭ B♭ E♭ B♭ Gm F7
1. 내일 일 은난몰라 요 하루 하 루살아 요
2. 좁은 이 길진리의 길 주님 가 신그옛 길
3. 만왕 의 왕예수께 서 이세 상 에오셔 서
불행 이 나요행함 도 내뜻 대 로못해 요
힘이 들 고어려워 도 찬송 하 며갑니 다
만백 성 을구속하 니 참구 주 가되시 네
험한 이 길가고가 도 끝은 없 고곤해 요
성령 이 여그음성 을 항상 들 려주소 서
순교 자 의본을받 아 나의 믿 음지키 고
주님 예 수팔내미 사 내손 잡 아주소 서
내마 음 은정했어 요 변치 말 게하소 서
순교 자 의신앙따 라 이복 음 을전하 세
내일 일 은난몰라 요 장래 일 도몰라 요
내일 일 은난몰라 요 장래 일 도몰라 요
불과 같 은성령이 여 내맘 에 항상계 셔
F7 B♭ E♭ B♭ F7 B♭
아버 지 여날붙드 사 평탄 한 길주옵소 서
아버 지 여아버지 여 주신 소 명이루소 서
천국 가 는그날까 지 주여 지 켜주옵소 서

(미 935)

내 주는 반석이시니

E
B7
1. 내 주는반석 이시니 저 곳은안전하도 다
2. 바 람이불고 비와도 저 곳은안전하도 다
3. 자 비한반석 이시니 저 곳은안전하도 다
E
B7
E E7
질 병과고통 없으니 저 곳은안전하도 다
물 결이넘쳐 밀려도 저 곳은안전하도 다
구 원의손이 있으니 저 곳은안전하도 다
A
E
B7
E E7
오 나의예수는반석 이시니 반 석이니반석이니
A
E
B7
E
오 나의예수는반석 이시니 저 곳은안전하도 다

114

내 주의 은혜 강가로

(은혜의 강가로)

오성주

F Am Dm /C B♭ Gm C7
내 주 의은혜강가 로 저 십 자가의강가 로
1. F Am Dm B♭m F C7 F
내 주 의사랑있는 곳 - 내 주의강 가 로
2. F Am Dm B♭m F C7 F F7
내 주 의사랑있는 곳 - 내 주의강 가 로
B♭ B♭m F Am Dm
갈 한나의영혼 을 생수 로 가득채우소 서
G7 C C7 F Am Dm /C
피 곤 한내영혼위 에 내 주 의은혜강가 로
B♭ Gm C7 F Am Dm B♭m
저 십 자가의강가 로 내 주 의사랑있는 곳 -
1. F C7 F 2. F C7 F B♭ F
내 주의강 가 로 D.S. 내 주의강 가 로 -

(미 1572)

내 평생 사는동안

(I will sing unto the Lord)

Donya Brockway

내 평 생 사는동 안 주찬양하 리 여호와 하 나 님
내 주를찬 양 하 리 주 님 을 묵 상 함
이 즐겁도 다 내영혼 주 안에서 참 기 뻐 리 -
내영혼 아 주 님 을 송축하 라 - - -
내영혼 아 주 님 을 찬양하 라 - -
내 영혼 아 주 님 을 송 축 하 라 - - - 내영혼
아 주 님 을 찬 양 하 라 - 내 영 혼 라 - -

116 내 평생 살아온 길

(미 901)

조용기 & 김성혜

D A D
1. 내 평 생 살 아 온 길 뒤 를 돌 아 보 – 니
2. 나 같 은 못 난 인 간 주 께 서 살 리 시 려
3. 예 수 님 나 의 주 님 사 랑 의 내 하 나 님
G D A D
걸 음 마 다 자 욱 마 다 다 – 죄 뿐 입 니 다
하 늘 의 영 광 – 보 좌 모 두 다 버 리 시 고
이 제 는 예 수 – 님 만 내 자 랑 삼 겠 어 요
D7 G D Bm E A
쓰 리 고 아 픈 마 음 가 눌 길 – 없 어 서
천 하 디 천 한 종 의 형 상 을 입 으 셨 네
나 의 남 은 인 생 길 주 와 걸 어 가 면 서
D Em A A7 D
골 고 다 언 덕 길 을 지 금 찾 아 옵 니 다
아 – 아 주 의 사 랑 어 디 에 견 주 리 까
예 수 님 복 음 위 해 굳 세 게 살 겠 어 요

(미 578)

내 하나님은 크고 힘있고

E
B7
내 하나님은 크고 힘있고 능있어 못할일전혀없
1. E
2.
A
네 내 네 저 산 들 도 그 의 것
E
B7
E
골 짝 도 그 의 것 별 들 도 그 의 솜 씨 내
E
B7
하 나 님 은 크 고 힘 있 고 능 있 어 못 할 일 전 혀 없
E
네 for you and you and you and me

118 너 근심 걱정와도

(미 1332)

A2/B
E
Emaj7
C♯m
너 근심걱정 와도 어려운일당 해도
C♯m7
F♯m
B7
걱정말아 라 주너를지 키리 –
A2/B
E
Emaj7
C♯m
위험한일당 해도 슬픈일 이 와도
C♯m7
F♯m
B7
걱정말아 라 주너를지 키리 –
B7
E
E7
A
늘지켜주시리 – 주님의 사랑속에거하 라
B7
G♯m
C♯m
F♯m
– 그의 평화속에유하라 – 그분의 영원속에자유하라
1. B7
E
2. B7
E
– 주지 키 리 – 주지 키리 –

(미 1977)

너는 그리스도의 향기라

구현화 & 이사우

D D/E Em
너는 그 리 스 도의- 향 기 라- 너는
D/F# G Em A
그 리 스도의- 편 지 라 하 나 님 - 앞 에 서 그 - 리
F#m Bm Em Em/G
생 명이 -
스 도의 - 향 기 니 - 너를 통 해 사 랑이 - 흘 러 가
기 쁨이 -
Asus4 A7 Em G/A D
생 명이 -
리 너를 통 해 사 랑이 - 흘 러 가 리
기 쁨이 -

120 너는 내게 부르짖으라

이연수

E2 E G#m7 A B6 B7/D#
너 는- 내게 부르짖으라- 내가 네 게- 응답 하 겠고
E2 E G#m7 A E/B B7
너 는- 내게 부르짖으라- 네가 알 지-못하는 크고비밀한-
1. C#m G#m A A#dim E/B B7
일- 을 네게 보이 리라- 일을 -행하는 여 호와
C#m G#m A A#dim E/B B7
그것 을 지어성취 하는여호와- 그 이름을- 여호 와라하는자-
2. C#m G#m A F#7 Bsus4 B7 A/B B7
을 네게 보이 리라- 다만 너는내- 게부르 짖으라-
E2 E G#m7 A B6 B7/D#
너 는- 내게 부르 짖으라- 내가 네 게- 응답 하 겠고
E2 E G#m7 A F#m7 Bsus4 B7 E
너 는- 내게 부르짖으라- 내가 네게응 답 하 리 라

너는 무엇을 보았길래

(믿음의 눈으로 보라)

121

주숙일

G
D7 G
1. 너는 무 엇을 보았 길 래 그렇게도 놀 라 느 - 냐
2. 너는 무 엇을 보았 길 래 그렇게도 즐 거 워 하 냐
G
D7 G
너는 무슨소리 들었 길 래 근심속에 빠 졌 느 - 냐
너는 무슨소리 들었 길 래 발걸음이 가 벼 우 - 냐
G
Am
D7
G
믿 음의 눈을 떠 라 믿 음의 귀를 열 어라
주 님의 음성 듣 고 담 대히 나서 는 자는
G
C
G
D7
G
세상 모 든풍 파 를 믿음 의 눈으 로 보 라
주의 권 능의 팔 로 언제 나 지- 켜 주 리

122 너는 담장 너머로 뻗은 나무

(미 1733)

(야곱의 축복)

김인식

C G/B A/C♯
너 는 담장너머로뻗 은－나무 가 지
는 어떤 시련이와 도－능히 이 겨
Dm Dm7 C Dm C/E F
에 푸른 － 열매처럼 － 하나님의 －
낼 강한 － 팔이있어 － 전능하신 －
1.B/D♯ Em Am Dm
귀 한축－복－이 － 삶에 － 가득히 －
Dm/C F/G F/A G/B 2. B/D♯
넘 쳐날－거－야 － 너 하 나님－께－서
Em Am Dm Dm/C G
－ 너와 － 언제나 － 함 께하－시－니 －
G C G/B Am
－ 너는하나님의 －사－람－ 아름 다운하나
Em/G F C/E
－ 님의－사－람 － 나는널위 －해－ 기－도하며

Dm
F/G
G7
C
- 네 길을 - 축 복할 - 거 야 너는하나 님의
G/B
Am
Em/G
- 선 - 물 - 사랑 스런하나 - 님의 - 열 - 매
F
C/E
Am
Dm
G
F/C
C
- 주의품에 - 꽃피운 - 나무가되어줘 - -

123 너는 시냇가에 심은

(미 1151)

박윤호

E
E7
F#m
B7
E
E7
1. 너- 는 시냇가 에 심- 은 -나 무 라
2. 주의 시 절을좇 아 구원 열 매맺으 면
A2
E
C#m/E
F#m
B7
E
E7
하나 님 의사랑 안 에 믿음 뿌 리내 리 고
주의 영 화로운 빛 - 너를 보 호하 리 니
A2
E
C#m/E
F#m
B7
E
주의 뜻 대 로주의 뜻 대 로 항- 상 사 세 요
주의 뜻 대 로주의 뜻 대 로 항- 상 살 리 라

(미 1299)

너무나도 아름답도다

124

(영광의 나라)

라종섭

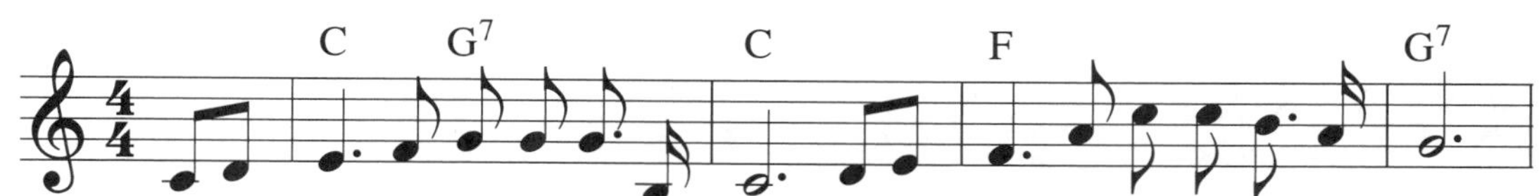

1. 너무 나 도아름답도 다 주님 계 신영광의나 라
2. 금은 보 화다준다해 도 나는 나 는기쁘지않 아
3. 사랑 하 는형제들이 여 기름 등 불준비합시 다

너무나 도 귀－하도 다 주님 계 신영광의보 좌
내주님 만 바－라보 니 세상 영 화부럽지않 아
주님나 라 곧임하리 니 깨어 있 어기도합시 다

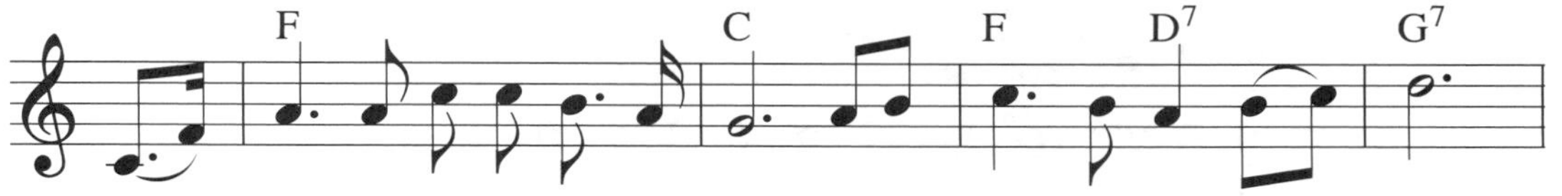

아－ 아 저영광의나 라 내가소 망하 오－ 니
아－ 아 저영광의나 라 내가사 모하 오－ 니
아－ 아 저영광의나 라 나를기 다리 오－ 니

죄가 지 곤갈－수없 어 주님 계 신영광의나 라
거듭 난 자갈－수있 어 주님 계 신영광의나 라
할렐 루 야나는가리 라 주님 계 신영광의나 라

125

너무 외로운 세상

(미 976)

(작은 예수)

김민식 & 최성찬

1. 너무- 외로운 세상- 누구 나 탄식하지 만
2. 높은- 빌딩숲 속에- 화려 한 웃음있어 도
3. 저-- 뜨거운 사랑- 파도 쳐 오는이행 복
난 그렇지 않아- 주님 의 사랑때문 에
난 부럽지 않아- 맨발 의 평화를알 지
나 감추지 못해- 온종 일 눈물이글 썽
눈 뜨면 즐겁 고 눈 감 으면 너무 황 홀해
한 송이 들꽃 을 마 음 밭에 고이 가 꾸며 우리 들은-
이 기쁜 소식 을 땅 끝 까지 전해 야 만해
작은 예수- 나무십자가에 꽃 을 피우 자 -

(미 1228)

너 주님의 가시관 써 보라

(주님을 찬양하라)

송명희 & 김석균

너 주님의가시관 써보라 너 주님의채색옷 입어보라
너 주님의맞으신 채 찍에 한번 만 - 맞아보 라
너 주님이지셨던 십자가 잠 시 - 만 져보 라
너 주님이죽으신 것 처 럼 죽을 수 - 있 - 는 가
너의 할 수없 는것을 주님 이 - 하 셨으 니
너 - 주님을 사 랑하 라 너- 주 님을의 지하 라
너 - 주님을 찬 양하라 영원 히 - 영 - 원 히
너- 주 님을찬양 하 라 영원 히 - 영 - 원 히

127

너의 가는 길에

(미 1670)

(파송의 노래)

고형원

Bm GM7
너의 가는길 - 에 주 의평 - 강 있으리 - 평강
가는길 - 에 주 의축 - 복 있으리 - 영광
D A/E F♯sus4 F♯7 1.GM7 D/F♯
의 왕 함 께 하 - 시 니 너의 걸음 걸음 주
의 왕 함 께 가 - 시 니 네가
A/E Bm/F♯ G A Bm
인 도 하 - 시 리 주의 강한 - 손널이끄 - 시 리 너 의
2.GM7 D/F♯ A/E Bm/F♯ G A
밟는모든땅 - 주 님다스 - 리 리 너는 주의 - 길 예 비 케 - 되
Bm A D A
리 - 주 님나 라위 - 하 여 길 나
G D A D A
서는 나 의 형 - 제 여 주 께 서 가 라 - 시 니 너 는
G F♯sus4 F♯7 Bm
가 라 주의 이름 으로 - 거 칠 은광 야 위에 - 꽃

A Bm A
은피어 나고- 세상 은네 안에서 - 주님의 영광 보리라 -강하
G Em Bm A D F♯
고 -담대하라 세상 이기 신주 늘함 -께- 너와
G Bm A F♯ Bm
동행- 하시며 네게 새힘 늘- 주시 리 -

128 너희는 세상의 빛이요

(들어라 주님 음성)

1. 너 - 희 는 세 - 상 의 빛 이 - 요
너 - 희 는 사 - 랑 의 예 수 님 을
2. 주 - 님 은 세 - 상 의 소 망 이 요
길 - 이 요 진 - 리 요 생 명 의 주 님
너 - 희 는 세 상 의 소 금 인 - - 데
너 - 희 는 세 상 에 전 해 야 하 는 데
주 - 님 은 너 희 의 능 력 이 신 - 데
너 - 희 를 천 국 에 인 도 하 는 - 데
당 신 은 왜 거 - 기 서 갈 곳 잃 어 방 황 하 - 는 가
당 신 은 왜 도 - 리 어 주 님 을 원 - 망 하 - 는 가
당 신 은 왜 거 - 기 서 힘 을 잃 고 헤 매 이 - 는 가
당 신 은 왜 주 - 님 을 따 르 잖 고 멀 리 하 - 는 가
들 리 잖 니 너 - 를 부 르 는 주 님 의 음 성
보 이 잖 니 너 - 를 찾 는 주 님 의 모 - - 습
너 - 의 죄 악 의 짐 모 두 벗 어 버 리 - - 고
우 리 예 수 님 만 영 원 토 록 찬 양 하 세

(미 1075)

넘치 못할 산이 있거든

최용덕

E♭
A♭
B♭7
1. 넘 지 못- 할 산 이 있 거 든 - 주 님 께 맡 기 세 요
2. 참 지 못- 할 분 노 있 거 든 - 주 님 께 맡 기 세 요
B♭7
넘 지 못 - 할 파 도 있 거 든 - 주 님 께 맡 기 세 요
참 지 못 - 할 슬 픔 있 거 든 - 주 님 께 맡 기 세 요
우 리 가 야 할 길 은 - 멀 고 도 - 험 하 여 -
우 리 살 아 갈 길 은 - 눈 물 의 - 골 짜 기 -
F
허 덕 이 며 가 야 하 는 우 리 인 생 인 데
내 힘 으 론 참 지 못 해 - 늘 흐 느 끼 네
이 럴 때 우 린 누 굴 의 지 하 나 요- 주 님 밖 에 없 어 요 -
3
나 는 그 길 갈 수 없 지 만 주 님 이 대 신 가 요

130 누구든지 목마르거든

(미 858)

(내게로 와서 마셔라)

권재환

G C D7 G
1. 누 구 든 지 목마르거든 내 게로와서 마 셔라
2. 누 구 든 지 예수믿으면 구 원을얻으 리 로다
3. 누 구 든 지 예수믿으면 영 생을얻으 리 로다
4. 누 구 든 지 예수믿으면 기 쁨을얻으 리 로다
G C D7 G
누 구 든 지 목마르거든 내 게로와서 마 셔라
누 구 든 지 예수믿으면 구 원을얻으 리 로다
누 구 든 지 예수믿으면 영 생을얻으 리 로다
누 구 든 지 예수믿으면 기 쁨을얻으 리 로다
G Em C G6 D7
나 를 믿 는 자 는 - 성 경에이름 과 같이
G Em7 D7 G
그 배에서 생수의강이 흘 러 나 리 라

(미 1133)

눈으로 사랑을 그리지 말아요 131

(영원한 사랑)

김민식

눈으 로 사랑 을 그리 지 말아 요 입술 로 사랑
을 말하 지 말아 요 영원 한 사랑 을 바라
는 사람 은 사랑 의 진리 를 알지 요 –
참사 랑 은 가 난 함 도 부 요 함 도 없어
요 – 괴 로 움 도 즐 거 움 도
주 와 함 께 나 눠 요 – 나 의 – 가 장 –
귀 한 것 그 것 을 주 는 – 거 예 요 –

132

다 와서 찬양해

(미 1216)

(Come on and celebrate)

D. Bankhead & Patricia Morgan

G Bm7
다 와서 찬양해- 사랑을주 신주 찬양해-
Em C Am7 Dsus4
사랑 의우 리주 -님- 생명주셨 네 -
D G Bm7
소리쳐 찬양해- 기쁨을주 시는 우리왕-
Em Am C D7 G
찬양 의제사 드리며- 주님께경 배 해
G7 C Am G Em
다와서 찬양해 - 찬양해 - 찬양해-주 님
1. Am7 D G
찬 양해- 주 님 우리 왕 -
2. Am7 D G
찬 양해- 주 님 우리 왕 -

(미 1584)

당신은 사랑받기 위해

133

이민섭

D A/C# Bm Bm7/A

당신 은 - 사랑받 기위 - 해 태 어 난사 람 - 당신

G D/F# 1. Em Asus4 A7 2. Em A7 D *Fine*

의삶속에서- 그사랑 받고있지요- 당신 받고있-지요

G/A D2 A2/C# Bm Bm7/A

태초부터 - 시작된 하나님- 의사랑은 - 우리

G D/F# Em A7sus4 A7 D A/C#

의만남- 을통해 열매를맺고 - 당신이 이세상- 에존

Bm Bm7/A G D/F# Em A7 D

재함 으로인- 해- 우리 에게 얼마나-큰 기 쁨이되는지-

G/A A7 D A/C# Bm Bm7/A

당 신 은 사랑받- 기위해 태어 난 사람-

G D/F# 1. Em Asus4 A7 2. Em A7 D G/A *D.S.*

지금도그사랑- 받고있지요- 받고있지요- 당신

134

당신은 기적을 믿으시나요

(기적)

강원명

당신 은기적을 믿으시나요- 우리 의삶속에 항-상있는-기적
다계속되 는시간속에- 당신 의곁에누 군가계셔서-당신

은 어려운것이 아니죠- 천천히주위를둘러 보 세 요 날마
을 돌보고계신 다는걸-

느낄수있을거예요 - 죽었 던 나 사로가일어나고-눈

먼 사람이눈-을 뜨 고- 뛰놀 던 바 다가잔잔해지는-그

것만이-기 적은아-니 -죠- 주님이우- 리를사 랑하셔서-

이땅에오-신것부 터기적이죠- 지금도우-리를사 랑하시는-주

Dm
F/G
C
Fine
C
Em
A7(♭9)
님을느껴-보세요 -
주님이우-리를사 랑하셔서-
Dm
/D♭
Dm/C
F/G
C
Em
A7(♭9)
이땅에오-신것부 터기적이죠-
지금도우-리를사 랑하시는-
Dm
F/G
1.2.C
A7
3.C
C7
D.S.
주
님을느껴-보세요 -
주
요

135

당신은 알고 있나요

(미 1205)

(그사랑)

정현섭

E G♯m C♯m A F♯ Bsus4 B7
당신은 -알- 고 -있 나요 우리를위한그사 랑
E G♯m C♯m F♯m A/B E
당신은 -알- 고 -있 나 요 십 자 가의 그 사 랑
E B/D♯ C♯m A F♯7 B7 A/B B7
그 사 랑 당신 마 음깊은곳그곳에 있 으 리
E B/D♯ C♯m F♯m A rit E Bsus4 B7
그 사 랑 험한 세 상 한 가 운 데 있 나 니 -
E G♯m C♯m A F♯ Bsus4 B7
그사랑-깨달아 -아 나 요 당 신과나를용서 한
E G♯m C♯m F♯m A/B E
그사랑-당신의 -마 음속에 항상 함께 하리 라

(미 742)

당신은 영광의 왕

136

(You are the King of glory)

Mavis Ford
당신은영 광 의-왕 당 신은평강의 왕
당 신은하 늘 과 땅의주 당 신은정의의아 들
천 사가무 릎 꿇-고 예 배 하 고 찬 양 하 네
영 원한생 명 말 - 씀 당신은예수 그리스도 주
호 산나다윗의- 자 손-께 호 산나불러왕중의 왕
높은하늘엔 영 광-을 - 예수주메시 야- 네

137 당신은 왕 당신은 하나님

엄기성

당 신은왕- 당신 은나- 의하나님- 놀 라우신그이 름 찬양
우 리 왕께- 크신 영 광높이올리세- 나 의왕-되신 주
찬양 높 은곳에당신 의 이름이 높 이 들리 리-다
노래 하 자모든열방 백 성 들 주 의이름높이 찬 -양
나 의영광- 나의 산-성이신 주님- 나 의반석나의 왕
당신의뜻- 온땅 에이루어지이다- 나 의왕-되신 주

(미 1758)

당신은 하나님의 언약안에

(축복의 통로)

138

당신은- 하나님- 의 언약 안에- 있는축복의-통 로

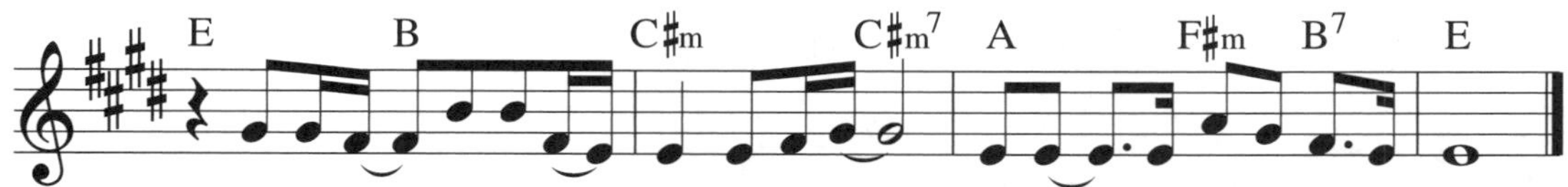

당신을 - 통하여- 서 열방이 - 주 께 - 돌아오게 되 리
주 께 - 예배하게 되 리

139 당신은 지금 어디로 가나요

(미 873)

(예수 믿으세요)

김석균

1. 당신 은 지금－어디 로 가나요 발 걸 음무겁 게
은 오늘－누굴 만 났나요 위 로 받았나 요
을 믿고－새롭 게 되니－기 쁨 이넘쳐 요

이세 상 어디 쉴곳 있 나요－머 물 곳있나 요
이세 상 누가 나를 대 신하여목 숨 버렸나 요
어둠 걷 히고 새날 이 되니－행 복 이넘쳐 요

예수 안 에는안식이 있 어요 평 안이 넘쳐 요
고통 의 멍에벗어버 리 세요 예 수이 름으 로
이전 에 없던평안을 얻 으니 찬 송이 넘쳐 요

십자 가 보혈 믿는 자－마다 구 원을받아 요
마음 문 열고 주님 맞－으세요 기 쁨이넘쳐 요
샘솟 는 기쁨 전해 주－어요 예 수이름으 로

예 －수믿으 세요－ 예 －수믿으 세요－

예 －수 믿으 세요－ 예수 믿 으 세 요 2.당신
3.당신

3.
A A D F♯m E7
주를 믿 는자 그는 행복 해요 - 영원 한 생명 얻으니 하나
A D F♯m E7
요 할 - 렐루야 아멘 - 할 - 렐루야 아멘 -
A D F♯m E7 1. A 2. A
님 나라 그의 것이 라 - - 어서 예수 믿으 세 요 주를 요
A D F♯m E7 A A
할 - 렐루야 아멘 - 아멘 할 렐루 야 야

140 당신의 그 섬김이

(미 1854)

(해같이 빛나리)

김석균

당 신 의 – 그 섬 김 이 천국 에서 해같이빛나 리
당 신 의 – 그 순 종 이 천국 에서 해같이빛나 리

당신 의 – 그 겸 손 이 천 국 에 서 해 같 이 빛 나 리
당신 의 – 그 사 랑 이 천 국 에 서 해 같 이 빛 나 리

당신 의 – 그 믿 음 이 천 국 에 서 해 같이빛나 리
당신 의 – 그 찬 송 이 천 국 에 서 해 같이빛나 리

당신 의 – 그 충 성 이 천 국 에서 해 같이빛 나 리
당신 의 – 그 헌 신 이 천 국 에서 해 같이빛 나 리

주 님 이 기 억 하 시 면 족 하 리 예 수 님 사 랑 으 로 가 득 한 모 습
주 님 이 기 억 하 시 면 족 하 리 불 타 는 사 명 으 로 가 득 한 모 습

천사도 흠모하는 아름다운 그모습 – 천국 에 서 해같이빛나 리
천사도 흠모하는 아름다운 그모습 – 천국 에 서 해같이빛나 리

당신이 지쳐서 기도할 수 없고

141

(누군가 널 위해 기도하네 / Someone is praying for you)

Lanny Wolfe

이 빗 물 처 럼 – 흘 러 내 릴 때 주 님 은 아 시
은 누 구 에 게 – 위 로 를 얻 나 주 님 은 아 시

네 당 신 의 약 함 을 사 랑 으 로 돌 봐 주 시
네 당 신 의 마 음 을 그 대 홀 로 있 지 못 함

기 도 하 네 – 네 가 홀 로 외 로 워 서 – 마 음

이 무 너 질 때 누 군 가 널 위 해 기 도 하 네 –

142 더러운 이 그릇을

(미 2020)

김주양
Cm G E♭
1. 더 러 운 이그릇－을 주 님쓰－시려 고
2. 더 럽 고 추한그릇이 깨 끗함을입어 서
3. 나 무 엇 주님드려야 기 뻐하－시리 까
Cm Fm G7 Cm
내 이 름 불러주시니 이 어인은－혜인 가
성 전 의 기물이되니 이 어인은－혜인 가
나 무 엇 주께드려서 이 은혜갚－으리 오
G7 Cm Fm Cm G
되지못하고 된줄알다가 쓰－러진이 몸 은
세상을따라 방황하다가 실－패한이 몸 은
넘쳐나도록 축복하시고 사랑하신주 님 께
Cm E♭ Cm G7
빈 손 들 고 십자가앞에 무릎꿇었사 오－ 니
두 손 들 고 주님우러러 못자국을만 지오 니
순 종 하 며 주님것으로 살아가겠사 오－ 니
Cm Fm Cm G7 Cm
오 내주님 이 마음에 좌정하여주 소－ 서
오 내주님 나 죽도록 충성하게하 소－ 서
주 님다시 오 시는날 내이름도부 르소 서

(미 1195)

돈으로도 못 가요

143

백광제 & 임승원
F
C7
돈 으 로 도 못 가 요
벼 슬 로 도 못 가 요 하 나 님 나 라
어 여 뻐 도 못 가 요
F
C7
F
힘 으 로 도 못 가 요
지 식 으 로 못 가 요 하 나 님 나 라
맘 착 해 도 못 가 요
B♭
F
G
C7
거 듭 나 면 가 는 나 라 하 나 님 나 라
B♭
F
C7
F
믿 음 으 로 가 는 나 라 하 나 님 나 라

144 두 손 들고 찬양합니다

(미 1263)

(I lift my hands)

Andre Kempen

E
F#m7
E/G#
두 손들고 찬양 합니다 다시오실왕 여
A2
E
F#m
Bsus4
B7
E
호와께 오직 주만이 나 를다스리 네 -
Bsus4
B7
A/E
E
나주님만을섬 기 리 - 헛된마음 버 리고 -
Bsus4
B7
A/E
E
성령이여 내 영혼 - 충만하게 하 소서 -
A
F#m
B
Bsus4
B7
A2/E
E
주 님 앞 에 내 생 명 드 리 리 라 -

(미 616)

때가 차매

(Now is the time)

D Em F♯m Gmaj7 C♯m7/G F♯m Bm
때 가 차 매 - 아 버 지 께 - 신
Em A G/A A7 D G/D Dmaj7 Em7 D/F♯
령과 진정으로 예배 드리 네 - - 때 가 차
Gmaj7 C♯m7/G F♯m Bm
매 - 아 버 지 께 - 신
Em7 A G/A A7 D G/D D
령과 진정 으로 예배 드 리 네 -

146 똑바로 보고 싶어요

(미 851)

최원순

1. 똑바로보고싶어 요 주님 온전한눈 짓으 로
2. 똑바로걷고싶어 요 주님 온전한몸 짓으 로
똑바로보고싶어 요 주님 곁눈질하긴싫어 요
똑바로걷고싶어 요 주님 기우뚱하긴싫어 요
하 지만내모습은 온전치않아 세상이보 는눈 은
마 치날죄인처럼 멀 리하 며 외면을하 네 요
주 님 이낮은 자를통하여 어 디에쓰 시려 고
이 렇게 초라한 모 습으로 만들어놓으셨나 요

Amaj7 Bm D Bm7 E E7
당신 께 -드릴것 은 사모 하 는-이마음 뿐
Amaj7 Bm D Bm7 E E7
이생 명 도-달라시 면 십자 가 에 -놓겠으 니
A Bm C#m F#m D B7/D# Esus4 E7
허울 뿐인육신 속에 -참빛 을 심게하시 고
A Dm C#m F#m D E A
가식 뿐인세상 속에 -밀알 로 썩게하소 서

147 때로는 너의 앞에

(축복송)

송정미

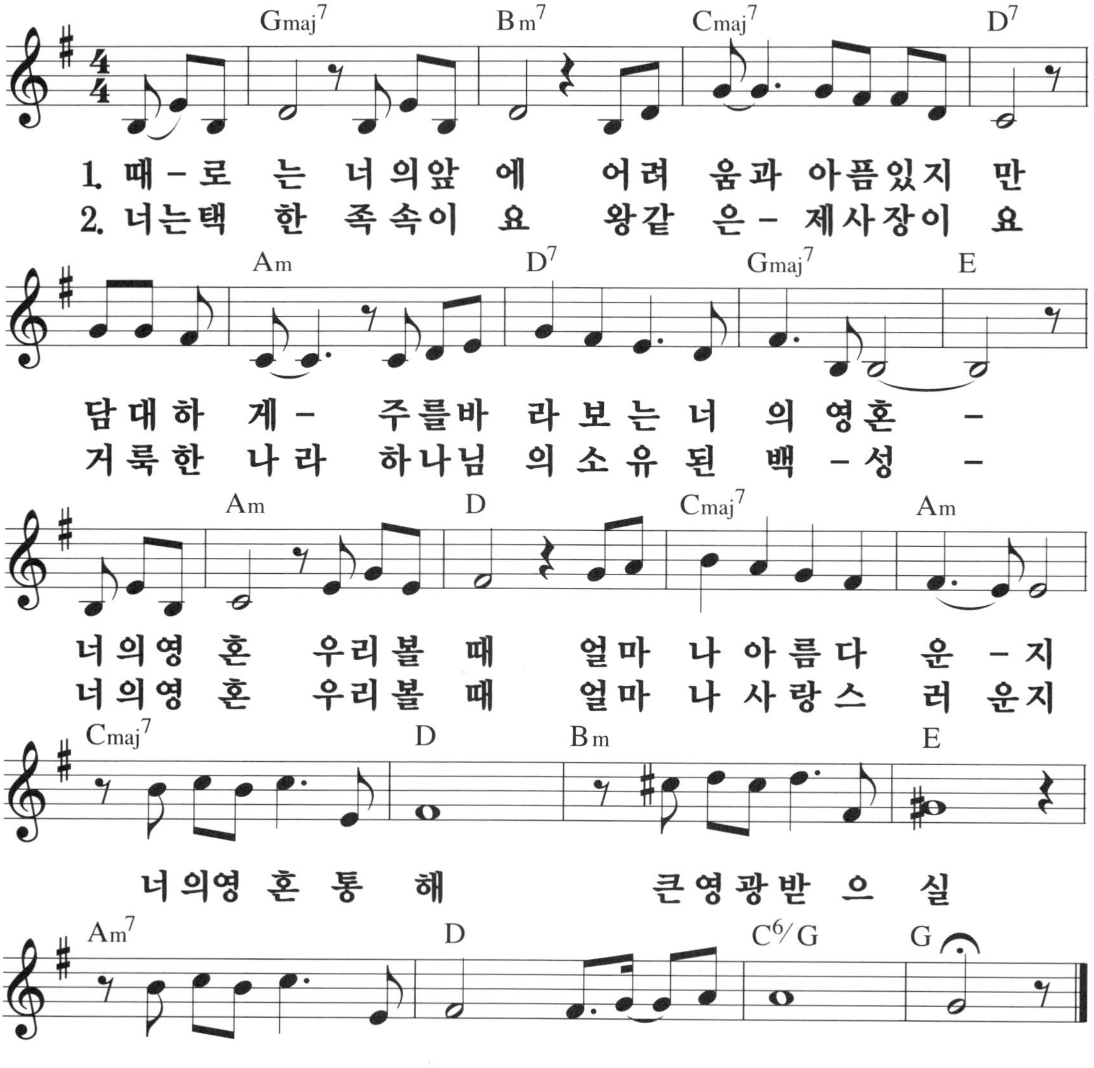

Gmaj7 Bm7 Cmaj7 D7

1. 때-로 는 너의앞 에 어려 움과 아픔있지 만
2. 너는택 한 족속이 요 왕같 은- 제사장이 요

Am D7 Gmaj7 E

담대하 게- 주를바 라보는너 의영혼 -
거룩한 나라 하나님 의소유된 백-성 -

Am D Cmaj7 Am

너의영 혼 우리볼 때 얼마 나아름다 운-지
너의영 혼 우리볼 때 얼마 나사랑스 러운지

Cmaj7 D Bm E

너의영 혼 통 해 큰영광받 으 실

Am7 D C6/G G

하나님을 찬 양 오할-렐 루 야

(미 1087)

마음을 다하고

(여호와를 사랑하라)

148

주숙일

마 음 을 다 하 고 성 품 을 다 하 고
힘 을 다 하 여 서 여 호 와 를 사 랑 하 라
네 게 준 계 명 을 마 음 에 새 기 고
부 지 런 히- 부 지 런 히- 이 웃 에 게 전 하 여 라
그 러 면 네 가 짓 지 않 은 큰 집 을 주 리 라
네 가 심 지 않 은 과 실 을 먹 게 하 리 라 -
그 러 나 한 가 지 잊 지 는 말 아 라
죄 인 된 우 리 를 구 원 하 신 여 호 와 를

149 마음이 상한 자를

(미 1624)

(He binds the broken-hearted)

Stacy Swalley

F C/E Dm7 F/C

마 음이상 - 한자 - 를 고 치시는 - 주님 -
성 령으로 - 채우 - 사 주 보게하 - 소서 -

B♭2 F/A Gm7 B♭/C C

하늘의 - 아버 - 지 날 주관하 - 소서 - - 주
주의임 - 재속 - 에 은혜 알게하 - 소서 - - 주

F C/E Dm7 F/C

의길로 - 인도 - 하사 자 유케하 - 소서 -
뜻대로 - 살아 - 가리 세 상끝날 - 까지 -

B♭ F/A Gm B♭/C C

새일을행하 - 사 부흥 케 - 하 - 소서 - 의에
나를빛으시 - 고 새날 열어주 - 소서 -

F Am B♭2 F/A Gm7

주 리고 - 목이마 르니 - 성령의 - 기름

B♭/C F B♭/C C F Am

- 부으 - 소 서 의에 주 리고 - 목이

B♭ F/A Gm7 Csus4 C F

마 르니 - 내잔을 - 채워 - 주소 서

(미 1103)

마음이 어둡고

(기도)

김문영 & 최덕신

Emaj7 E7 A Am
마음 이 어둡 고 괴 - 로 울때 주
E C# F# Bsus4 B7
님 예수님 을 나- 생 각- 해 요 - 머-
Emaj7 E7 A Am6 E
리 -둘 곳 조 차 없 - - - 으 시던 혼 자 기도하시
C#m F#m Bsus4 B7 E7 A2
던 주님 생-각-해 요 -주님만 섬 기며
Am 3 E Fdim F#m B7
따 르기로한 나 -세상이 준이모 든 괴롬버리
E E7 A2 Am 3 Esus4 E
고 -예수님 처-럼 기 도하기를 원 해요
Fdim F#m B Bsus4 B7 1.E 2.E
-예수님 처럼- 기도 하-기원해 요 -

151 마지막 날에

이천

G Em C
마 지 - 막 - 날 - - 에 - 내 - 가 -
C D7 G
나의 - 영 - 으 로 모 - 든 - 백 성
Em C D7
에 게 - 부 - 어 - 주 리 라 - -
G Em
자녀 들은 예 언할 - 것이요 청년들 은 환 - 상 - 을보고
C Am Dsus4 1. D7 2. D7
아비들은 꿈 을 꾸 - - 리라 주의영이임하 - 면 - - 면 -
G Em C Am Dsus4 D7
성 령 - 이 여 - 임 - 하 소 서 -
G Em C D7 G
성 령 - 이 여 - 우리 에 게 임 하 소 서 -

(미 891)

많은 사람들 참된

(난 예수가 좋다오)

김석균

A C♯m D F♯m A/E
많은 -사람들 - 참된 진리를모른채 - 주님곁을
무거운짐진자 - 다- 내게-로오라 - 내 가너를
그 대-가만일 - 참된 행복을찾거든 - 예 수님을
F♯m Esus4 E7 A C♯m
떠 나 갔 지 만 - - 내가만난주- 님은 - 참
쉬 게 하 리 라 - - 이길만이생명의길 - 참
만 나 보 세 요 - - 그분으로인- 하여 - 참
D F♯m A/E E7 A D A
사 랑- 이었 고 - 진 리 였 고 소 망이 었 소 - -
복 된- 길 이 라 - 항 상 내 게 들 려 주 셨 소 - -
평 안을얻으 면 - 나 와 같 이 고 백 할 거 요 - -
A F♯m/A A7 D
난 예 수 가 좋 다 오 - - 난- -
B7/D♯ Esus4 E7 A A7 D
예 수가좋다오 - - 주를 사 랑 한 다 던 - 베 드 로
Dm A E7 A D/A A
고 백 처 럼 - 난 예수를사랑한다 오 -

153

맑고 밝은 날

(It's a happy day)

(미 769)

Gary Pfeiffer

E
G♯m
F♯m
Bsus4
B7
맑고밝은 날 – 나는 주 이름찬양하 겠 네
맑고밝은 날 – 나는 주 를 위해살 리
Gm
맑고밝은 날 – 내 생활새로와 지 니
A
E/G♯
1.
2.
매일주님사랑따라 말씀대로살 리라 – – –

머리들라 문들아

Graham Kendrick

1. 머 리 들 라 문 들 아 너 희 영
2. 죽 음 에 서 사 셨 네 모 든 권
원 -한 문 들 아 머 리 들 라 영 광
세 -이 기 셨 네 죽 음 에 네 하 늘
의 왕 들 어 가 시 네- 영 광 의 왕 들 어
높 이 주 임 하 시 네- 너 희 문 을 넓 게
가 시 네- 영 광 의 왕 들 어 가 시 네- 영 광
열 어 라- 하 늘 높 이 주 임 하 시 네- 너 희
의 왕 들 어 가 시 네 -
문 을 넓 게 열 어 라 -

155 매일 스치는 사람들

(미 1159)

(그들은 모두 주가 필요해 / People need the Lord)

Phil McHugh & Greg Nelson

C2 G F C2 G

1. 매일스 치는 사 람들– 내게무얼– – 원 하나 –
2. 캄캄한 – 세 상 에서– 빛으로– – 부 름 받아 –

Em Am Dm Gsus4 G7

공허한 그 눈 빛은 무엇 으로 채우 나
잃어버 린 자 들과 나누 라고 하시 네

C2 G F C2 F

모두자 기 고 통과 – 두려움 – 가 득
주의사 랑 으 로만 – 사랑할수 있 네

Fm/A♭ C Am Dm7 F G F/G G7

감춰진 울 음 소리 – 주님들으 시 네 – –
우리가 나 눌 때에 – 그들알– 겠 네 – –

C Dm C/E F

그들 은 모 두 주가 필 요 해

G G/F C/E F C/E Dm7 F G F/G G7

깨지고 상 한 마음 주가여 시 네 – –

C Dm C/E F
그들은 모 두 주가 필 요 해
G G/F C/E F C/E 1. Dm7 G C
모 두 알 게 되리 사랑의 주 님
2. G G/F C/E F Dm7 G C F/C C
모 두 알 게 되리 사 랑 의 주 님 –

156 머리에 가시 면류관

(미 1748)

(누구를 위함인가)

김석균

F
Dm
C7
F

1. 머리 에 가시면류 관 – 어찌 해쓰셨는 가 – 채찍
과 멸–시천 대 – 어찌 해받았는 가 – 고난
2. 골고 다 험–한길 을 – 어찌 해가셨는 가 – 십자
양 보–혈의 피 – 누구 를위함인 가 – 끝없

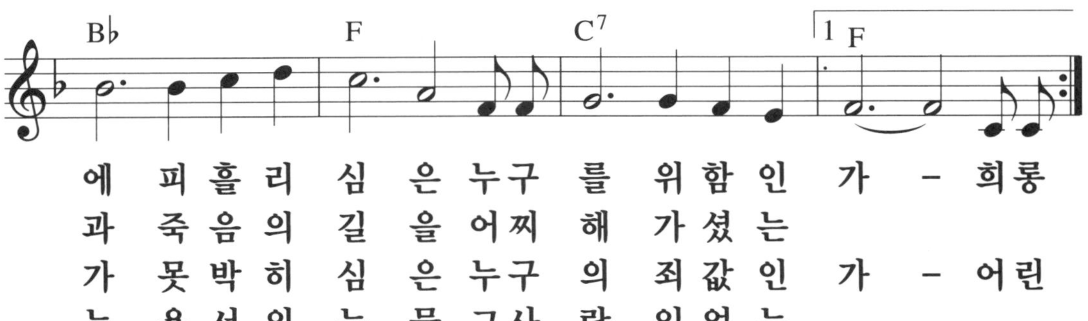
B♭
F
C7
1 F
에 피흘리 심 은누구 를 위함인 가 – 희롱
과 죽음의 길 을어찌 해 가셨는
가 못박히 심 은누구 의 죄값인 가 – 어린
는 용서의 눈 물그사 랑 잊었는

2. F
C C7
F
B♭
가 – 예– 수 – 오 예–수 – 나의 죄 를대속하
C7
F
B♭ B♭m
F C7
F

신주 – 마지 막 피한방 울 – 나위 해 흘리셨 네 –

(미 1156)

먼곳을 바라보자

157

김정준 & 박재훈

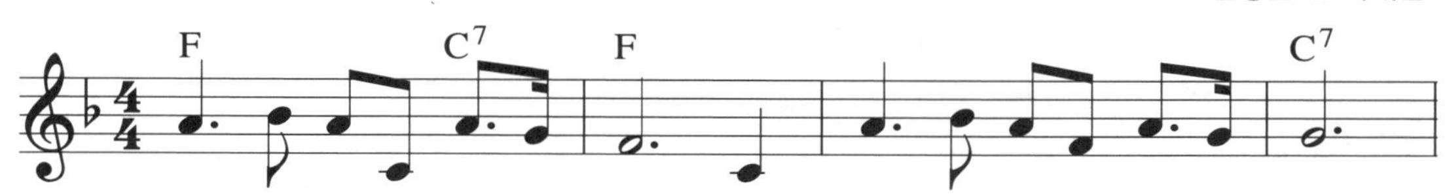

먼 곳을바라보 자 저 멀 리만바라보 자
먼 곳을바라보 자 저 멀 리만바라보 자
먼 곳을바라보 자 저 멀 리만바라보 자

앞- 길 -을 가- 로 막은태산 준령 보지말- 고
이- 배 -를 뒤- 엎 고말노도 광풍 일어나- 도
폭- 풍 -우 크- 게 일어내앞 길이 아득해- 도

험 한길넘 고가면 푸른 하 늘펼 쳐있 고
이 바다저 끝에는 안식 포 구기 다리 고
임 마누엘 하나님 내갈 길 인도 하시 니

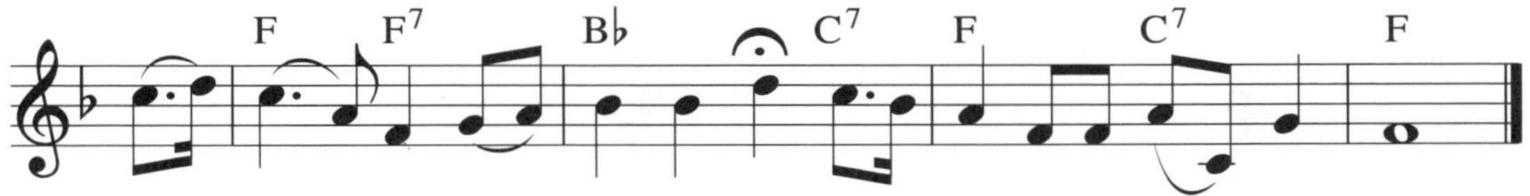

산- 마 -루 올- 라서면 넓은 들가로 놓- 였 네
이- 물 -결 저- 가에는 만세 반석굳 게- 섰 네
오- 늘 -도 또- 내일도 찬송 하며걸 어- 가 자

158 먼저 그 나라와 의를 구하라

(미 1098)

(Seek ye first)

Karen Lafferty

1. 먼 저 그 나 - 라 와 의 를 구 하 라 그 나 라 와 그 의 를
2. 사 람 이 떡 으 로 만 살 것 아 니 요 하 나 님 말 씀 으 로
3. 구 하 라 너 희 에 게 주 실 것 이 요 찾 으 면 찾 으 리 라

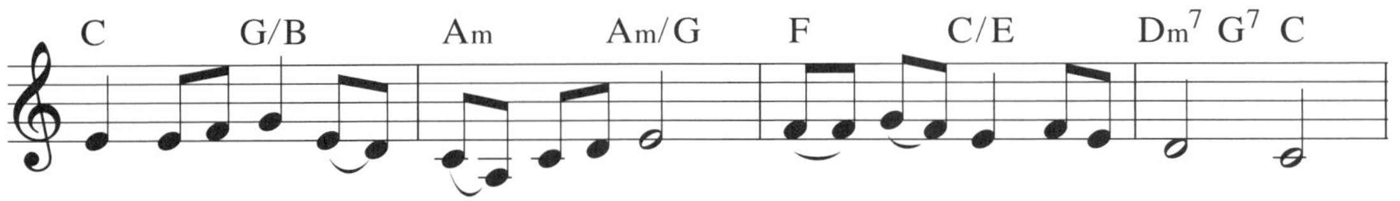

그 리 하 면 이 - 모 - 든 것 을 너 희 에 게 더 하 시 리 라
그 리 하 면 이 - 모 - 든 것 을 너 희 에 게 더 하 시 리 라
문 두 드 리 면 - 열 릴 것 이 라 할 - 렐 - 루 할 렐 루 야

(미 921)

멀고 험한 이 세상 길

(돌아온 탕자)

김석균

1. 멀고험 한 - 이세상 길 소망 없 는나그네- 길
2. 무거운 짐 - 등에지 고 쉴곳 없 어애처로운 몸
3. 눈물로 써 - 회개하 고 아버 지 의품에안기 어
방황하 고 - 헤매이 며 정처 없 이살-아왔 네
쓰러지 고 - 넘어져 도 위로 할 자내겐없었 네
죄악으 로 - 더럽힌 몸 십자 가 에못-박았 네
의지할 곳없 는이 몸 위로받 고살 고파 서
세상에 서버 림받 고 귀한세 월방 탕하 다
구원함 을얻 은기 쁨 세상에 서제 일이 라
세상 유 혹따라가 다 모든 것 을다 잃었 네
아버 지 를만났을 때 죄인 임 을깨 달았 네
영광 의 길허락하 신 내주 예 수찬 양하 네

160

모두 다 나아와

(Come and see)

Graham Kendrick

C G/B B♭6 Asus4 A
1. 모두 다 나아 와 사랑 의 왕 을 보 라 가시
2. 너희 의 허물 이 주예 수 를 찔 렀 네 못보
3. 우리 의 영혼 을 구원 하 러 오 신 주 그앞
Dm A/C♯ F Am B♭2 F/G G C G/B
멸류관쓰신주를보 라 멸시 와 조롱 의 십자
다더깊은아픔주었 네 교만 과 탐심 과 우리
에엎드려경배드리 네 주님 의 눈물 이 우리
B♭6 Asus4 A Dm A/C♯ F Am B♭ F/G G
가를지시고 골고다언덕길올라가시 네
모든연약함 주가대신하여징계당했 네 주
기쁨되시고 주의죽음우리생명샘되 리
Am Em/G Fmaj7 C/E Dm A/E Dm/F
경배합니다 그 발에엎드려 죄악된세상을주가씻었
Gsus4 G Am Em/G Fmaj7 C/E Dm A/E D/F♯
네 우리죄위하여 기 도하신주님아 버지저들용서하소
Gsus4 G G♯dim7 Am G/F A/E Dm7 G7 C
서 주경배 주경 – 배 귀한 어린양

(미 1648)

모든 능력과 모든 권세

(Above All)

Lenny LeBlanc & Paul Baloche

모든능 - 력 - 과 모든권 - - 세 - 모든것 - 위 - 에 뛰어
- 나신 - 주님 - 세상이 측 량 - 할수 - 없는 - 지혜 - - - 로
모든만 - 물창 - 조하 - 셨네 - 모든나 - 라 - 와 모든보 -
- 좌 - 이세상 - 모든 - 경이 - 로움 - 보다 - 이세상
모든 - 값진 - 보물 - 보다 - - - - 더욱귀 - 하신 - 나의 - 주님
- 십 자가 - 고통당 - 하사 - 버림받고 - 외
면당하 - 셨네 - 짓밟힌 - 장미꽃 - 처럼 - - -
나를 - 위해 - 죽으셨네 - 나의 - 주

162 모든 민족에게

(미 1522)

(모든 영혼 깨어 일어날 때 / Great awakening)

Ray Goudie, Dave Bankhead & Steve Bassett

G D/G C/G D/G G G/B
1. 모 든 민 족 에 게 – – 주 성 령 부 어 주 소
2. 모 든 열 방 에 게 – – 주 성 령 부 어 주 소
C C/B Am7 Em G/D D
서 – – – 하 나 님 의 백 성 – –
서 – – – 영 광 중 에 오 사 – – 주
Am7 Cmaj7 Dsus4 D G D/G
주 의 말 씀 주 시 고 – 꿈 과 환 상
경 외 하 게 하 시 고 – 크 신 능 력
C/G D/G G G/B C
주 사 – 주 의 비 밀 알 리 소 서 – – –
으 로 – 땅 과 하 늘 흔 드 소 서 – – –
Am7 Em G/D D C/D D Am7 Cmaj7 G/D
우 리 믿 사 오 니 – 하 늘 이 주 의 날 선 포
주 를 기 다 리 니 – 만 물 이 주 의 날 을 보
G/D Dsus4 D G D/F♯
– 케 하 소 서 – 그 날 엔 주 – 의 영 이
– 게 하 소 서 –

Em7sus
Em
C
Am
F
Dsus4
D
임 하 여 -
큰 부 흥 이 - 땅 위 에 일
- 어 나 리 라
G
D/F#
Em7sus
Em
C
D/C
모 든 영 혼 - 깨 어 일
어 날 때 -
주
예
수 를 -
부
Bm7
D
Em7
C
CM7/D
G
르 는 자 는 -
구
원 되
리 - - -

163 모든 이름 위에 뛰어난 이름

(미 1363)

고형원

D F♯m/C♯ Bm Bm/A G Em7 Asus4
모든 이름위- 에 뛰어난 -이 름 예수는 주 - 예수는 주
D F♯/C♯ Bm Bm/A G A D
모두 무 릎 꿇 고 경 배를 드리 세 예 수 는 만유의- 주 님
G/A D2 F♯m G A D D7
예 수 는 주 -예 수 는 주 온 천 하 만물우 - 러 러 그
G A/G F♯ Bm G A G A G/D D
보 좌앞 영 광을 돌리 -세 예 수 예수 예 수 는 -주 -

모래 위의 집

Karen Lafferty

C G7
모 래 위 에 집 을 짓 지 말 아 요 해 변 가 까 운 곳 에 도 -
C F C G7 1.C
비 록 보 긴 좋 지 만 이 내 무 너 지 고 말 아 또 다 시 지 어 야 만 돼
2.C
돼 반 석 위 에 우 리 - 집 지 어 요 주 님 영 원 한 - 반 석 이
G7 C F C G7 C D.S.
되 시 네 - 비 바 람 불 어 와 도 - 주 님 지 켜 주 셔 - 요
Fine

165 목마른 사슴

(미 608)

(As the deer)

Martin Nystrom

1. 목 마 른 사슴 시 냇 물을찾아 헤 매 이 듯 이

2. 금 보 다 귀한 나 의 주님내게 만 족 주 신 주

내 영 혼 주를 찾 기 에-갈급 하 -나 이 다

당 신 만 이- 나 의 기쁨또한 나 의참 보 배

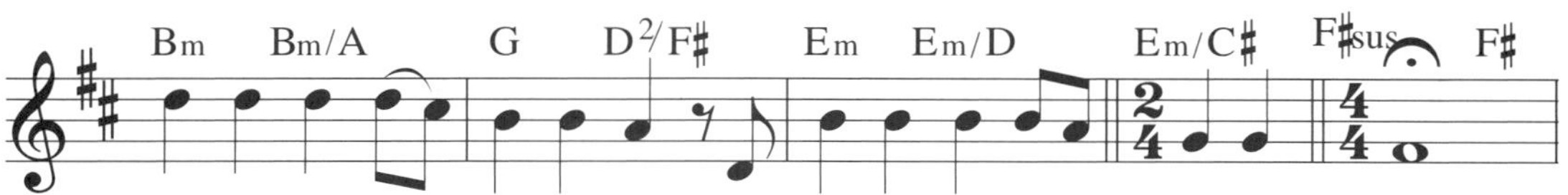

주 님 만 이- 나 의 힘 나 의방 패나의 참소 망

나 의 몸 정성 다 바 쳐서주님 경 배합 니 다

(미 1272)

목마른 사슴이 시냇물 찾 듯

(목자의 심정)

최훈차

G D G C G
1. 목 – 마 른 사 – 슴 이 시 냇 물 찾 듯
2. 험 산 준 령 헤 매 이 는 어 린 양 찾 아
3. 양 – 아 흔 아 홉 마 리 그 보 다 더 욱
4. 목 – 자 는 어 린 양 의 그 소 리 알 고
5. 어 린 목 자 내 주 예 수 이 몸 부 르 사
G C D7 G
나 의 주 님 이 죄 인 을 찾 으 셨 도 다
나 의 주 님 산 가 시 에 찔 리 셨 도 다
길 – 잃 은 한 마 리 양 사 랑 했 도 다
참 – 다 운 목 자 음 성 양 이 알 도 다
푸 른 초 장 물 가 으 로 인 도 합 소 서
D7 G D
양 을 위 해 생 명 바 친 목 자 – 의 수 고
G C G G C D7 G
그 사 랑 을 잠 시 라 도 잊 지 말 지 라

167 목적도 없이 나는

(미 1155)

(험한 십자가 능력있네)

William J. Gaither
목적도 없이 나는 방황했네 – –
소망도 없– 이 살았네 –
그때에 못자국난 그 손길– –
나에게 새생명 주셨네 –
험한 십 – 자가 에 – 능력 있네– –
거기서 나의 삶이 변했네 –
찬양 하–리 주 이름 영 원–히 –
주의 십 자 가 능 력 있 네 –
나는믿네 갈보리 언덕 십자가 –

Gm C7 F F7
나는믿 네 그 누가 뭐 라해도 –
B♭ D7 Gm C7
이세 상 다지나고 끝 날 이와 도
F F7 B♭
험한 십 자가 붙 들 겠 네 –
B♭7 E♭ B♭ E♭ B♭
나는믿 네 십자 가 에서 못 박 힌 주
F B♭maj7 B♭7
오 늘 도 새삶 을 주 시 네 –
E♭6 E♭m B♭ Gm Dm
날새 롭 게 하 셨네 나는 새 피 조 물
Cm F7 E♭ F B♭ B♭7
십자 가 잡고 살 아 가 리 –
E♭ B♭ D.S
나는믿 네 갈보 리언덕 십자가 – 나는믿
E♭ F7 B♭
– 험한 십 자가 붙 들 겠 네 –

168 무화과 나뭇잎이 마르고

(미 1254)

(Though the fig tree)

Tony Hopkins

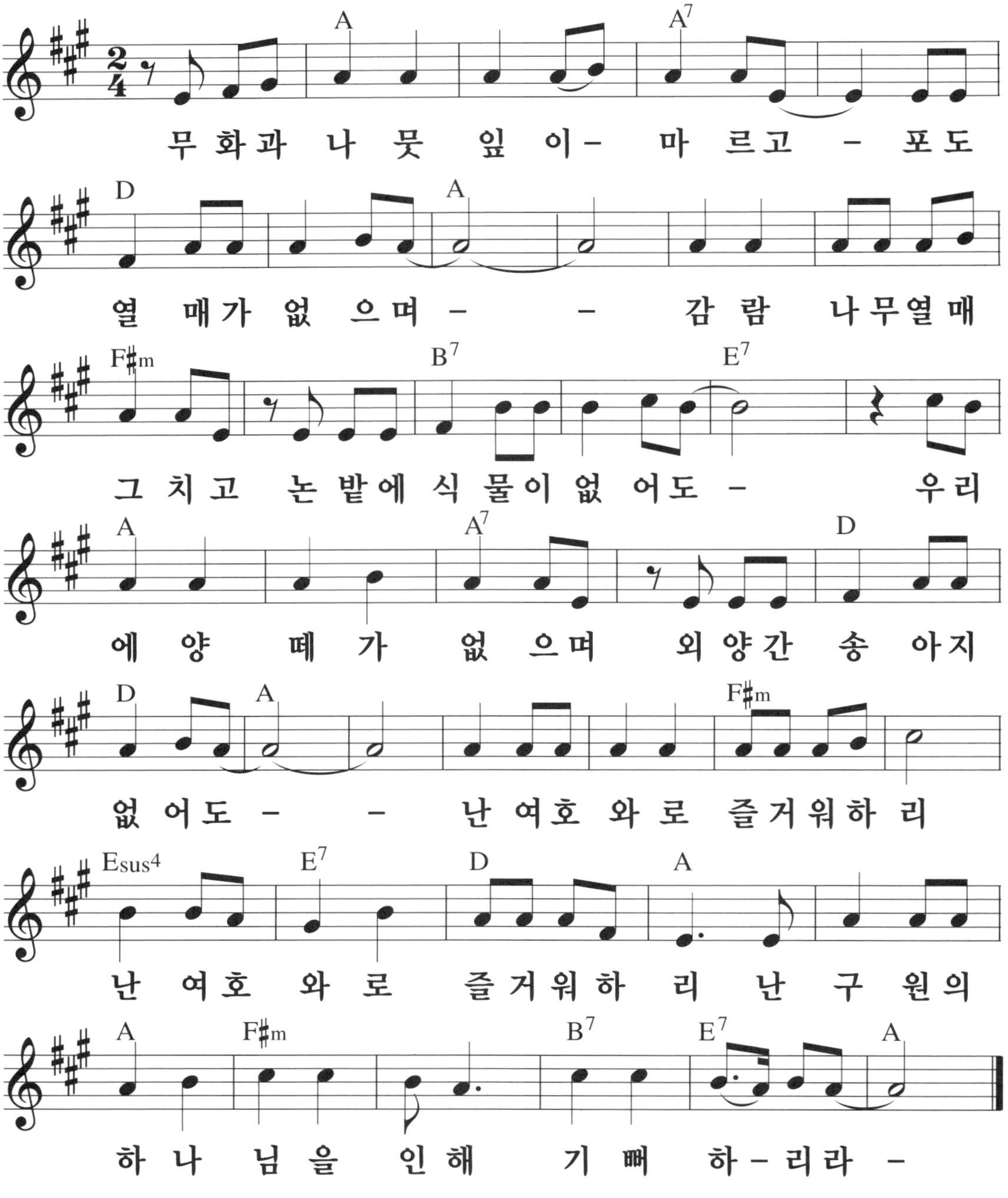
A A7
무 화 과 나 뭇 잎 이- 마 르 고 - 포 도
D A
열 매 가 없 으 며 - - 감 람 나 무 열 매
F♯m B7 E7
그 치 고 논 밭 에 식 물 이 없 어 도 - 우 리
A A7 D
에 양 떼 가 없 으 며 외 양 간 송 아 지
D A F♯m
없 어 도 - - 난 여 호 와 로 즐 거 워 하 리
Esus4 E7 D A
난 여 호 와 로 즐 거 워 하 리 난 구 원 의
A F♯m B7 E7 A
하 나 님 을 인 해 기 뻐 하 - 리 라 -

(미 1583)

문들아 머리 들어라

문 들 아머리들-어 라 들릴 지 어다영원한문 들 아 영광

의 왕들어가 시 도 록 영광 의 왕들어가-신 다

영 광의왕 뉘 시 뇨 강 하 고능 하신 주로다-

전 쟁에능하신 주 시라 다 찬양 위대하-신 왕

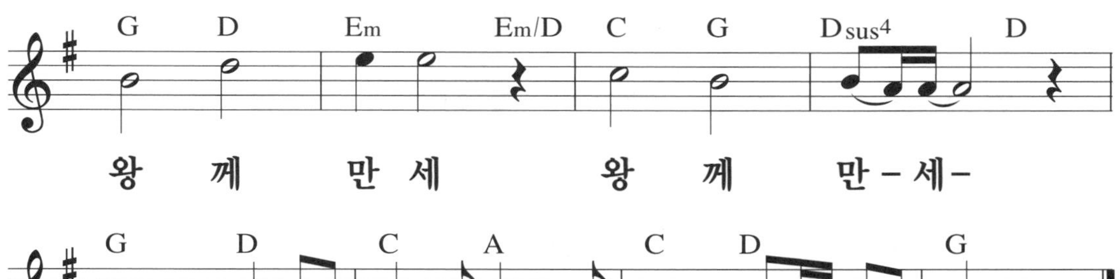
왕 께 만 세 왕 께 만-세-

당 신은영광의 왕 이라 다 찬 양 위대하-신 왕

170 문을 열어요 활짝

(미 1132)

문을 열어요활 짝 형제 마음의문 을
문을 열어요활 짝 자매 마음의문 을
굳게 닫힌 저문을보 고 어느 누 가 좋아하리 요
아무 래 도 닫힌문보 다 열린 문 이 더 좋 아
삐그덕 삐그덕 빗장을열어 요 철컥 철컥
자물쇠를열어 요 두드리는자 에 게 열 릴
것이라는 진리 를 잊 지 마 세 요 –

미움으로 얼어붙은

(지금 우리는)

171

석송 & 최종길

미움으로 얼어 붙은 마 음들 절망으로 굳어 버린 가 슴들
유혹속에 헤매 이는 우 리는 차갑도록 용서 없는 우 리는

길을 잃고 방황하는 걸 음들 죄 지은사 람 들
사랑 없는 이세상의 우 리는

죄많은우 리 는 지금 우리는 빛이 되어 야해 지금

우리는 새롭게 되어 야해 지금 우리는 이웃이 되 어 야해

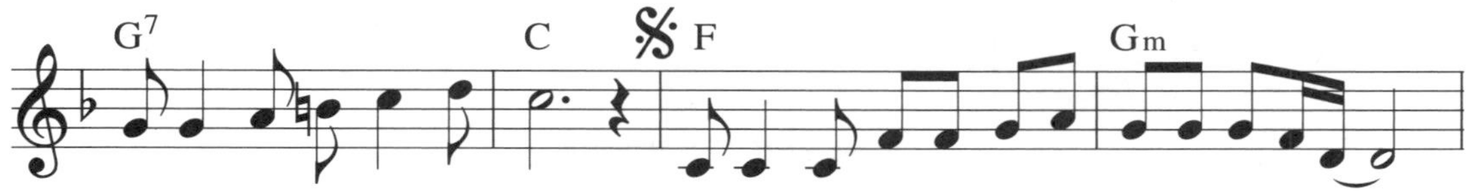

하나 가 되어 야 해 사랑 과 믿음으로 산 을옮기자 -

진리와사랑으로즐거워하자- 막혔 던 담을 헐고 하나가되자-

하 나-가되자 자 자 하 나-가 되 자 - -

172 민족의 가슴마다

(미 1880)

(그리스도의 계절)

김준곤 시, 박지영 정리 & 이성균

A E/G♯ F♯m C♯m/E

민 족의 - 가 슴 마 다 피문 은 그리스도를 - 심

D Bm E A F♯m

어 이 땅 에 푸 르 고 - 푸 른 - 그 리 스 도 의 계 절 - 이 - -

G9 Esus4 E7 G9 Esus4 E7

오 게 하 소 서 오 게 하 소 서

A E/G♯ F♯m C♯m/E

이 땅에 - 하 나 님 - 의 나 라 가 - 이 뤄 지 게 하 옵 - 소

D Bm E A C♯7/G♯ F♯m

서 모 든 사 람 의 마 - 음 과 - 교 회 와 가 정 - 에 도 - - 하 나 님

Bm E

나 라 가 - 임 하 게 하 여 주 - 소 - 서 - 주 의

A F♯m D

청 년 들 이 - 예 수 의 꿈 을 꾸 고 - 인 류 구 원 의 - 환 상 을

E A F♯m

보 게 하 - 소 - 서 - 한 손 엔 복 음 들 고 - 한 손 엔 사 랑 을 들 고 - 온 땅

D E FM7
구석 구석 누비-는 나라- 되게 하 소 서 이땅
Em FM7 Em
구석구-석에-서- 예수를주로고백 하게하-소-서-
FM7 Em Dm
하늘의뜻이 땅에 이뤄주-소-서-주의 나라- 되게 하 소-
Gsus4 G7 C Am
서-- 주의 청 년들이- 예 수의 꿈 을꾸고- 인 류
F Gsus4 G7 C
구원의- 환 상을 보게하-소-서- 한 손엔복음들고 -한 손엔
Am F Gsus4 G7 C
사랑을들고-온땅 구 석 구석 누비-는 나라-되게하소 서

173 바다같은 주의 사랑

Robert Lowry
G D7 G C G D7
바 다 같 은 주 의 사 랑 – 내 맘 속 에 넘 치 네
주 못 박 힌 언 덕 위 에 – 생 명 의 문 열 렸 네
G D7 G C G D7 G
생 명 의 주 우 릴 위 해 – 보 혈 흘 려 주 셨 네
깊 고 넓 은 은 혜 의 샘 – 강 과 같 이 흐 르 고
G D7 Am7 D7 G
영 원 하 신 주 의 사 랑 – 어 찌 우 리 잊 으 리
하 나 님 의 자 비 하 심 – 이 땅 위 에 넘 치 네
G C G/D D7 G
생 명 주 신 주 님 만 을 – 영 원 히 찬 양 하 리
평 강 의 왕 주 님 예 수 – 세 상 죄 구 속 했 네

(미 1288)

반드시 내가 너를 축복

174

박이순
Dm A7 Dm C7 A7
반 드시 내가너를 축복 하리 라 반 드시내가 너를 들어 쓰리라
Dm A7 Dm A7 Dm
1. 천 지는 변 해도 나의 약속 은 영 원히 변치 않으 리
2. 세 상의 소 망이 사라 졌어 도 온 전히 나를 믿으 라
두려
F B♭ C7 F B♭ C7 F
워 말 라 강하 고 담 대 하 라
낙 심 하 며 실망 치말라
인 내 하 며 부르 짖으라
B♭ C7 F B♭ A Dm A7
낙 심 하 며 실망 치말라 실 망 치 말 라 –
인 내 하 며 부르 짖으라 부 르 짖 으 라 –
Dm A7 Dm C7 F A7
네 소원 이루 는날 속히 오 리니 내 게 영광 돌리 리
영 광의 그 – 날이 속히 오 리니 내 게 찬양 하리 라
Dm Gm Dm A7 Dm
네 소원 이루 는날 속히 오 리니 내 게 영광 돌리 리
영 광의 그 – 날이 속히 오 리니 내 게 찬양 하리 라

175 방황하는 나에게

(미 1278)

F Bb G F C7
1. 방 황 하 는 나 에게- 주 님 오 셔 서
2. 너 의 맘 이 주 님께- 열 리 었 느 냐
3. 모 든 것 을 믿음으로- 간 구 하 는 가
F Bb Gm F C7 F
못 박 힌 손 내 밀 며- 오 라 하 시 네
믿 음 으 로 주말 씀 을- 받 을 수 있 나
말 - 씀 을 의지 하 여- 응 답 받 으 라
F Bb C7
주 님 을- 맞 이 하 는 나 의 마 - 음- 에
주 - 여- 나 의 맘 이 갈 급 하 - 오- 니
주 님 께- 모 든 영 광 전 부 드 - 리- 고
F Bb Gm F C7 F
성 령 의 단 비 가 - 내 려 옵 니 다
성 령 의 빗 속 에 - 젖 어 듭 니 다
겸 손 의 자 리 에 - 낮 아 있 으 라

(미 1760)

보라 너희는 두려워 말고

이연수
G2 Bm7 C Dsus4 D7
보 라 너희는 두려워말고- 보 라 너희를 인도한나를-
G2 Bm7 C Dsus4 D7
보 라 너희는 지치지말고- 보 라 너희를 구원한나를-
C G/B Am9 D7 Bm7 Em7
너 희를 치던 적은 어디있느냐 - 너희 틀억 누르던- 원수는
C Dsus4 D7 G2 Bm7 Em
어디있느냐- 보 라 하나님 구원을- 보 라 하나님
Dm G7 C2 C Cm/E♭
능력을- 너 희를 위 해 서 싸 우 시는 - 주의
Em A7 1. Am Bm C D7 2. Am9 D7 G
손 을 보 라 보 손 을 보 라

177 보좌에 앉으소서

(We place You on the Highest place)

Roman Pink

D G/D D G/D D
보좌 에 -앉으소서 주-여 위대 한 -대제사장 이시여
Gmaj7 Bm A7 G G/D D
모든 것 위에 높 으 신 주---
Em G A7 G D
주님 발 앞 에 다 경 배 드 리 네 -

(미 1623)

보혈을 지나

김도훈
G2 Bm7 Em C
보 혈을지-나- 하나님품으로- 보 혈을지-나-
Am7 C/D D7 G2 B/D# B7 Em
아버 -지품으로- 보 혈을지-나- 하나님품으로-
/D C Cm6 1.G C/D 2.G C/D D7 G
한걸 음씩 나-가네 - 네 존귀 한 주보
D/F# Am C/D D7 G C/D D7 G
혈 이- 내영 을 새롭게-하시-네- 존귀 한 주보
D/F# E/D# C C/D D7 G
혈 이- 내 영 을 새롭게 -하 네 -

179

복음 들고 산을 넘는자

(미 1170)

(Our God Reigns)

Leonard E Jnr. Smith

C F G7 Cmaj7 C/B
복 음 들 고 산 을 넘 는 자 들 의 발 길
Am7 Dm G7 C
- 아 름 답 고 도 - 아 름 답 도 다
C7 F G7 Cmaj7 C/B
평 화 전 하 며 복 된 소 식 을 외 치 네
Am7 Dm7 G7 C F
- 주 다 스 - 리 시 네
C C7 F Fmaj7 C C/B
- 주 다 스 - 리 시 네
Am Em F G7 1. C F/C 2. C
- 주 다 스 - - - - 리 시 네 네

(미 885)

볼찌어다 내가 문 밖에

김지현

볼－찌－어다－ 내가 문밖에서서 두 드리노 니
볼－찌－어다－ 그의 음성을듣고 맘 문열－ 라
볼－찌－어다－ 내가 문밖에서서 두 드리노 니 －
볼－찌－어다－ 그의 음성을듣고 맘 문 열－라－
누구든지내 음성 듣 고 － 문 을 열 면－－－
주의크신사 랑을 믿 고 － 문 을 열 면－－－
누구든지내 음성 듣－고－ 문 을 열－ 면 － 내가
주의크신사 랑을 믿－고－ 문 을 열－ 면 － 나의
들어가 －그로더불어 먹－고 그는나로 더불어살－ 리 － 내가
하나님 －생명의반석 되시니 나와항상 함께하시－ 리 － 나의
들어가 －그로 더불어 먹－고 그는나로더불어살 리
하나님 －생명 의반석 되시니 나와 항상 함께하시 리

181

부서져야 하리

(미 1092)

(깨끗이 씻겨야 하리)

김소엽 & 이정림

Emaj7 F#m B7 E
부서져야 하리 – 부서져야 하리 –
Emaj7 F#m B7 E
무너져야 하리 – 무너져야 하리 –
Emaj7 F#m B7 E
깨져야– 하리 – 더 많이 깨져야하 리
Emaj7 F#m B7 E E7
씻겨야 하리 – 깨끗이 씻겨야하 리
A E C#m/E F#m B7 E E7
다버리고 다고치고 겸손히 낮아져 도
A E C#m/E F#m F#7 B B7
주앞에서 정결타고 자랑치못할거예 요 –
Emaj7 F#m B7 E
부서져야 하리 – 무너져야 하리 –
Emaj7 F#m B7 E
깨져야 하리 – 깨끗이씻겨야하 리

부흥 있으리라

(There's gonna be a revival)

Renee Morris
부 흥-있-으리 -라 이땅에 ---
부 흥- 있- 으리 -라 이 땅에 ---
동쪽과 - 서쪽 - 남쪽 - 북쪽에 -
동쪽 서쪽 남쪽-북쪽에 -
부 흥- 있- 으리 -라- 이-땅에 - -
-라- 이-땅에 이 땅
에 -라- 부 흥-있-으리 -라-
부 흥-있-으리 -라- 이- 땅에
이 땅 에

183

불이야 성령의 불

최원순
1. 불 - 이 야 성 령의불 주님이주신성 령의 불
2. 불 - 이 야 사 랑의불 주님이주신사 랑의 불
3. 불 - 이 야 복 음의불 주님이주신복 음의 불
4. 불 - 이 야 신 유의불 주님이주신신 유의 불
불 - 이 야 성 령의불 나에게도허락하셨 네
불 - 이 야 사 랑의불 나에게도허락하셨 네
불 - 이 야 복 음의불 나에게도허락하셨 네
불 - 이 야 신 유의불 나에게도허락하셨 네
이제나도- 회개하고- 성 령의불꽃 - 되 어
이제나도- 거듭나서- 사 랑의불꽃 - 되 어
이제나도- 주를믿고- 복 음의불꽃 - 되 어
이제나도- 주를위해- 신 유의불꽃 - 되 어
이 세 상 - 의 어디든지- 성령의불붙 - 이리 라
이 세 상 - 의 어디든지- 내몸같이사 - 랑하 리
이 세 상 - 의 어디든지- 복음의불전 - 하리 라
이 세 상 - 의 모든병을- 주와함께태 - 우리 라

(미 1028)

비바람이 갈 길을 막아도

184

(나는 가리라)

김석균
비바람이갈길을 막 아 도 나는 가리 – 주의길을가 리
험한파도앞길을 막 아 도 나는 가리 – 주의길을가 리
눈보라가앞길을 가 려 도 나 는 가리 – 주의길을가 리
모진바람앞길을 가 려 도 나 는 가리 – 주의길을가 리
이 길은 영광의길 이 길은 승리 의길
이 길은 고난의길 이 길은 생명 의길
나를구원하신 주 님이 십 자가지고가 신 길
나는가 리 라 주의 길 을 가 리 라
주님발 자 취 따 라 나는가 리 라
나 는가 리 라 주 의 길 을 가 리 라
주님발 자 취 따 라 나는가 리 라

185

빛 되신 주

(미 1765)

(Here I am to Worship)

Tim Hughes

빛 되 신 주 어 둠 가 운 데 비 추 - 사 내 눈 보 게 하 소 - 서 -
만 유 - 의 높 임 을 받 으 소 - 서 영 광 중 에 계 신 - 주 -

예 배 하 는 선 한 마 음 주 시 - 고 산 소 망 이 되 시 - 네 -
겸 손 하 게 이 땅 에 임 하 신 - 주 높 여 찬 양 하 리 - 라 -

나 주 를 경 배 하 리 엎 드 려 절 하 며 고 백 해 주 나 의 하 나 님

- - 오 사 랑 스 런 주 님 존 귀 한 예 수 님 아 름 답 고 놀 라 우 신 주

- - 다 알 수 - 없 네 - 주 의 - 은 혜 - 내 죄

- 위 한 - 주 십 - 자 가 - 다 알 수 - 자 가 - 나 주 를 경 배

(미 953)

빛이 없어도

186

(주 예수 나의 당신이여)

이인숙 & 김석균

빛이 없어도 환하게다가 오시는주예수나의-당신이 여

나는 없어도 당신이곁에 계시면나는언제나-있습니 다

음성이 없어도 똑똑히 들려주시는 주예수나의 -당 신이 여

나 -는 있어도 당신이 곁에없으면 나는언제나 -없 습니 다

당신이 계시므로 나도있 고 -당 신의노래가머묾으로나는부를수있어요

주 여 -꽃처럼 향기나는- 나의 생 활이아니어 도

나는 당 신이좋을수 밖에없어요 주예 수 나의당 신이 여

187 사람을 보며 세상을 볼땐

(미 926)

(만족함이 없었네)

최영택

사람을보며 세상을볼땐 만족함이없 었 네
나의하나님 그분을뵐땐 나는만족하 였 네
1. 저기빛나는 태양을보라 - 또 저기서있는 산을보아라
천지지으신 우리여호와 나를사랑하 시 니
나의하나님 한분만으로 나는만족하 겠 네
2. 동남풍아 불어라 서북풍아 불어라
가시밭에백합화 예수향기날리니 할렐루야아 - 멘
가시밭에백합화 예수향기날리니 할렐루야아 - 멘

(미 1137)

사랑은 언제나 오래 참고

(사랑)

정두영

1. 사 랑 은 언 제 나 오 래 참 고 – 사 랑 은 언 제 나 온 유 하
2. 사 랑 은 무 례 히 행 치 않 고 – 자 기 의 유 익 을 구 치 않

며 – 사 랑 은 시 기 하 지 않 으 며 – 자 랑 도 교 만
고 – 사 랑 은 성 내 지 아 니 하 며 – 진 리 와 함–

도 아 니 하 며 –
께 기 뻐 하 네 –
사 랑 은 모 든 것 감 싸 주 고 –

바 라 고 믿 – 고 참 아 내 며 – 사 랑 은 영 원 토

록 변 함 없 네 – 믿 음 과 소 망 과 사 – 랑 은 –

이 세 상 끝 까 지 영 원 하 며 – 믿 음 과 소 망

과 사 랑 중 에 – 그 중 에 제 일 은 사 랑 이 라 –

189 사랑은 참으로 버리는 것

(사랑은 더 가지지 않는 것)

(미 1127)

M. Reynold
D A7 D
사랑은 참으로 *버리는것- 버리는것- 버리는것-
D D A7 D 1.
사랑은 참으로 *버리는것- 더 가지지않는 것
G D A7 D
이상하다 동전한닢 움켜잡으면 없어지고
G D E7 A7 2. D
쓰고빌려주면 풍성해져땅 위에가득하 네오 것
G D A7 D
자 내일걱정일랑 버리고--모 든염려주님께 맡기세요
G D A7 D
사랑은참으로 버리는것- 더 가지지않는 것
* 2. 섬기는 것 3. 베푸는 것 4. 다 주는 것

(미 716)

사랑의 주님 닮기 원하네

190

D D7 G D
* 사 랑 의 주 님 - 닮 기 원 하 네 - 그 - 아 름
A A7 D D7 G
다 운 - 주 님 예 수 - 이 세 상 에 서 - 저 천 국
D A A7 G D
까 지 - 닮 - 기 원 하 네 - 주 님 예 수 -

* 겸손 , 섬김 , 평화 , 용서 , 기도 , 위로의 주님

191

사랑의 주님이

(미 1146)

D
Dmaj7
Em
A7
사 랑 의 주 님 이 날 사 랑 하 시 네
Em7
A7
Dmaj7
A7
내 모 습 이 대 로 – 받 으 셨 네 –
D
Dmaj7
Em
A7
사 랑 의 주 님 이 날 사 랑 하 듯 이
Em7
A7
G/D
D
나 도 널 사 랑 하 며 섬 기 리 –

(미 560)

사랑하는 나의 아버지

192

(Blessed be the Lord God Almighty)

Bob Fitts

C C#dim7 Dm F/G G C F/G
사랑하는 나의 아버지- 이 름높여드립니다
C A7 Dm F/G C
주의 나라 찬양속에 임하 시니- 능력의 주께찬송하네
G7 C C/E G/F F F/G G7 C
전능하-신하 나 님 찬-양 언제나동일하 신 주--
F/G C C/E G/F F Dm F/G G G7 C (Bb/C C7)
전능하-신하 나 님 찬-양 영 원히다스리 네
Fine
F G/F Em Am F G7 C B♭/C C7
나주의이름높-이 리 나주 의이름높 -이 리---
F G E/G# Am
하늘높 이 올린 깃 -발- 처 럼 ---
F G7 C F/G
주 의 이 름높 -이 리 전 능하 - 신
D.S.

193

사랑하는 주님

(베드로의 고백)

(미 1841)

김석균

D F♯m A7 D
사랑하는 주님 내게다가 와 이밤이다 가기전 에
멀리서들리는 닭울음소 리 나의영혼 잠깨웠 네
G D E A7
네가나를– 버리리라 하 실 때 왜그리 섭섭 하던 지
잊어버렸던 지난슬– 픈 고백 왜그리 부끄 러운 지
D F♯m A7 D
주님과함께 죽을지라 도 배반하지는 않겠다했 던
이세상어디 숨을곳있 나 닭울음소리 들릴 때마 다
G D A7 D D7
믿음없는 나의헛 된 맹세 주님마음 울렸었 네
사랑하는 나의주 님 모습 스치고또 스쳐가 네
G A7
내가그를알지못하노 라 내가그를알지못하노 라
D G E A7 rit
내가그를알지못하 노라 부인하고–돌아서서 한없이울었네 –

a tempo
D F♯m A7 D
내가주를잃고 방황했 듯 주도나를잃고 슬퍼했 네
주님오실기약 어찌잊 고 맡긴사명모두 잊었던 가
G D A7 D
하지만 – 나의눈 물 보 다 주님의 눈물더뜨거웠 네
지금도 – 새벽닭 울 때 면 참회의 눈물로회개하 네

194 # 사랑합니다 나의 예수님

(미 1616)

김성수 & 박재윤

G
Em
Am
D
사랑합니 다 나의예수 님 사랑합니 다 아주많이 - 요 -
G
Em
Am
D7
G
사랑합니 다 나의예수 님 사랑합니 다 그것뿐예 - 요 -
G
D/F#
Em
C
Am
D
D7
사 랑 한 다 아 들 아 내 가 너 를 잘 아 노 라
(내 딸 아)
G
D/F#
Em
C
Am
D
G
사 랑 한 다 아 들 아 네 게 축 복 더 하 리 라
(내 딸 아)

(미 654)

사랑해요 목소리 높여

195

(I love You Lord)

Laurie Klein

E
F#m/E
E
사 랑 해요 - 목 소 리 높여 -
A
E/G#
F#m
E
Bsus4
A/B
B7
경 배 해 요 내 영 혼 기 뻐
E
F#m/E
E
오 나 의 왕 - 나 의 목 소 리 -
E7
A
E/G#
F#m7
Bsus4
B7
A/E
E
주님귀에 곱 게 곱 게 울 - 리 길 -

196 사막에 샘이 넘쳐 흐르리라

(미 1198)

히브리민요

1. 사막에 샘이넘쳐 흐-르리라 사막에꽃이 피어 향내내리라
2. 사막에 숲이우거 지-리-라 사막에예쁜 새들 노래하리라

주님이 다스리는 그나라가되면은 사막이꽃동산되 리
주님이 다스리는 그나라가되면은 사막이낙원되리 라

사자들이 어린양과뛰놀고 어린이들 함께뒹구는
독사굴에 어린이가손넣고 장난쳐도 물지않-는

참사랑과 기쁨의그나라가 이제 속히오리 라
참사랑과 기쁨의그나라가 이제 속히오리 라

(미 1598)

사망의 그늘에 앉아

(그날)

고형원

A C#m7 F#m C#m
사망의 그늘에앉 아 죽어 가는 나의백성 들 절망
F#m C#m D Bm E E7
과굶주림 에 갇힌저들은 내마음의 - 오랜슬 픔
A C#m7 F#m C#m
고통의멍에에매 여 울고 있는 나의자녀 들 나는
F#m C#m D B7 Esus E7
이제일어나 - 저들의 멍에를꺾고 눈물씻기기 - 원하는 데
A F#m D /C# Bm E7
누가내게부르 - 짖 어 저 들을구원케 - 할 까
A F#m Em7 A7 D Bm Esus E7
누가나를위해 - 가 서 나의사랑을전 - 할 까 나는
A E/G# F#m D A/C# Bm E7
이 제보기원하 네 나의 자녀들 - 살아나는 - 그 날 기쁜
A E/G# F#m D E7 Asus A
찬 송소리하늘 에 웃음 소리온 - 땅가득 한 - 그 날

198

사모합니다

(Father I adore You)

(미 877)

Terrye Coelho

G Am D7 G Am
1. 사 모 합 - 니 다 몸 과 마 음 을
2. 사 모 합 - 니 다 뜻 과 정 성 을
3. 사 모 합 - 니 다 신 령 과 진 정
D G C Am D7 G
다 해 우 리 하 나 님
다 해 우 리 예 수 님
으 로 우 리 성 령 님

살아계신 성령님

(Spirit of the living God)

199

Paul Armstrong

C G/D C/E F F/G
살 아계 신 성 령 님 날 붙드- 소 서
C G/B Am Am7/G D/F♯ D7 G G7
살 아계 신 성 령 님 날 살피 소 서
C C/E F A D7 G G7/B
채 우 소 서 채 우- 소- 서
E E7/G♯ Am F Dm7/G G C
성 령하 나 님 새롭 게 하 소 서

200 살피소서 오늘 내 마음

(Search me O God)

Edwin J.Orr

1. 살 피 소 서 – 오 늘 내 마 음 을 –
2. 살 피 소 서 – 내 모 든 생 각 을 –
3. 나 주 님 을 – 늘 찬 양 합 니 다 –
나 의 생 각 을 살 펴 주 소 서 –
당 신 의 사 랑 내 게 채 우 사 –
당 신 의 말 씀 내 게 채 우 사 –
내 게 악 한 – 길 있 나 보 소 서 –
내 모 든 뜻 – 내 모 든 행 함 을 –
날 정 결 케 – 하 여 주 옵 소 서 –
죄 를 씻 어 자 유 주 옵 소 서 –
주 님 맡 아 주 관 하 옵 소 서 –
당 신 의 그 형 상 만 드 소 서 –

(미 1206)

서로 사랑하라

201

1. 서로사랑하라 주가 말씀하셨네우리 서로사랑 해
2. 서로용서하라 주가 말씀하셨네우리 서로용서 해
3. 모든일에감사 하라 말씀하셨네우리 항상감사 해

서로사랑하라주가 말씀하셨네우리 서로사랑 해
서로용서하라주가 말씀하셨네우리 서로용서 해
모든일에감사하라 말씀하셨네우리 항상감사 해

우리 서로 사랑 해 주의 기쁨 넘치 리
우리 서로 용서 해 주의 사랑 넘치 리
우리 항상 감사 해 기쁜 찬송 넘치 리

서로사랑하라주가 말씀하셨네우리 서로사랑 해
서로용서하라주가 말씀하셨네우리 서로용서 해
모든일에감사 하라 말씀하셨네우리 항상감사 해

202 삶의 작은 일에도

(미 1777)

(소원)

한웅재

F Cadd2/E Dm F/C B♭add2 F/A
삶의작-은일-에도 -그맘을알-기원-하네 - 그길-
Gm B♭/C F Cadd2/E Dm
그 좁은길-로가-기원-해 나의작-음을 -알고 -그분의크
F/C B♭add2 F/A Gm B♭/C F
-심을-알며- 소망- 그 깊은길-로가-기원-하네 -
B♭maj7/C C7 Dm Am7 Dm
저 높이솟-은산-이되-기보 -다 여기 오름직-한동
Dm Am7 Dm Am7
-산이-되길- 내 가는길-만비-추기-보다-는 누군
B♭add2 G B♭/C C7 F Cadd2/E Dm
가의길-을비-춰준-다면 - 내가노-래하-듯이 - 또
Dm F/C B♭add2 F/A Gm B♭add2/C
내가애-기하-듯이 - 살길 - 난 그렇게-죽기-원하-네

F
Cadd2/E
Dm
F/C
B♭add2
F/A
삶의한 - 절이 - 라도 - 그 분을닮 - 기원 - 하네 - 사랑 - 그
Gm
B♭add2
C
1.2. F
3. F
1. 높 은 길 - 로 가 - 기 원 - 하 네 - 그
2. 좁 은 길 - 로 가 - 기 원 - 하 네 - 그
3. 깊 은 길 - 로 가 - 기 원 - 하 네 -

Word and Music by 한웅재.

203

선하신 목자

(Shepherd of my soul)

(미 1615)

Martin Nystrom

D2 Em7 G/A A7 D D/C♯
선하신 - 목자 - 날 사랑하 - 는분 - 주
Bm7 Em7 Bm7/A A D2 Em7
인도하 - 는곳 - 따라 가 - - - 리 주의말 - 씀을 - 나
G/A A A♯dim Bm Bm/A G D/C♯ Em7 G/A 1. D Bm G/A
듣기위 - 하 - 여 주 인도하 - 는 - 곳 가려 네
2. D Am7 D7 Gmaj7 A/G F♯m A/B Bm7
네 나를 푸른초 - 장과 - - 쉴 만 한물 - 가 로 - 내
Em7 G/A D Am7 D7 Gmaj7 A/G
선하신 - 목자 - 날인 - 도해 - 험한 산과골 - 짜기 - 로 내가
F♯m /B B7 Em7 G/A D
다닐지 - 라 도 - 내 선하신 - 목자 - 날인 - 도해 -

(미 878)

성도들아 이시간은

204

(기회로다)

C C7 F C G7
성 도 - 들 아 이 시 간 은 은 혜 받 을 기 회 로 다
마 음 - 문 을 활 짝 열 고 찬 송 하 며 기 도 하 세
타 오 - 르 는 제 단 위 에 모 든 죄 짐 던 지 어 라
구 하 - 여 라 사 모 하 라 겸 손 하 고 순 종 하 라
내 일 - 아 침 있 다 해 도 인 명 생 사 모 르 나 니
C C7 F G7 C
성 령 - 님 의 은 혜 역 사 우 리 위 에 임 하 셨 - 네
하 나 - 님 의 은 혜 말 씀 왜 못 받 아 드 리 느 - 뇨
성 령 - 불 에 못 태 운 죄 주 님 가 슴 태 우 누 - 나
은 혜 - 깊 은 하 나 님 이 우 리 더 욱 사 랑 하 - 리
내 일 - 생 에 은 혜 기 회 늘 있 는 줄 생 각 마 - 라
C Am C CM7
기 회 로 다 - 이 시 간 은 - 은 혜 받 을 - 기 회 로 다 -
F D7 F C G7 C
믿 읍 시 다 - 받 읍 시 다 - 이 후 에 기 회 를 믿 지 마 라 -

205 성령님이 임하시면

(미 1888)

(성령의 불타는 교회 / Church on Fire)

Russell Fragar

G7
C7
성령 님이임하시면능력 이나타나- 모 -든것이일어날수

C7
A7
D7
G
있게되죠- 참 -선한것이 선한 것이여기일어나 -네-

G
G7
C7
어두움 -을-물리치는빛이있네- 능 -력 힘입어 난두

C7
A7
D7
G
렵지않네- 참 -선한것이 선한 것이여기일어나 -네-

C/G
G
D/F#
Em
성령의 불 타 는교 -회 -성령의 불꽃임-하네 -온마음

C/G
G
Am7
D7
CM9
G/B
다 하 여 -서 주이름 높이 세 - 우 리 의마 -음불 -타네-

CM9
G/B
Am7
D7
그 빛 을전-하 기 -위 해- 사랑의 불꽃-전하 -세-

C2
C2/D
1.G
2.G
C/G
G
주를위한 - 성령의불-타는교 - 회- -회-

(미 680)

성령받으라

206

최원순
F Dm B♭ C C7 F C
성 령받 으라 성 령받 으라
평 안있 으라 평 안있 으라
구 원받 으라 구 원받 으라
축 복받 으라 축 복받 으라
예 수내 게말 씀하 셔 서 - -
F Dm B♭ C C7 F F7
성령 받으라 성령 받으라
평안 있으라 평안 있으라
구원 받으라 구원 받으라
축복 받으라 축복 받으라
예 수내 게말 씀하 셔 서
B♭ F Am C
할 렐 루 야
성령 받았 네 나 는 성 - 령 받았 네
평안 해졌 네 나 는 평 - 안 해졌 네
구원 받았 네 나 는 구 - 원 받았 네
축복 받았 네 나 는 축 - 복 받았 네
B♭ F C C7 F
할 렐 루 야
성 령받 았네 나는 성 - 령받았 네
평안해 졌네 나는 평 - 안해졌 네
구 원받 았네 나는 구 - 원받았 네
축 복받 았네 나는 축 - 복받았 네

207 성령충만으로

1. 성령충만으로 성령충만으로 뜨겁게뜨겁 게
2. 말씀충만으로 말씀충만으로 새롭게새롭 게
3. 은사충만으로 은사충만으로 강하게강하 게
4. 할렐루야아멘 할렐루야아멘 우리 ○○교 회

성령충만으로 성령충만으로 뜨겁게뜨겁 게
말씀충만으로 말씀충만으로 새롭게새롭 게
은사충만으로 은사충만으로 강하게강하 게
할렐루야아멘 할렐루야아멘 우리 ○○교 회

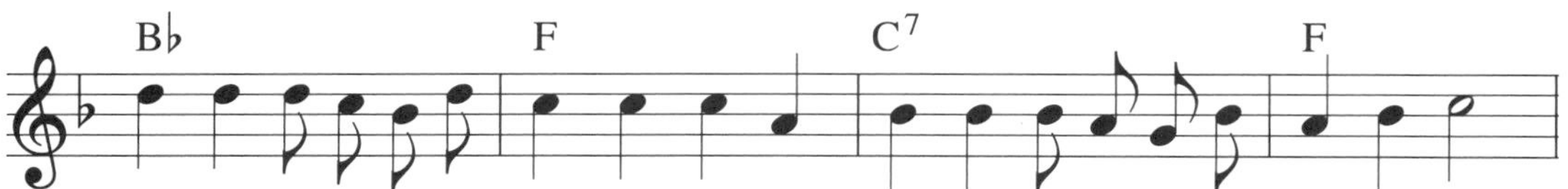

성령충만으로권 능받아 땅끝까지전파하리라
말씀충만으로거 듭나서 주뜻대로살아가리라
은사충만으로체 험얻어 죄악세상이겨나가리
성령충만으로뜨 거웁게 말씀충만으로새롭게

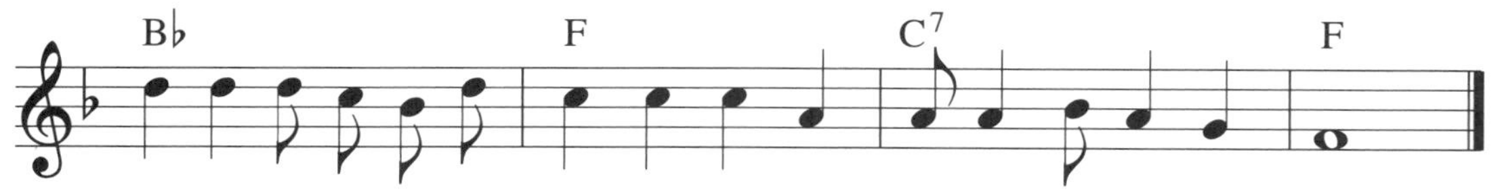

성령충만으로 권능받아 증인이되리 라
말씀충만으로 거듭나서 새사람되리 라
은사충만으로 체험얻어 이세상이기 리
은사충만으로 체험얻어 주의일하리 라

성령충만을 받고서

C
G7
C
성령충만을받고 서 – 기도대장 – 될래요
성령충만을받고 서 – 봉사대장 – 될래요
C
G7
C
성령충만을받고 서 – 전도대장 될래 요
성령충만을받고 서 – 순종대장 될래 요
G7
C
F
G7
성 령 은 성 령 은 우 리 들 을
C
F
C
G7
C
대장으로 – 대장으로 – 만 들 어 줘 요

209 세상 때문에 눈물 흘려도

(외롭지 않아)

1. 세상때문에 - 눈물흘려도 외롭지않아 - 주님계시니
2. 마귀때문에 - 고통당해도 외롭지않아 - 주님계시니
3. 세상친구들 - 나를떠나도 외롭지않아 - 주님계시니
세상때문에 - 설움당해도 - 주님땜에외롭지않 아
마귀때문에 - 괴롬당해도 - 주님땜에외롭지않 아
세상친구들 - 나를버려도 - 주님땜에외롭지않 아

외롭지않아 - 주님계시니 두렵지않아 - 주님계시니 -

세상때문에 - 눈물흘려도 - 주님땜에외롭지않 아

(미 1538)

세상 모든 민족이

(물이 바다 덮음 같이)

고형원

세상 모든 민족이 - 구원 을얻 기까지 - 쉬 지 않 으시는-하
나님 - 주의 심장가지고 - 우리 이제일 어나- 주 따 르게 하소
서 세상 모든 육체가- 주의 영광 보도록- 우 릴부르시는-하
나님 - 주의 손과 발되어 - 세상 을치 유하며- 주섬 기 게 하소
서 물이바다덮음같이 - 여호 와의 영광을- 인정하는것 이
온세상가득하리라 - 물이 바다 덮음같이 물이 바다덮음 같이 물이
바 다 덮음같이 - 보리 라 그날 에 주의 영 광 가득한-세
상 우리 는 -듣게되 리 온세 상 가 득 한승리의-함 성
Fine
D.S.

211 세상부귀 안일함과

(미 986)

(주님 내게 오시면)

윤용섭

1. 세상 부 귀안일함 과 세상근심하 다 가
2. 세상 일 에얽매여 서 세상일만하 다 가
3. 지금 까 지내가한 일 주님께서보 시 고

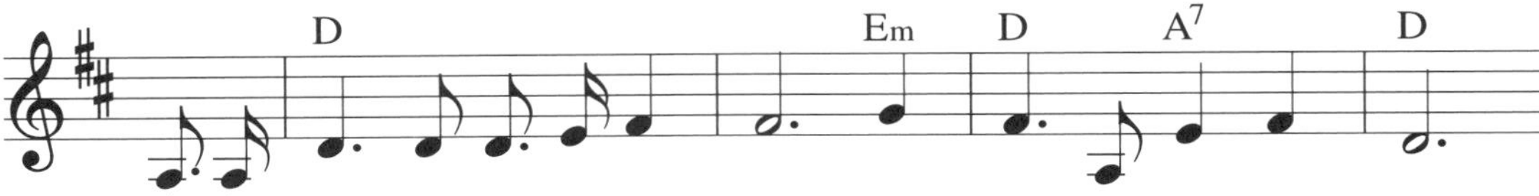

주님 나 를찾으시 면 어 떻 게만날 까
주님 나 를부르시 면 어 떻 게만날 까
훗 - 날 에나를보 며 무 어 라하실 까

주님내 게오시 면 나 어 찌대할 까

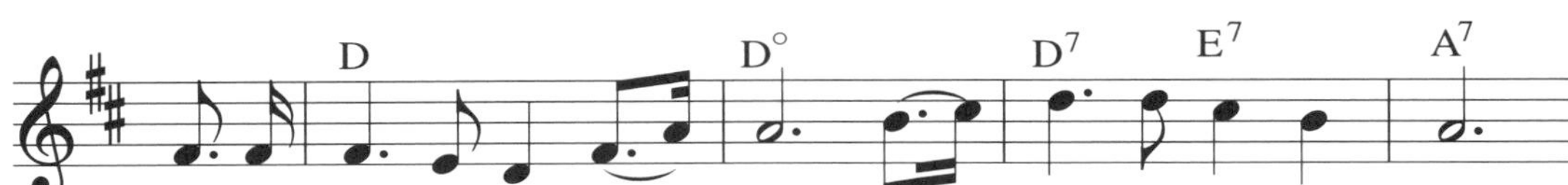

멀리방 황하던 - 나 불 - 쌍한이죄 인

근심
이제 주만생각하 며 세상 권세 버 리 고
영광

두손 들 고눈물로 써
오직 주 만바라보 며 주만 따라가오리 다
십자 가 를내가지 고

(미 1093)

세상사람 날 부러워

212

(부럽지 않네)

C Am D G7
1. 세 상 사 람 날 부 러 워 아 니 하 여 도
2. 세 상 사 람 날 부 러 워 아 니 하 여 도
3. 세 상 사 람 날 부 러 워 아 니 하 여 도
4. 세 상 사 람 날 부 러 워 아 니 하 여 도
C F C G C
나 도 역 시 세 상 사 람 부 럽 지 않 네
이 세 상 의 권 세 자 들 날 부 러 워 해
나 도 역 시 부 귀 영 화 부 럽 지 않 네
하 늘 나 라 천 군 천 사 날 부 러 워 해
C G C F
하 나 님 의 크 신 은 혜 생 각 할 때 에
성 령 충 만 받 을 것 을 생 각 할 때 에
예 수 님 의 신 부 될 것 생 각 할 때 에
영 원 토 록 누 릴 영 화 생 각 할 때 에
C F C G C
할 렐 루 야 찬 송 이 저 절 로 나 네

213 세상에서 방황할 때

(미 898)

(주여 이 죄인을)

안철호

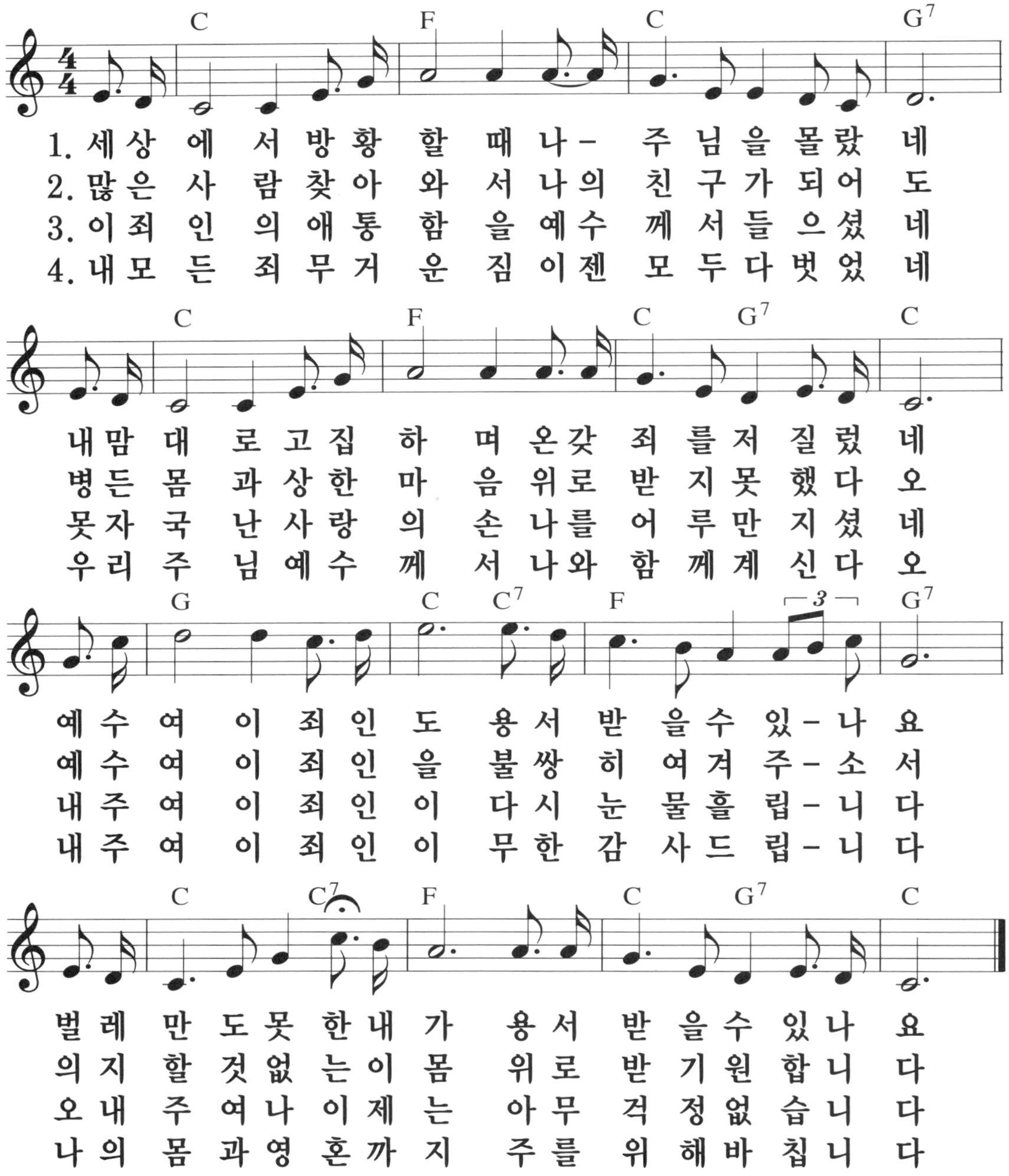
C F C G7
1. 세 상 에 서 방 황 할 때 나 - 주 님 을 몰 랐 네
2. 많 은 사 람 찾 아 와 서 나 의 친 구 가 되 어 도
3. 이 죄 인 의 애 통 함 을 예 수 께 서 들 으 셨 네
4. 내 모 든 죄 무 거 운 짐 이 젠 모 두 다 벗 었 네
C F C G7 C
내 맘 대 로 고 집 하 며 온 갖 죄 를 저 질 렀 네
병 든 몸 과 상 한 마 음 위 로 받 지 못 했 다 오
못 자 국 난 사 랑 의 손 나 를 어 루 만 지 셨 네
우 리 주 님 예 수 께 서 나 와 함 께 계 신 다 오
G C C7 F 3 G7
예 수 여 이 죄 인 도 용 서 받 을 수 있 - 나 요
예 수 여 이 죄 인 을 불 쌍 히 여 겨 주 - 소 서
내 주 여 이 죄 인 이 다 시 눈 물 흘 립 - 니 다
내 주 여 이 죄 인 이 무 한 감 사 드 립 - 니 다
C C7 F C G7 C
벌 레 만 도 못 한 내 가 용 서 받 을 수 있 나 요
의 지 할 것 없 는 이 몸 위 로 받 기 원 합 니 다
오 내 주 여 나 이 제 는 아 무 걱 정 없 습 니 다
나 의 몸 과 영 혼 까 지 주 를 위 해 바 칩 니 다

(미 1139)

세상은 평화 원하지만

G C D7 G
1. 세상은평화 원하지만 - 전쟁의소문더 늘어간다 -
2. 우리주사랑 안에사네 - 주우릴하나로 회복했네 -
3. 형제들하나 안에살때 - 얼마나좋고도 즐거운가 -
G C D7 G
이모든인간고통 두려움뿐 - 그지겨움끝없네 그러나
한집에사는우리 형제자매 - 아버지와아들이 하나이
달콤한기름부은 이슬처럼 - 우리위에내리네 생명호
Dsus4 D7 G F2/G G7 C
주 여기계시니
듯 우린하날 세 우리가 아-들민을때
흡 항상새롭다
G D7 G C
에 그의 영으로하-나 돼우리가 아-들민을때 에
D7 G Dsus4
그의 영으로하-나 돼 하날 세(우리모두다) -
G Dsus4 D7 G
하날 세(우리 모두다)- 하날 세(우리모두다) - 하날 세

215 세상의 유혹 시험이

(미 1055)

(주를 찬양)

최덕신

세 상의유혹시험이-내게 몰려올때-에 나 의힘으론그것들-모두
거 짓과속임수로--가득 찬세상에-서 어 디로갈지몰라--머뭇
주 위를둘러보면--아- 무도없는-듯 믿 음의눈을들면--보이

이길 수없네- 거 대한폭풍 가 운데 - 위축 된나의 영- 혼 어
거리 고있네- 공 중의권세 잡 은자 - 지금 도우리 들- 을 실
는분 계시네- 지 금도내안 에 서 - - 역사 하고계 시- 는 사

찌 할 바를 몰라 - 헤매 이고 있 을때 - 주를
패 와 절망 으로 - 넘어 뜨리 려 하네 -
망 과 어둠 의권 세 물리 치신 예 수님 -

찬 양 손 을들고찬-양 전 쟁은 나에게 속-

한것 아니니 - 주를 찬 양 손 을들고찬- 양 전

쟁은 하나님께 - 속 한 - 것 이 니

(미 1297)

세상 일에 실패 했어도

216

(내가 너를 도우리라)

김석균

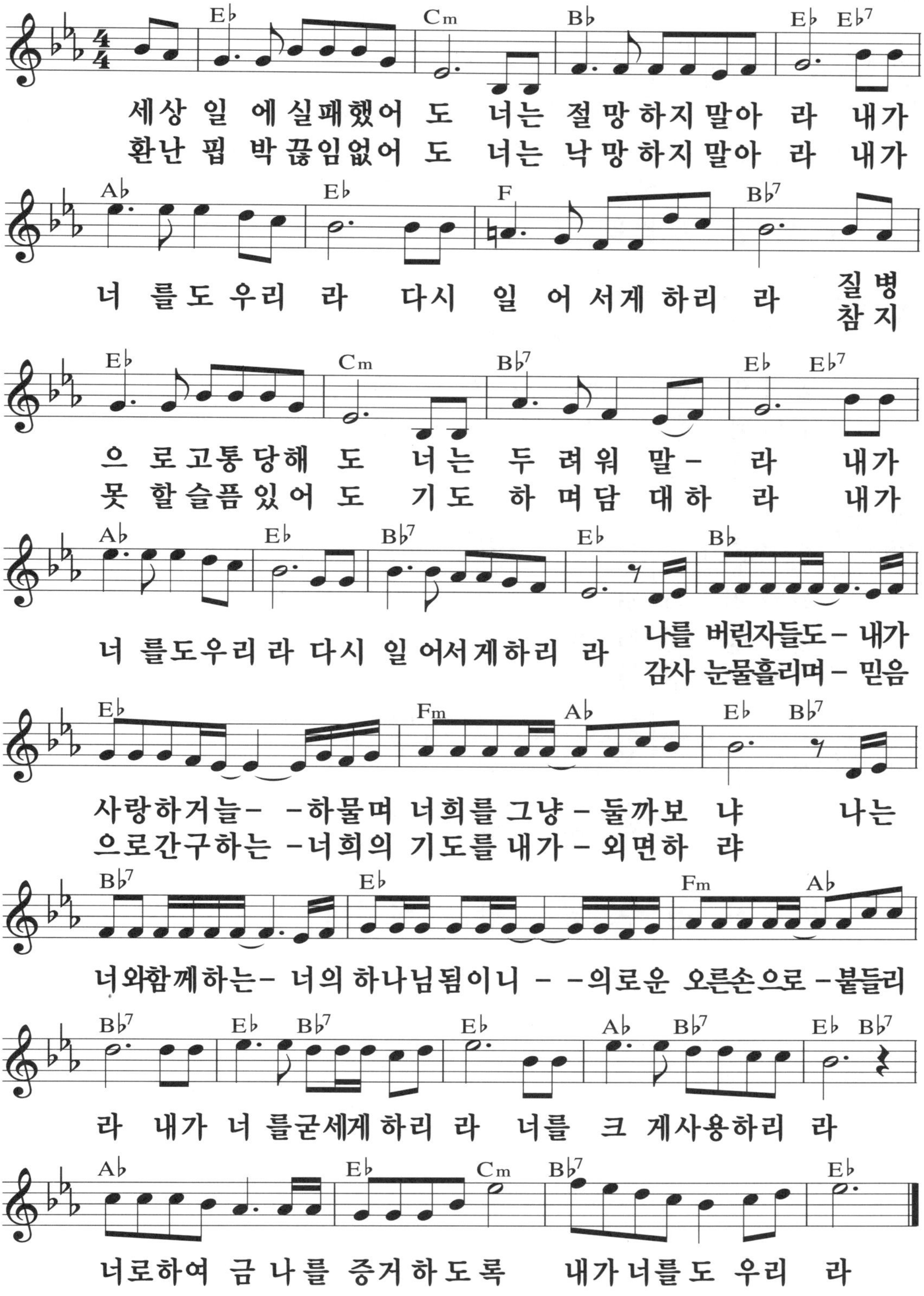

세상 일 에실패했어 도 너는 절망하지말아 라 내가
환난 핍 박끊임없어 도 너는 낙망하지말아 라 내가

너 를도우리 라 다시 일 어서게하리 라 질병
참지

으 로고통당해 도 너는 두 려워 말- 라 내가
못 할슬픔있어 도 기도 하 며담 대하 라 내가

너 를도우리라 다시 일 어서게하리 라 나를 버린자들도- 내가
감사 눈물흘리며- 믿음

사랑하거늘- -하물며 너희를 그냥 -둘까보 냐 나는
으로간구하는 -너희의 기도를 내가 -외면하 랴

너와함께하는- 너의 하나님됨이니 - -의로운 오른손으로 -붙들리

라 내가 너 를굳세게하리 라 너를 크 게사용하리 라

너로하여 금 나를 증거하도록 내가 너를도 우리 라

217 세상향락에 젖어서

(주님을 따르리라)

김석균

E B7 E A B7
1. 세 상 향락에 젖 어 서 주님을 외면할 때 –
2. 한 번 돌아선 그 길 을 참회로 묻어두 고 –
3. 지 난 세월을 돌 이 켜 주님의 일더하 고 –
E A B7 E E7
돌아오 라 부르시 던 주 음 성들 었 네 –
주의뒤 를 따라가 며 즐 겨 길가 겠 네 –
하늘나 라 소망하 며 항 상 깨어 있 네 –
A E A E
잊으리 이 전 것 은 죄악에 발묶인 몸 –
내평생 빚 진 마 음 한없는 사랑이 라 –
생명의 면 류 관 을 머리에 씌워주 마 –
A E F#m B7 E
속죄로 짐 을 벗 고 주님을 따 르 리 라 –
십자가 내 가 지 고 주님을 따 르 리 라 –
약속하 신 주 님 만 섬기며 따 르 리 라 –

(미 1692)

세상 흔들리고

(오직 믿음으로)

218

고형원

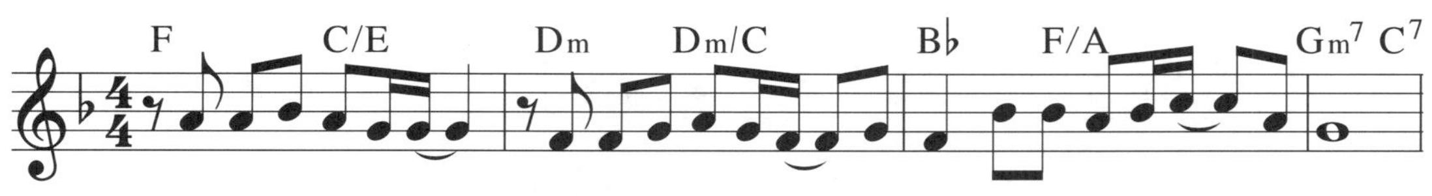
F C/E Dm Dm/C B♭ F/A Gm7 C7

세상흔들리고- 사람들은변하-여 도 나는주를섬-기리
믿음흔들리고- 사람들주를떠-나 도 나는주를섬-기리

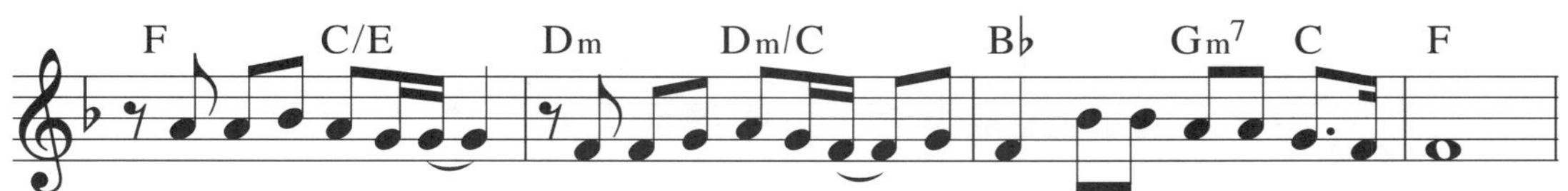
F C/E Dm Dm/C B♭ Gm7 C F

주님의사랑은- 영원히변하지-않 네 나는주를신뢰 해
주님의나라는- 영원히쇠하지-않 네 나는주를신뢰 해

F B♭ Gm Csus4 C7
오 직 믿 음으로- 믿음으로내가살리 라
F B♭ Gm C7 F
오 직 믿 음으 로- 믿음으로 내가살리 라- -
F B♭ Gm Csus4 C7
오 직 의인 은- 믿음으로 말미암아살 리 라
F B♭ Gm C7 F
오 직 의인 은- 믿음으로말미암아살리 라- -

219 손에 있는 부귀보다

(금 보다도 귀하다)

(미 1082)

김석균

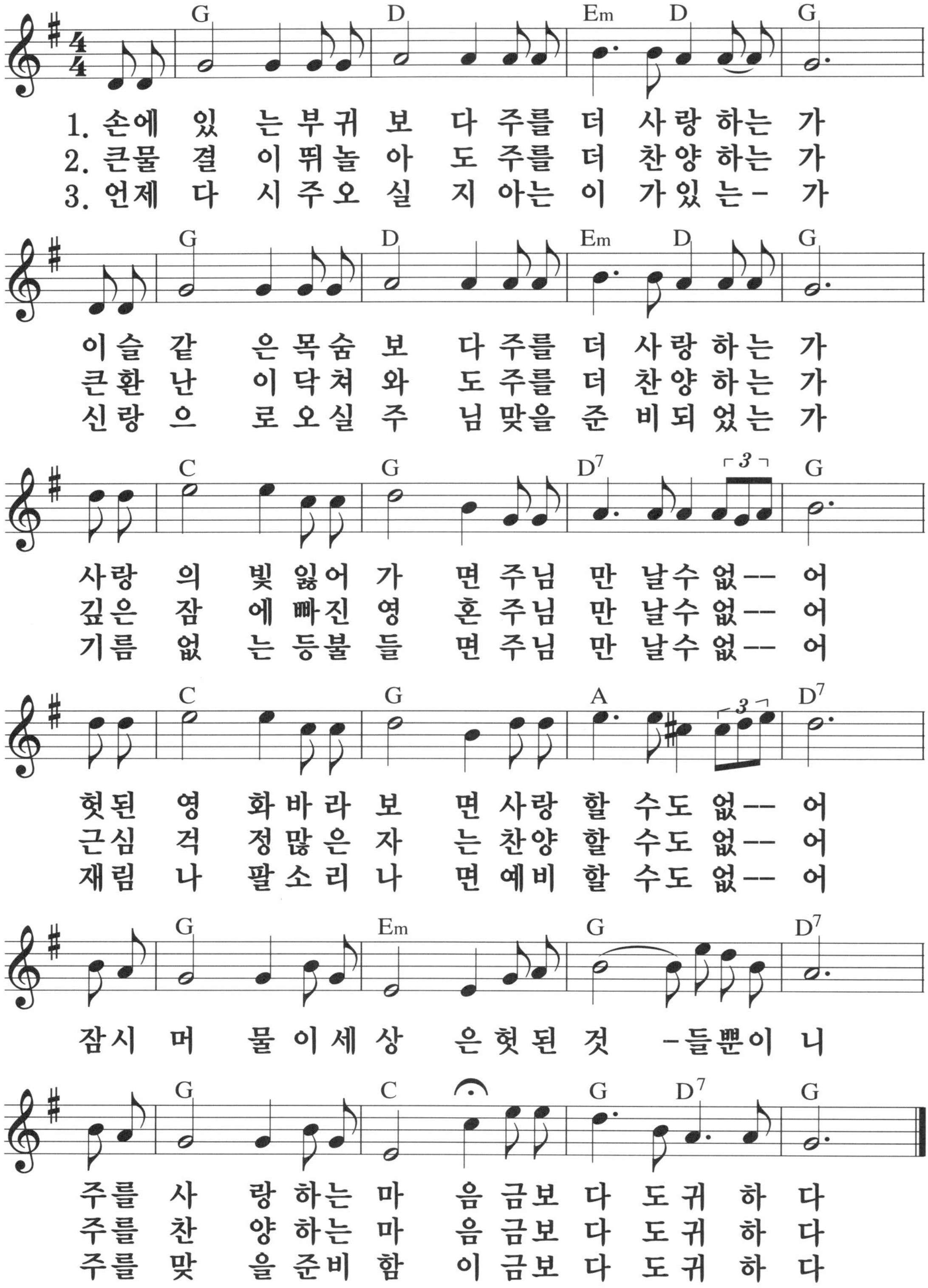

G D Em D G

1. 손에 있 는부귀 보 다 주를 더 사랑하는 가
2. 큰물 결 이뛰놀 아 도 주를 더 찬양하는 가
3. 언제 다 시주오 실 지 아는 이 가있는- 가

G D Em D G

이슬 같 은목숨 보 다 주를 더 사랑하는 가
큰환 난 이닥쳐 와 도 주를 더 찬양하는 가
신랑 으 로오실 주 님 맞을 준 비되었는 가

C G D^7 3 G

사랑 의 빛잃어 가 면 주님 만 날수 없-- 어
깊은 잠 에빠진 영 혼 주님 만 날수 없-- 어
기름 없 는등불 들 면 주님 만 날수 없-- 어

C G A 3 D^7

헛된 영 화바라 보 면 사랑 할 수도 없-- 어
근심 걱 정많은 자 는 찬양 할 수도 없-- 어
재림 나 팔소리 나 면 예비 할 수도 없-- 어

G Em G D^7

잠시 머 물이세 상 은헛된 것 -들뿐이 니

주를 사 랑하는 마 음금보 다 도귀 하 다
주를 찬 양하는 마 음금보 다 도귀 하 다
주를 맞 을준비 함 이금보 다 도귀 하 다

(미 665)

손을 높이 들고

(Praise Him on the trumpet)

John Kennett

E E7 A2 A
손을높이들고 주를찬양- 높은곳을향해 주를찬양--
E G#m/E F#m B7
모 든 만물들은 - 주 를 찬 -양하라 -
E E7 A2 A
왕의왕되신 예수- 다스리시는 예수-
E B7 E A/E E B7
생 명 있 음 을 찬 양 해 -
E E7 A2 A
할렐루야 주를찬양- 할렐루야 주를찬양--
E 1. EM7 F#m B7
생 명 있 음 을 찬 양 해
2. B7 E A/E E
을 찬 양 해 -

221 수 많은 무리들 줄지어

(미 745)

(예수 이름 높이세)

최덕신

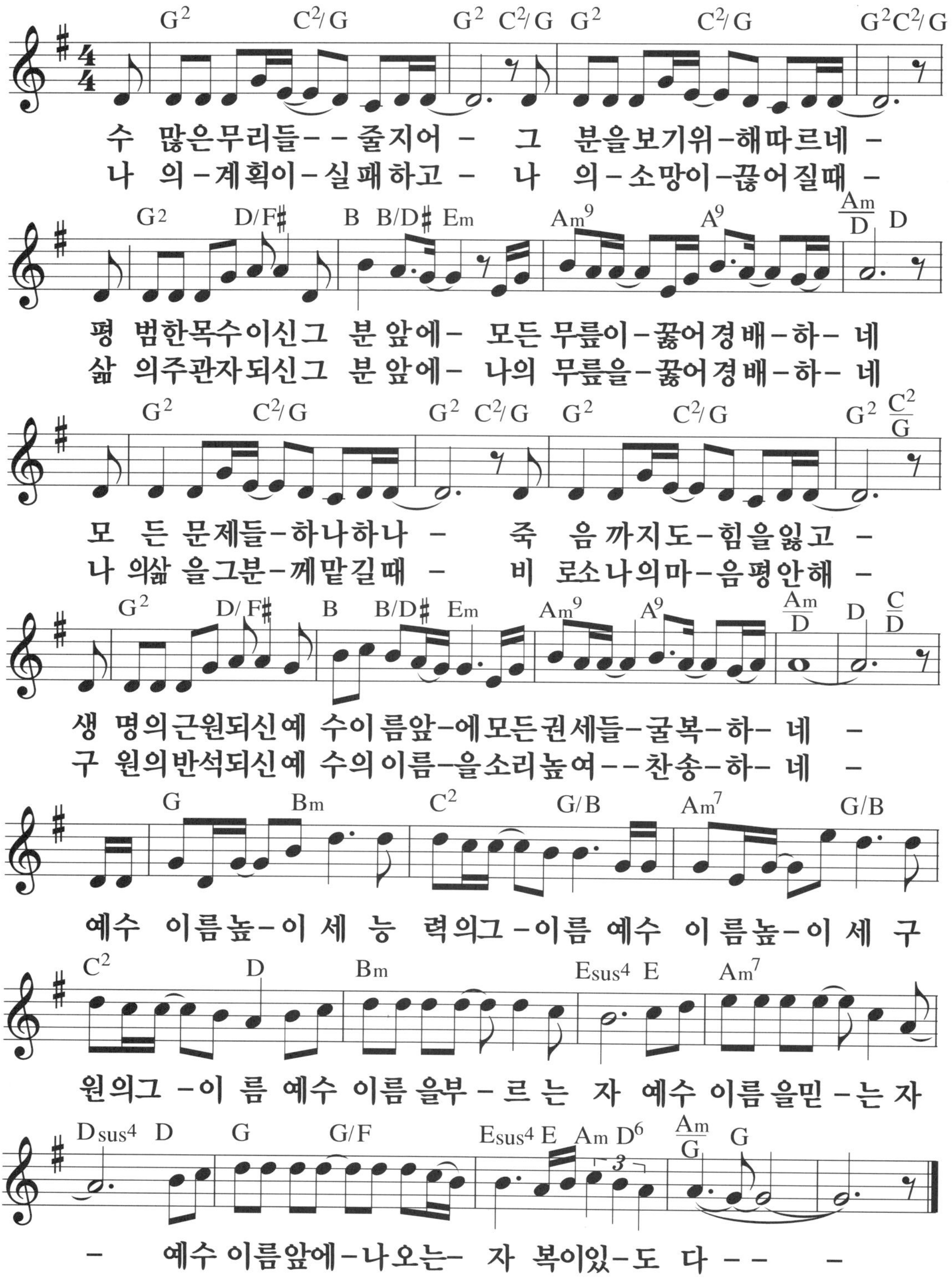
G2 C2/G G2 C2/G G2 C2/G G2 C2/G
수 많은무리들--줄지어 - 그 분을보기위-해따르네 -
나 의-계획이-실패하고 - 나 의-소망이-끊어질때 -
G2 D/F# B B/D# Em Am9 A9 Am/D D
평 범한목수이신그 분 앞에- 모든 무릎이-꿇어경배-하- 네
삶 의주관자되신그 분 앞에- 나의 무릎을-꿇어경배-하- 네
G2 C2/G G2 C2/G G2 C2/G G2 C2/G
모 든 문제들-하나하나 - 죽 음까지도-힘을잃고 -
나 의삶 을그분-께맡길때 - 비 로소나의마-음평안해 -
G2 D/F# B B/D# Em Am9 A9 Am/D D C/D
생 명의근원되신예 수이름앞-에모든권세들-굴복-하- 네 -
구 원의반석되신예 수의이름-을소리높여--찬송-하- 네 -
G Bm C2 G/B Am7 G/B
예수 이름높-이 세 능 력의그 -이름 예수 이름높-이 세 구
C2 D Bm Esus4 E Am7
원의그 -이 름 예수 이름 을부 - 르는 자 예수 이름 을믿 -는 자
Dsus4 D G G/F Esus4 E Am D6 Am/G G
- 예수 이름앞에-나오는- 자 복이있-도 다 - - -

(미 1355)

수 없는 날들이

(참회록)

최용덕

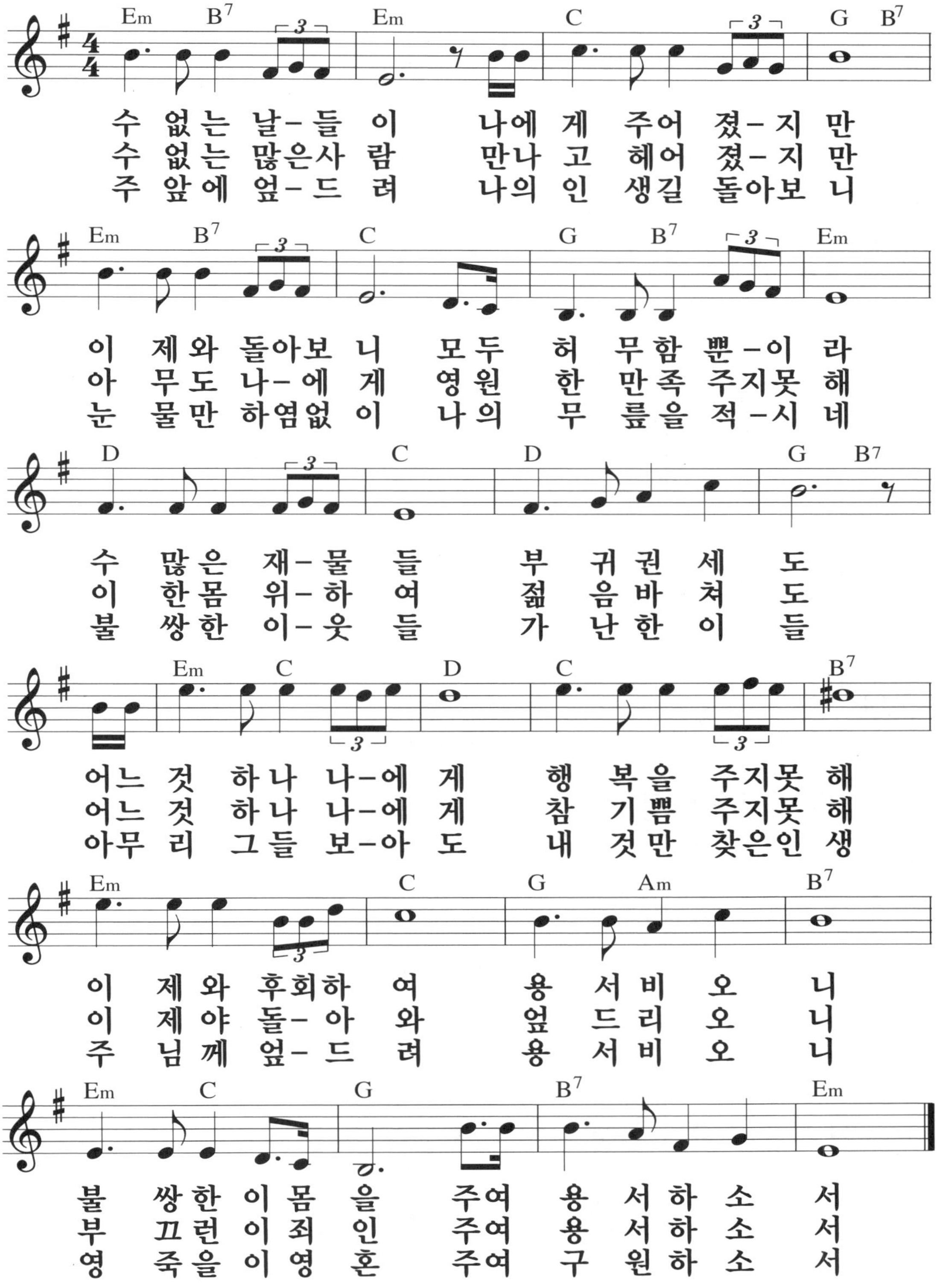
Em B7 Em C G B7
수 없는 날-들 이 나에 게 주어 졌-지 만
수 없는 많은사 람 만나 고 헤어 졌-지 만
주 앞에 엎-드 려 나의 인 생길 돌아보 니
Em B7 C G B7 Em
이 제와 돌아보 니 모두 허 무함 뿐-이 라
아 무도 나-에 게 영원 한 만족 주지못 해
눈 물만 하염없 이 나의 무 릎을 적-시 네
D C D G B7
수 많은 재-물 들 부 귀권 세 도
이 한몸 위-하 여 젊 음바 쳐 도
불 쌍한 이-웃 들 가 난한 이 들
Em C D C B7
어느 것 하나 나-에 게 행 복을 주지못 해
어느 것 하나 나-에 게 참 기쁨 주지못 해
아무 리 그들 보-아 도 내 것만 찾은인 생
Em C G Am B7
이 제와 후회하 여 용 서비 오 니
이 제야 돌-아 와 엎 드리 오 니
주 님께 엎-드 려 용 서비 오 니
Em C G B7 Em
불 쌍한 이몸 을 주여 용 서하 소 서
부 끄런 이죄 인 주여 용 서하 소 서
영 죽을 이영 혼 주여 구 원하 소 서

223 순전한 나의 삶의 옥합

(삶의 옥합)

오세광

순전 한 나의 삶 의옥 합 깨 뜨려 주 께모두- 드리 리
나의 가 장 귀 한 것 주께 드리리 나의주님 - 예 수
순전 한 나의 삶 의옥 합 깨 뜨 려 주 께모두- 드리 리
나의 가 장 귀한 것 주께 드리리 나 의 주 님 예 수
내 가힘을다하 여 주 의날을- 예 비하리 니 주가보고- 그
사랑으로- 주 의 것 삼으시 네 이것이 나 의기도 나의소망
나 의모든것 눈물로주 님께 간 구 하오니- 이것이 나 의기 도
나 의소망 나 의모든것 주여 나를 기억하소 서 이것이 서

(미 957)

슬픔 걱정 가득 차고

(갈보리 / Galvary)

J. M. Moore

F C7 Gm C7 F F7
슬 픔걱 정 가득차고 내 맘괴로와 도
너 의근 심 모든염려 주 께맡기어 라
너 의눈 물 상한심령 주 가돌보신 다
B♭2 B♭ F Am Gm C7 F E♭/F F7
갈보리십자가 위 에서 죄 짐이풀 렸 네
B♭2 B♭ F C7 F E♭/F F7
놀라운사랑의 갈 보리 갈 보리 갈 보리
B♭2 B♭ F Am Gm C7 F
놀라운사랑의 갈 보리 영원한갈 보 리

225

승리는 내 것일세

(미 1040)

(There is victory for me)

Harry Dixon Loes

G D7 G D
*승 리 는 내 것 일 세 승 리 는 내 것 일 세
G G7 C Am G D7 G
구 세 주 의 보 혈 로 써 승 리 는 내 것 일 세
D7 G B Em
내 것 일 세 승 리 만 은
G7 C G G7 C Cm G D7 G
구 세 주 의 보 혈 로 써 항 상 이 기 네

* 믿음 소망 사랑 구원 응답 축복

(미 1042)

승리하리라

1. 승리하리라 승리하리라 어린양의 피로써 승리하리라
2. 구원얻으리 구원얻으리 어린양의 피로써 구원얻으리
3. 자유얻으리 자유얻으리 어린양의 피로써 자유얻으리
4. 성령받으리 성령받으리 어린양의 피로써 성령받으리

승리하리라 승리하리라 주의 크신 이름으로
구원얻으리 구원얻으리 주의 크신 이름으로
자유얻으리 자유얻으리 주의 크신 이름으로
성령받으리 성령받으리 주의 크신 이름으로

거룩한 주의 말씀으로 거룩한 주의 말씀으로

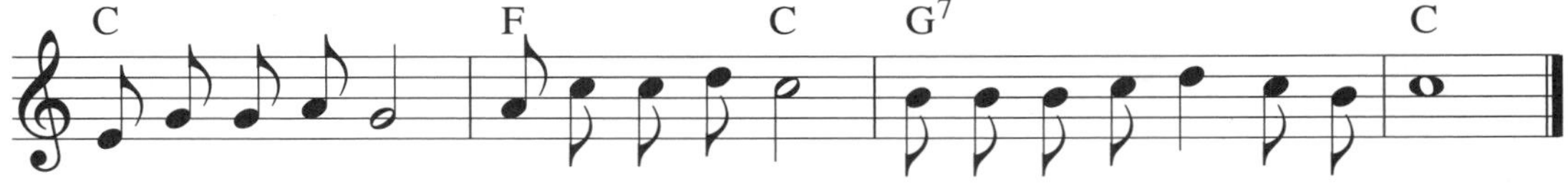

승리하리라 승리하리라 주의 크신 이름으로
구원얻으리 구원얻으리 주의 크신 이름으로
자유얻으리 자유얻으리 주의 크신 이름으로
성령받으리 성령받으리 주의 크신 이름으로

227 신실하게 진실하게

(미 2035)

(Let me be faithful)

Stephen Hah

D A/C♯ Bm Bm/A E/G♯ A7
신실하게 – 진실하게 – 거룩하게살게하소서
D A/C♯ Bm Bm/A G A7 D
신실하게 – 진실하게 – 거룩하게살게하소 서
D A/C♯ Bm Bm/A G E/G♯ A7
하 나 님 – – – 나의 마음 – 만져 주소서 –
나의 기도 – 들어 주소서 –
D A/C♯ Bm Bm/A G A7 D
하 나 님 – – – 나의 영혼 새롭게하소 서
하 나 님 – – – 주의 길로 인도 – 하소 서

(미 826)

심령이 가난한 자는

여명현
C G7 C G7
심령 이 –가난한자 는 천국 이 –저희것이 요
한 자복이있나 니 땅을 기 업 으로받겠 네
Cmaj7 C7 F C G7 1.C G7
애통 하 –는자는복있 네 위로 를 –받 을것이 요 온유
의에 주리고목마른자 는 저희 배 –부 를것이
2.C C7 G7 C Am Dm7 G7
요 긍휼 히 여기는자 는 긍휼 히 여김받겠 네
Esus4 E7 Am D D7 G7
마음 이 청결한자 는 하나 님 을볼 것이 요
Cmaj7 G7 C G7
화평 케 –하는자– 는 하나 님의 아들이라일컫 네
C C7 F C G7 C
의를 위 하여핍박받는 자 천국 이 –저 희것이 라
G7 C Am Dm7 G7sus G7
내게 도 주소 서 내가 복 을받기 원하 네
E7 Am G G7 C F Gsus4 G7 C
오– 내 –주 –– 여 주 소– 서 아 ––– 멘

229 십자가 그 사랑

(미 1933)

(The love of the cross)

Stephen Hah

십자가 그 사랑 멀리 떠-나서 무너진 나의
지나간 일들을 기억하지 않고 이전에 행한

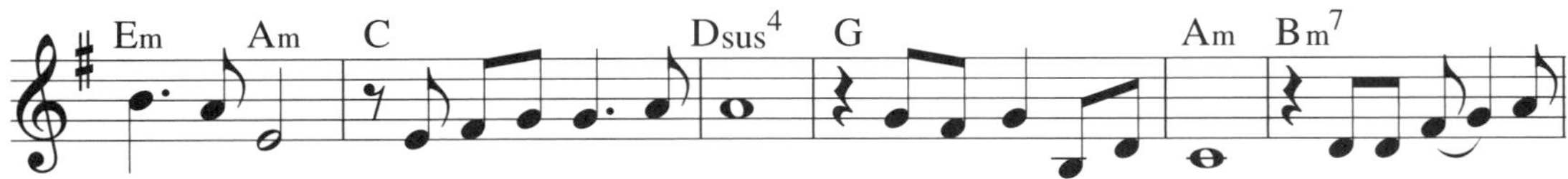

삶 속에 잊혀진 주 은혜 돌 같은 내 마음 어루만-지
모든 일 생각지 않으리 사막에 강물과 길을 내시는

사 다시 일으켜 세우신 주를 사랑합니다 주 나를 보호
주 내 안에 새 일 행하실 주만 바라보리라 주 너를 보호

하시고 날 붙드시리 나는 보-배롭고 존귀한
하시고 널 붙드시리 너는 보-배롭고 존귀한

주님의 자녀라 주 나를 보호하시고 날 붙드시
주님의 자녀라 주 너를 보호하시고 널 붙드시

리 나는 보-배롭고 존귀한 주-의 자녀라
리 너는 보-배롭고 존귀한 주-의 자녀라

(미 1136)

아름다운 마음들이 모여서

아 름 다 운 마 음 들 이 모 여 서 주 의 은 혜 나 누 며 –

이 다 음 에 예 수 님 을 만 나 면 우 린 뭐 라 말 할 까 –

예 수 님 을 따 라 사 랑 해 야 – 지 우 리 서 로 사 랑 해 –

그 때 에 는 부 끄 러 움 없 어 야 지 우 리 서 로 사 랑 해 –

하 나 님 이 가 르 쳐 준 한 가 지 – 네 이 웃 을 네 몸 과 같 이

미 움 다 툼 시 기 질 투 버 리 고 우 리 서 로 사 랑 해 –

231 아 값지게 하시었네

(미 1879)

조효성

C C/B Am Am/G F Dm7/F G7
아 — 값지게 — 하시었네
C C/B Am Am/G F Dm7/F G7sus G7
아 — 값지게 — 하시었네
Cmaj7 C/B Am9 Am7 F Dm7/F G7
1. 우리눈을뜨게 하소서 어두운 — 우리눈을
우리맘을열어 주소서 차가운 — 우리맘을
2. 주님 나를잡아 주셨네 넘어진 — 우리몸을
주님 나를채워 주셨네 허전한 — 내인생을
Cmaj7 C/B Am9 Am7 F D7/F# G7sus G7
우리손을들게 하소서 굽어진 — 우리손을
우리입을열어 주소서 닫혀진 — 우리입을
주님나를깨워 주셨네 잠들은 — 내영혼을
주님나를세워 주셨네 쓰러진 — 세상에서
C Am9 Am Dm Dm7 G6 G7
나 세상욕심 버렸네 나 주님만자랑 하네
나 세상소망 버렸네 나 주님만기뻐 하네
C Am9 Am F D7/F# G7sus G7
나 세상노래 버렸네 주님만 찬양 해
나 세상좋음 버렸네 주님만 사랑 해

Cmaj7
Dm7
G7
C C/B
쓸모 없는 이 몸 을 값지 게하 시 었 네
Am
Am/G
F
G
G7
C F/G
나의 모든 인생 을 주님 위해 살겠 네
C C/B A m Am/G F Dm7/F G7
아 값지 게 - 하 시 었 네
C C/B Am Am/G F Dm7/F G7sus G7
아 값지 게 - 하 시 었 네 주님
1. C F/G G7
2. C F Fm C
이 - 이 주 님 - 이

232 아름다운 사랑을 나눠요

(미 1242)

3rd time to Coda
G Am D7 G
아름다운사랑을나 －눠 요－ 주 님의사－랑을 －
G Am D7
우리 모두 사랑 을나 －눠 요 내맘에 기 쁨이넘－치게
G Am D7 G
－ 사－랑을 － － 심－어요 －
－ 사－랑이 － － 빛나네요 －
G7 C Am D7 G
－ 온 세 상에 주님 사 랑 넘 치 도 록
－ 우 리 주님 사랑 이 전 파 된 곳 에
G♯dim Am D7 G G7
－ 사－랑을 － － 나－눠요 － － 우 리
－ 도우세요 － － 빛나도록 － － 모 든
C Am Dsus4 D7
이사 랑을 모두－ 모두 모두 전해 －요 － －
영혼 들이 주의－ 사랑 으로 빛나 도록 － －
D.C.
G Am G
우리모두사랑을나 －눠 요 내 맘에 기 쁨이넘－치게 －

(미 942)

아름다운 이야기가 있네

(주님의 사랑 놀랍네)

233

John W. Peterson

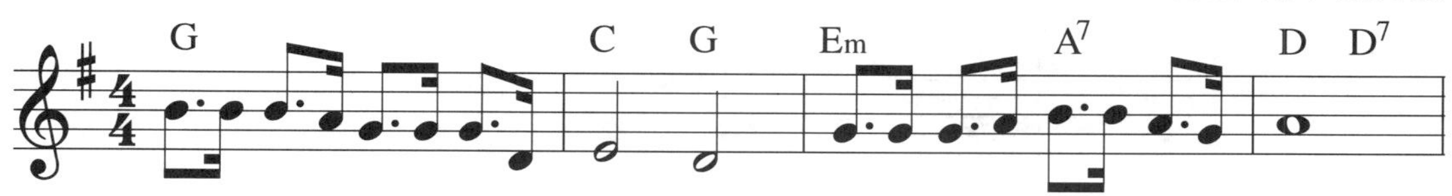

1. 아름다운이야기가 있 네 구세주의사랑이야 기
2. 넓고넓은우주속에 있 는 많고많은사람들중 에
3. 사람들은이해할수 없 네 주를보낸하나님사 랑

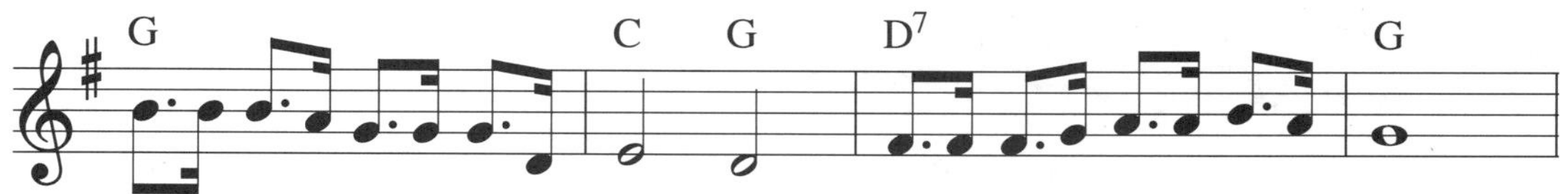

영광스런천국떠난 사 랑 나와같은죄인구하 려
구원받고보호받은 이 몸 주의사랑받고산다 네
이사랑이나를살게 하 네 갈보리의구속의사 랑

주님의 그사랑은정 말 놀 랍네 놀 랍네 놀 랍네

오 주님의그사랑 은정 말 놀 랍네 나를위한그 사 랑

234 # 아름다웠던 지난 추억들

(미 1173)

(친구의 고백)

권희석

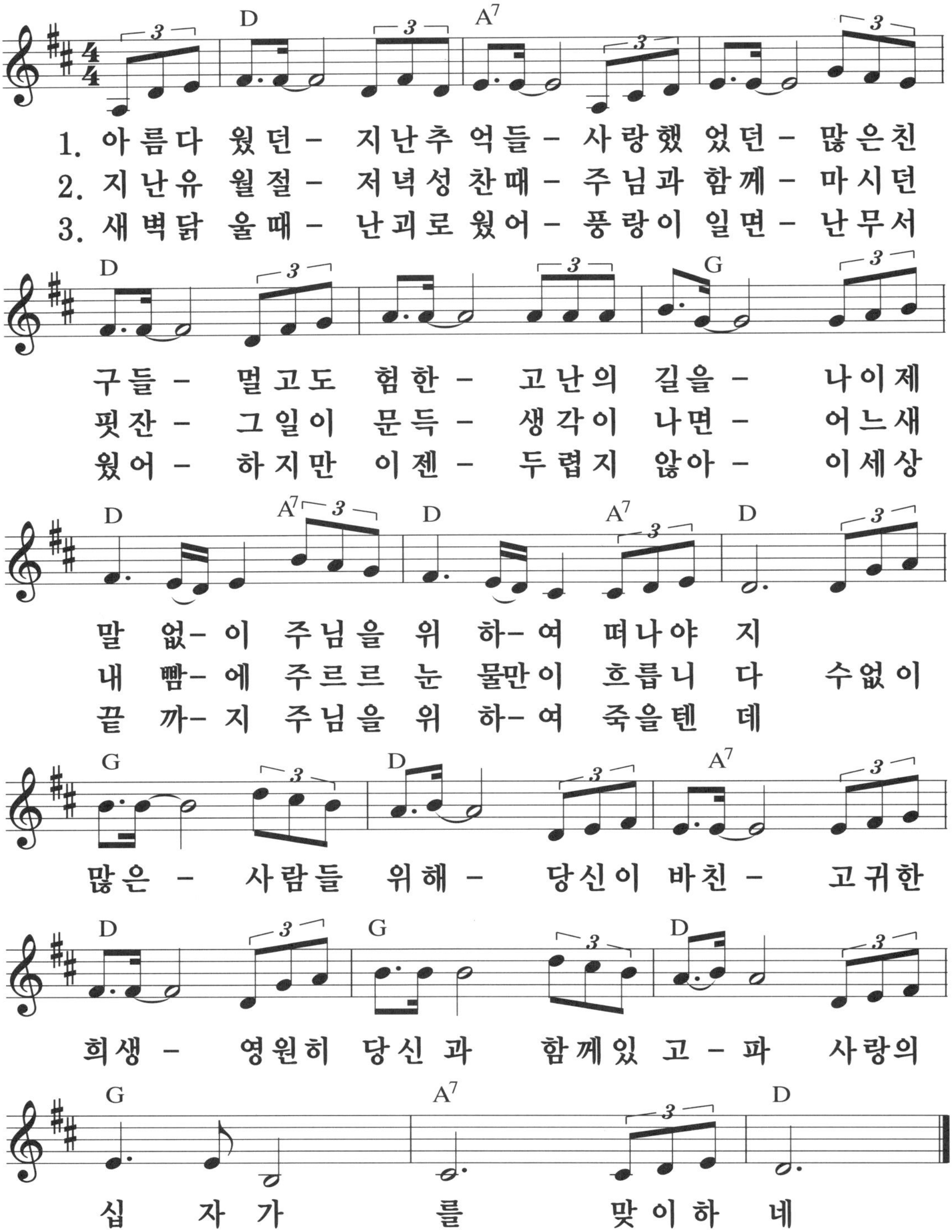
D A7
1. 아름다 웠던 - 지난추 억들 - 사랑했 었던 - 많은친
2. 지난유 월절 - 저녁성 찬때 - 주님과 함께 - 마시던
3. 새벽닭 울때 - 난괴로 웠어 - 풍랑이 일면 - 난무서
D G
구들 - 멀고도 험한 - 고난의 길을 - 나이제
핏잔 - 그일이 문득 - 생각이 나면 - 어느새
웠어 - 하지만 이젠 - 두렵지 않아 - 이세상
D A7 D A7 D
말 없- 이 주님을 위 하- 여 떠나야 지
내 빰- 에 주르르 눈 물만이 흐릅니 다 수없이
끝 까- 지 주님을 위 하- 여 죽을텐 데
G D A7
많은 - 사람들 위해 - 당신이 바친 - 고귀한
D G D
희생 - 영원히 당신 과 함께있 고 - 파 사랑의
G A7 D
십 자 가 를 맞이하 네

아름답고 놀라운 주 예수 235

(I stand in awe)

Mark Altrogge

♩= 76
A E/A Dsus2/A
아름 답고놀라운 주예 - 수 - 말 로 할수 - 없네
A E/A Dsus2/A
- 그 측량 할수 없 는위 - 엄 - 주 님과같은분없 네
E C♯ F♯m7 B9
- 한 없 는 그 지 혜 와 사 - 랑 그 누
D Esus4 E7 A
구도 다알수 없네 - 아름 답고놀라운 주예
E/A D Esus4 A Esus4 E A E/A
- 수 보좌에 - 앉으 - 셨네 - 주님 앞 에 내 가
Dsus2/A A E/A Dsus2/A
서있 네 - 주 앞 에 내 가 서 있 네 - 주는
C♯7sus4 C♯7 Dmaj7 D♯m7 Bm7 E D/A A
거 룩하 신 하 나 님 그 앞 에 서 있 네

236 아름답다 예수여

(주님 한 분 만으로)

이성봉 & W.H.Doane

F Bb F C7
1. 아 름 답 다 예 수 여 나 의 좋 은 친 - 구
2. 나 의 모 든 일 체 는 주 님 의 것 되 고 요
3. 예 수 없 는 사 업 은 성 공 같 되 실 패 요
4. 예 수 님 은 내 생 명 또 한 나 의 기 - 쁨
5. 아 침 에 는 예 수 로 눈 을 뜨 게 하 시 고
6. 밖 에 나 가 일 할 때 주 님 감 독 하 시 고
7. 물 을 떠 난 고 기 가 혹 시 산 다 하 여 도
8. 예 수 죽 음 내 죽 음 예 수 부 활 내 부 활
9. 사 모 하 는 천 국 집 지 금 찾 아 가 오 니
10. 거 룩 함 과 인 내 로 신 혼 신 을 단 장 코
F Bb F C7 F
날 위 하 여 죽 음 과 날 위 하 여 사 셨 네
주 님 모 든 일 들 은 나 의 것 이 되 - 네
예 수 있 는 생 활 은 만 사 유 익 합 니 다
예 수 없 인 내 생 명 잠 시 도 못 사 - 네
저 녁 에 는 예 수 로 잠 을 자 게 하 시 네
집 에 홀 로 있 을 때 예 수 사 랑 한 없 네
예 수 떠 난 심 령 은 사 는 법 이 없 어 요
예 수 승 천 내 승 천 예 수 천 국 내 천 국
영 원 무 궁 하 도 록 주 와 같 이 살 리 라
공 중 혼 인 그 날 을 매 일 고 대 합 니 다
F Bb F C7
예 수 님 내 주 여 내 중 심 에 오 셔 서
F A Bb F C7 F
주 님 한 분 만 으 로 만 족 하 옵 니 다

아무것도 두려워 말라

현석주

C G/B Am Cmaj7/G F C/E Dm Gsus4 G7
아무-것도 두려워말라 주나의하나님이 지켜주시네-
Dm G Em Am Dm G7 1.C F/G 2.C Bb/C C7
놀라지마라- 겁내지마라- 주님나를지켜주시네 - -
F G/F Em Am Dm G7 C Bb/C C7
내 맘이힘에겨워 지칠지라도 주님 나를지켜 주시 네
F G/F Em Am F D7 F/G G7
세상의험한풍파 몰아 칠때도 주님나를지켜 주시 네 -
C Em/B Am A7 Dm D7 F/G G7
주 님은 나의 산 성 주 님은 나의 요 새
C Em/B Am A7 Dm G7 C
주 님은 나의 소 망 나의 힘이 되신 여호 와

238 아버지 주 나의 기업

(미 1799)

(My delight)

Andy Park

G Am7 D G G4 G
1. 아 버 지 주 나 의 기 업 되 시 - 네 -
2. 예 - 수 내 삶 의 보 배 되 시 - 네 -
Em7 Am7 D G D/F♯
주 님 은 내 - 소 망 내 기 - 쁨 -
주 님 은 온 유 하 고 순 결 - 해 -
Em7 Am7 D7 G
사 랑 합 니 다 사 랑 합 니 다
Em7 Am7 D7 G Gsus4 G
나 의 기 - 쁨 주 님 을 -

(미 1918)

아버지 당신의 마음이

239

(하나님 아버지의 마음)

설경욱

C G/C Am
아 버지 당신의- 마음이 있는곳에- 나의 마음이- 있기를
G F G Em A
원해요- - 아 버지 -당 신의 눈물 이고 인곳에- 나의
Dm Dm7 Gsus4 G7 C G
눈물이-고 이길원해 요 아 버지 당신이- 바라보는 영혼에게-
Am G F G
나의 두눈이- 향 하 길 원해요- - 아 버 지 -당 신이 울고
Em Am F D7 Gsus4 G C9
있는 어두 운땅에 -나의 두발이- 향 하 길 원해 요 나의 마 음
E Am C/G F C Dm G7
이아 버지 의 마음알아 - 내 모든뜻 -아버 지의 뜻이 될수 있기를
C6 E Am C/G F Fm C
-나의 온 몸이아 버지 의마음알아 - 내 모든삶-당신의삶 되기를 -

240 아버지 사랑합니다

(미 1756)

(Father, I Love You)

Scott Brenner

F Fmaj7 B♭ Gm C C7 F C/E
아 버 지 - 사 랑 합 니 다 - 아 버 지 - 경 배 합 니 다 -
예 수 님 - 사 랑 합 니 다 - 예 수 님 - 경 배 합 니 다 -
성 령 님 - 사 랑 합 니 다 - 성 령 님 - 경 배 합 니 다 -
Dm Dm/C B♭ Gm C7sus4 C7 F
아 버 지 - 채 워 주 소 서 - 당 신 의 - 사 랑 - 으 로 -
예 수 님 - 채 워 주 소 서 - 당 신 의 - 사 랑 - 으 로 -
성 령 님 - 채 워 주 소 서 - 당 신 의 - 능 력 - 으 로 -

(미 1617)

아침안개 눈 앞 가리듯

(언제나 주님께 감사해)

김성은 & 이유정

Dmaj7 A7/C♯ Bm Bm/A G Em7 Asus4 A7
아침안개 눈앞가리 듯 나의 약한믿음의심쌓일 때 부드
빗줄기에 바위패이 듯 나의 작은소망사라져갈 때 고요
F♯m Bm 1. Em E7 3 Asus4 A7
럽게다가온주의음 성 아무 것도염려하지마 라
하게들리는주의음 성 내가
2. Em A7 D C/D D7 Gmaj7 A7 D D7
너 를사랑하노 라 외로움과방황속에 서
Em A7 D D♯dim Em A7
주님 앞에 나아 갈때 에 위로 하시는주님
F♯m Bm Em7 E7 Asus4 A7
나를도우사 상한 나의 마음 감싸 주시 네
D F♯m Gmaj7 Asus4 A7
십자가의보 혈로 써 주의 크신사랑알게하셨 네
Dmaj7 F♯m Em A7 D
주 님께 감사하리 라 언제 나 주님께감사 해

Word and Music by 김성은&이유정.

242

아버지여 당신의 의로

(새벽 이슬 같은)

(미 2021)

이 천

A2 Dmaj7
아버지여 – 당신의의 –로 – –부르소
A2
–서 – 예수님이 –여 –
Dmaj7 A2
주의보혈 –로– 덮으소 –서–
Bm9 C♯m7 F♯m7
거룩하신 – 성 령 님이여 –
Dmaj7 D/E A2
권능으로 –임 하 소서 –
Dmaj7 E7 C♯7 F♯m7
거 룩 한 옷 을 입고 –
Dmaj7 B/D♯ Esus4 E7
즐 거 이 헌 신 하는 – –
A2 A/C♯ Dmaj7 A/C♯
주님–의 백 성들에 게 – – – – 주
Bm7 D/E E A Esus4
여 함께 하 소 서 새 – –벽

Bm7 E7sus4 E7 C#m F#m7
이슬같 -은- - 주의청 년 들이 - 주님-앞
Bm7 Esus4 E A A7
에 나오는 도다- - 주님-의
Dmaj7 E7sus4 E7 C#m7 F#m7
이 름으-로 - 축복하여 - -주소서 - 주의
Bm Esus4 E7 A G
Fine
빛을발-하게 하 소 - 서
F C Em
세상을구원 하 시려 - 아들 을 주신- - 하 나
Em Am Am/G F
님 아 버 - 지 각 나라와
F C Am7 B♭
족 속과 - 모든 백 성- 들의 - 찬양 을 받으 - 소서
B♭ G/B Esus4 E7 A7
- 높임 을 받으 - 소 서 - - 새 - - 벽

243

아주 먼 옛날

(당신을 향한 노래)

(미 1201)

천태혁 & 진경

C2 C/B Am7 Dm7 G
아 주 먼 옛 - 날 - 하 늘 에 서 - 는 -
CM7 Em7 Dm7 Gsus4 G7
당 신 을 향 - 한 - 계 획 있 었 - 죠 -
C2 C/B Am7 Dm7 G
하 나 님 께 - 서 - 바 라 보 시 - 며 -
CM7 Em7 Dm7 Gsus4 G7
좋 았 더 라 - 고 - 말 씀 하 셨 - 네 - -
FM7 G/F Em7 Am7
이 세 상 그 무 엇 - 보 - 다 - 귀 하 게 - 나 의
Dm7 G C B♭/C C7
손 으 로 - 창 조 하 였 - 노 - 라 - -
FM7 G/F Em7 Am7
내 가 너 로 - 인 하 여 - 기 뻐 하 노 라 - 내 가
Dm7 Gsus4 G C C/G G7
너 를 사 - 랑 하 노 라 -

C
G/B
A m
B♭2/G
C7
사 랑 해 요 –
F
C/E
D m7
D m7/G
G7
축 복 해 요 –
C
E7/B
A m7
C/G
당 신 의 마 음 에 우 리 의 – –
D m7
G7
C
사 랑 을 드 려 요 –

244 아침에 주의 인자하심을

(미 743)

(시편 92편)

이유정

G Bm7 C Dsus4 D7
아침 에 주의인자 하 심을 나-타-내시 -며- 밤마
G Bm7 Em 1. Am7 D D7
다 주의성실 하 심을 베풂이좋으나이 -다- 아침
2. Am7 D7 G C2 G/B
베풂이좋으나이 다 여- 호 와께 감 사 하며
Am D7 G C2 G/B
주의이름을찬 양 여- 호 와께 감 사 하며
Am D7 G Em B7/D#
주의이름을찬 양 여호 와 여 주의
Em/D A7/C# C G/B
행사가-어찌-그리 크신지 요 주의 생각이- 심히
Am A7/C# Am/D Dsus4 D7 G
깊으시나이 다 - 아침 에 주의인자
Bm7 C Dsus4 D7 G
하 심을 나-타-내시 -며- 밤마 다 주의성실
Bm7 Em Am D7 C/G G
하 심을 베풂이좋으나이 다 -

(미 948)

알았네 나는 알았네

Kurt Kaiser

Dm A7 Dm F7 B♭ C7 F Dm
1. 알았네 나는 알았네 이젠더 피하지않으리 나의
2. 알았네 나는 알았네 잿빛생 활에지쳤음을 세상
3. 알았네 나는 알았네 이젠더 피하지않으리 그가
Gm C7 Dm D0 1.2. Gm7 Am7 Dm
모든것 주께 맡겼네 기쁜날 이었도 다
쾌락을 찾아 봤으나 고통뿐 이었다 네
내게와 나를 구했네 기쁜
B♭ C7 F Dm Gm A7 Dm D7/F♯
삶은의미 없고 안식 없었 네 이
Gm A7 3 Dm B♭7 Dm/A Gm7 A A7
젠 너무나 달라 나에게 새삶임했 네 -
D.C.
3.Gm7 Am7 Dm D
날 이 었 도 다 -

246

약한 나로 강하게

(미 1726)

(What the Lord has done in me)

Reuben Morgan

약한 – 나 로 강 하 게 가 난 한 날 부 하 게 눈 먼 –
날 볼 수 있 게 주 내 게 행 하 셨 네 – 호 –
산 나 호 – – 산 – 나 죽 임 당 한 어 린 양 호 – 산 나 호 – –
산 – 나 예 수 – 다 시 사 셨 네 호 – 네 – 내 가 – 건 너 야 할
강 거 기 서 내 죄 씻 겼 네 이 제 – 주 의 사 랑 이 나 를
향 해 흐 르 네 – 깊 은 – 강 에 서 주 가 나 를 일 으 키 셨 도
다 구 원 의 노 래 부 르 리 예 수 자 유 주 셨 네 –

(미 1530)

약할 때 강함 되시네

(주 나의 모든 것 / You are my all in all)

Dennis Jernigan

G D/F# Em G/B C G/D D
약할때 강함 되시 네 나의보배가 되신 주 주나의모든
십자가 죄사하셨 네 주님의이름 찬양 해 주나의모든
G D G D/F# Em G/B
것 - - - 주안에 있는보물 을 나는포기할수없
것 - - - 쓰러진나를세우 고 나의빈잔을채우
C G/D D C/G G C/D G D/F# Em G/B
네 주나의모든 것 예 수 어린양
C G/D D G D G D/F#
존 귀 한 이 름 - - - - - 예 수
Em G/B C G/D D C/G G
어 린 양 존 귀 한 이 름

248 어느날 다가온 주님의

(미 917)

(고백)

김석균
어느날-다가온 주님의 이름을부를수 없었어요
뜨거운사랑을 느꼈지만 부를수-없었어 요
어느날-다가온주 님의 모습을쳐다볼수 없 었어요
따 뜻한사 랑을 느 꼈지만 바라보지못했어 요
비우지못 한 작 은가 슴 당신의사 랑은 너무커요
부서지고 낮아져도 당 신앞 에 설수 없 었어 요
오 늘도-찾아온 주 님 의 이름 을불러 봅니 다
부 를수 록다 정 한 주님모 습 가만 히 안아봅니 다

(미 1063)

어느 좋은 그날 아침에

(난 가리라)

1. 어 느 좋 은 그 날 아 침 에
2. 내 삶 끝 나 슬 픔 걷 힐 때 난 가 리 라
3. 괴 로 운 짐 벗 어 버 리 고

주 가 예 비 하 신 그 곳 에
자 유 찾 은 기 쁜 새 처 럼 난 가 리 라
사 랑 기 쁨 넘 치 는 그 곳

난 가 리 라 오 영 광 난 가 리 라

멀 잖 아 할 렐 루 야 그 때 에 난 가 리 라

250 어두운 밤에 캄캄한 밤에

(미 930)

(실로암)
신상근
어두운 밤에 캄캄한 밤에 새벽을 찾
가 처음 만난 그때는 차가운 새
아 떠난다 – 종이 울리고 닭이 울어도
벽이었소 – 당신 눈속에 여명 있음을
내눈에는 오직 밤이었소 – 우리
나는 느낄수– 가 있었소 –
오 주여 당신께 감사하리라 실로암 내
게 주심을 – 나에게 영원한 이 꿈
속에서 깨이지 않게 하소서 –

(미 1279)

어두워진 세상 길을

251

(에바다)

고상은

1. 어두워진 세상길을 주님없이 걸어가다 나의영혼 어두 워졌 네 - 어느것이 길 - 인지 어느것 이 진리인지 아무것도 알 수 없었 네 -
2. 아무것도 알수없고 아무것도 볼수없고 아무것도 들을 수없 네 - 세상 에서 방황 하며 이리저 리 헤매일때 사랑하는 주 님 만났 네 -
주님없이 살아 가는 모 든 삶 실 패와 좌절뿐이 네 -
어두웠던 나의 눈이 열 리 고 막 혔던 귀가 열리 네 -
사랑하 는 나의주님 내영 혼 눈을뜨 게 하 소 서 열 려라
답답했던 나의마음 열리 고 나의영 혼살 리 네 열 려라
에 바 다 열려 라 - 눈 을 뜨 게 하 소 서 -
죄악으로 어두워 진 나 의영혼 을 나 의눈을 뜨게하소 서 -

252 어찌하여야

(미 915)

(나의 찬미, My tribute)

Andrae Crouch

C Cmaj7 C♯dim/B♭ Aaug A7
어 -찌하여 야 그크신 은혜 갚으리
Dm Dmmaj7(C♯aug) Dm7 Fm9 Fm
무 -슨말로 써 그사 랑 -참감사 하 리요
C/G Cmaj7/G Am Am/G Fmaj7 Fm
하 늘의- -천군천사 라도- -나 의마 음 -모르리 라
C A7 Dm Fm C/G G6 G7 C G7sus
나이제 새 소망이있음 은 - 당신의은 혜 라
C Cmaj7/D Em A7 Dm Dm/E Fm G/F
하 나 님께 영 광 하 나 님께 영 광
Esus4 E7 Am F♯dim Fmaj7 D9 Gsus4 G7
하 나 님께 영 광 날사 랑 하 신 주
C Cmaj7/D Em A7 Dm Dm/E Fm G/F
그피 로 날구 하 사 죄에 서 건지 셨 네

Esus4 E7 Am F♯dim C F Fm C
하 나 님께 영 광 날사 랑 하 신 주
Esus4 E7 Am Am/G
바 치리 라 모 두 나 의일 생 을 당 신 께
F Dm7 Am Fmaj7 D9 Gsus4 G7
세 상 영 광 명 예 도 갈 보 리 로 돌 - 려 보 내 리
C Cmaj7/D Em A7 Dm Dm/E Fm G/F
그 피 로 날 구 하 사 죄 에 서 건 지 셨 네
Esus4 E7 Am F♯dim C F Fm C
하 나 님께 영 광 날사 랑 하 신 주

253

언제나 내 모습

(미 827)

(주님 내 안에)

임미정 & 이정림

C Cmaj7 Em Dm Dm7 Gsus4 G7
언제나- 내모습 - 너무나-부끄러워 -
Cmaj7 Em Dm Dm7 G
무릎으-로 주님께 - 기도로- 가오니 -
C Cmaj7 Em Dm Dm7 Gsus4 G7
나홀로- 서있는 - 죽은 내영깨우 사
Cmaj7 Em F D7 G G7
주님만 나 를 깨워 내 영 살게 하소서 -
C G/B Am Am/G F F♯dim Gsus4 G7
주님 내안에 - 주님 내안에 - 내 안에 계 시고 -
C C/B Am Am/G F Gsus4 G7 C
주님 내안에 - 주 님 내안에 - 나를 세워주소서 -

(미 867)

얼마나 아프셨나

조용기 & 김성혜

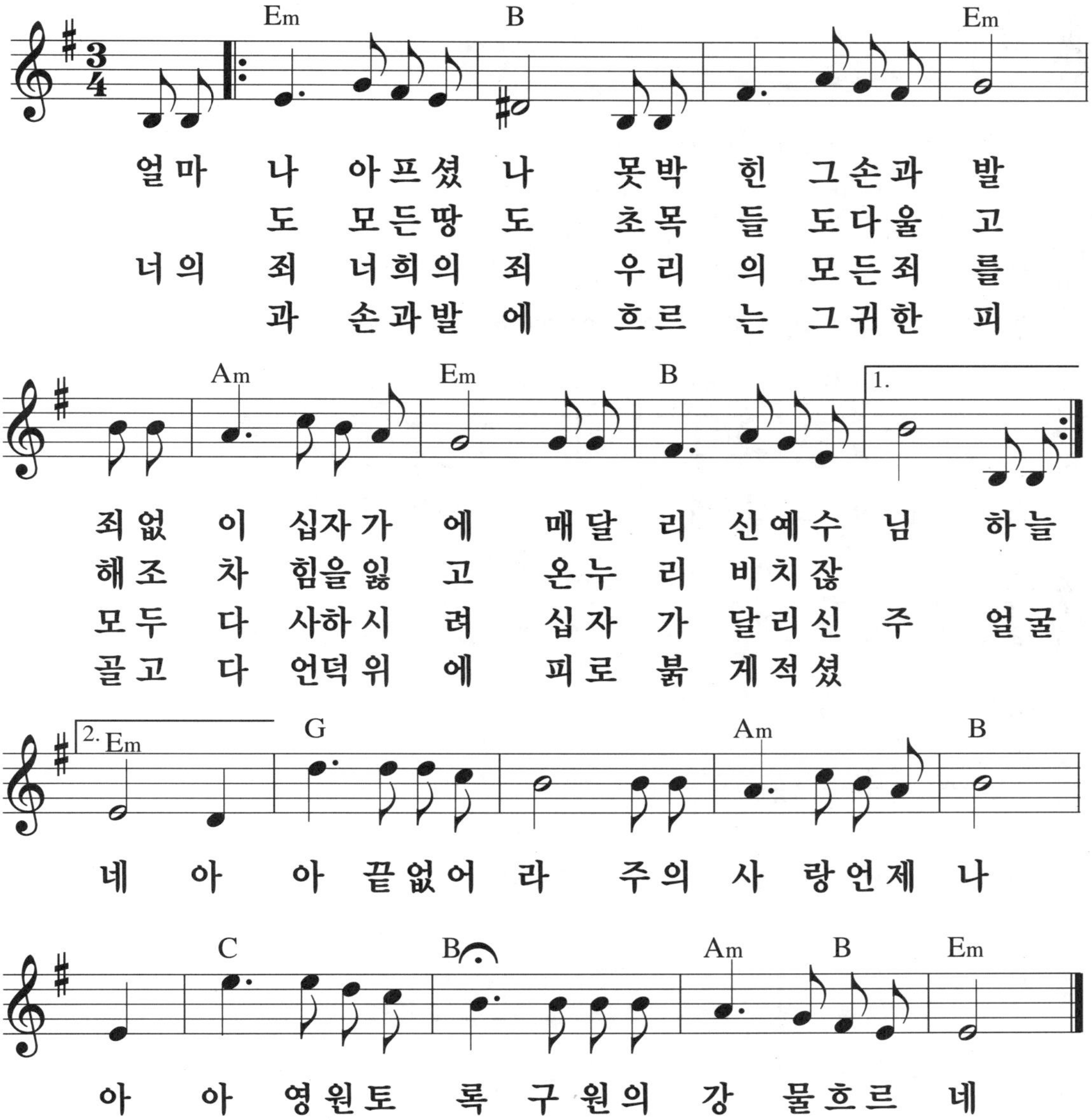
Em B Em
얼마 나 아프셨 나 못박 힌 그손과 발
도 모든땅 도 초목 들 도다울 고
너의 죄 너희의 죄 우리 의 모든죄 를
과 손과발 에 흐르 는 그귀한 피
Am Em B 1.
죄없 이 십자가 에 매달 리 신예수 님 하늘
해조 차 힘을잃 고 온누 리 비치잖
모두 다 사하시 려 십자 가 달리신 주 얼굴
골고 다 언덕위 에 피로 붉 게적셨
2. Em G Am B
네 아 아 끝없어 라 주의 사 랑언제 나
C B Am B Em
아 아 영원토 록 구원의 강 물흐르 네

255 얼마나 아프실까

(미 1565)

송명희 & 김영석

C G/B Am Am7/G F Dm7 G6 G Gaug

얼 마 나 아 프 실 까 – 하나님 의마 음 은 –

C G/B Am Am7/G F G6 G C F/G G7

인 간 들 을 위 하 여 아들을 제물 로 삼으실 때 –

C G/B Am Am7/G F Dm7 G6 G Gaug

얼 마 나 아 프 실 까 – 주님 의 몸 과 마 음

C G/B Am Am7/G F G7 C B♭/C C7

사람 들 을 위 하 여 십자가에 달려 제물되 실 때 – 얼마

F A7 Dm7 Gsus4 G C B♭/C C7

나 아 프실 까 – 하나 님 – 가슴 은 – 독생

F A7 Dm D D7 G G/AB

자 주셨건 만 – 인간 들 부족하 다 원망할 때 – 얼마

C G/B Am Am7/G F D7 Gsus4 G/AB

나 아 프 실 까 – 주님 의 심 령 은 –

C G/B Am Am7/G F G F/C C

자신 을 주 셨 건 만 – 사람 들 부인 하 며 욕할 때 –

(미 1346)

엠마오 마을로 가는

(엠마오의 두 제자)

김두완

A D Bm B7 E7
엠 마 오마을 로 가– 는 –두제 자
이 세 상사는 길 엠– 마 –오의 길
A D A E7 A
절 – –망과 공 포에잠 겨 –있을 때
끝 – –없는 근 심이앞 길 –막으 나
E7 A E7
주 예 수그–들– 에 –게 나 – 타나–시– 사
주 예 수우–리– 에 –게 나 – 타나–시– 사
A D A E7 A
참 되 – –신 소 망을보 여 –주셨 네
새 소 – –망 주 심을믿 사 –옵니 다

257 여기에 모인 우리

(미 1739)

(이 믿음 더욱 굳세라 / We will keep our faith)

Don Besig & Nancy Price

1. 여기 에 -모인우 리 주의 은총받은자여 라 주께
의 -뜻하신 바 헤아 리기어렵더라 도 언제

서 -이자리 에 함께 계 심을 아노 라 언제 나 -주님만
나 -주뜻안 에 내가 있 음을 아노 라 사랑 과 -말씀들

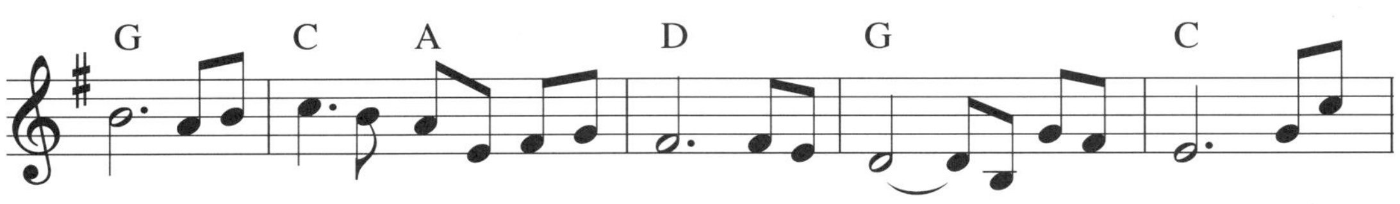

을 찬양 하며따라가리 니 시험 을 -당할때 도 함께
이 나를 더욱새롭게하 니 때로 는 -넘어져 도 최후

계 심을믿노 라
승 리를믿노 라
이믿음 더욱굳 세 라 주가 지켜주신

to Coda

다 어둔 밤에도 주의 밝은빛인도 하여주신

다 2.주님 다 3.여기 에 -모인우 리 사랑 받는주의 자녀

G
G
C
G/D
D7
G
D.S.
라 주께 서 -뜻하신 일 우릴통 해펼치신 다 이믿음
Coda
G
Am
G/B
C
G/D
Dsus4 D7
G
다 주의 뜻이 뤄지는 날까지믿음 더 욱 굳 세 라 -

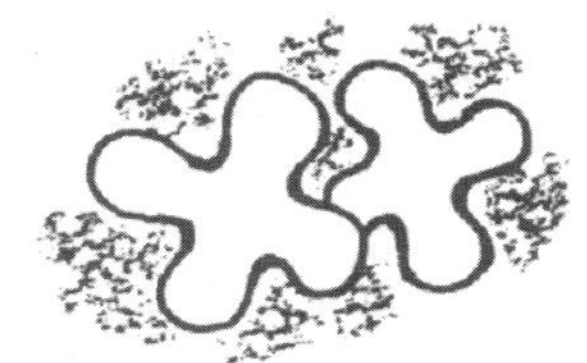

258 여호와 나의 목자

(미 1017)

김영기

G Em C G
1. 여 호 와 나 의 목 자 내 게 부 족 없 네
2. 내 영 혼 소 생 하 며 자 기 이 름 위 해
3. 주 님 의 지 팡 이 가 안 위 하 네 나 를
4. 기 름 을 머 리 위 에 바 르 시 는 주 님
G Em G7 D
푸 르 른 초 장 위 에 나 의 몸 누 이 시 네
의 의 길 인 도 하 니 골 짜 기 두 렴 없 네
주 께 서 원 수 앞 에 상 으 로 베 푸 시 네
평 생 에 선 하 심 과 인 자 함 따 르 리 니
G B7 Em C G
선 한 목 - 자 오 나 의 목 - 자 여
D7 G
생 수 가 넘 치 는 곳 날 인 도 하 - 시 네

(미 1626)

여호와는 나의 목자시니

259

나운영

여호와는 나의 목-자시니내게 부족함이 없으 리-로다
나로하여금 푸른초장에 눕-게하시- 며 -
잔잔한물 가로 잔잔한물가로 인-- 도 하시도다
진실로 -선 함 과 인-자하심이 인- 자하심이
나 의사-는날까지 나 를따르리니 -
내-가내 가 여호와전 에 영-원토 록 영원토록
영원토록 거하 리 -로다 아 멘 -

260 여호와 이레 채우시네

(미 689)

Merla Watson

Em Am C B7
여호와이레 - 채우시네 여호 와이레돌보시네
Em Am
- 나를나를 여호와이레 - 채우시네 여
C B7 Em G Am
호와 이레돌보시네 - 내 쓸 것을 채워주시 -네-
Am G
영광 안에풍성 하 신 주님 - 나를 위해 천사를
Am C B7
보 내 주 시 네 여 호 와 이 레 돌 보 시 네
Em C B7 Em
- 나 를 나 를 여 호 와 이 레 돌 보 시 네 -

(미 1932)

여호와 이스라엘의 구원자

(Jehovah saviour of Israel)

Stephen Hah

여 호 와 이 스 라 엘 - 의 구 원 자 - 처 음 과 나 중 되 - 신

주 그 가 널 지 명 하 - 여 부 르 사 - 주 의 종 삼 아 주 - 셨

네 너 를 그 의 손 바 닥 - 에 새 기 사 - 결 코 잊 지 않 으 시 - 리

라 환 난 중 에 피 난 처 - 가 되 시 며 - 항 상 인 도 하 - 시

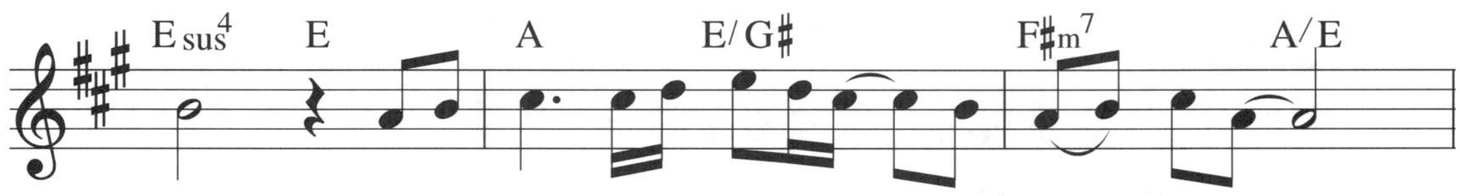

리 너 는 일 어 나 주 의 빛 - 을 발 - 하 라 -

땅 끝 까 지 - 주 선 포 하 라 - 그 가 너 로 이 - 방 - 의

빛 을 삼 아 - 구 원 을 베 푸 시 - 리 라

262

영광을 돌리세

(주님의 영광)

(미 1362)

고형원

G C2 G
영 광을돌-리세- 우 리하나-님께-존 귀와위-엄과- 능력
C2 Dsus4 D7 G C
과아름다움 만- 방의모든신은 헛 된우상-이니- 오직
Am G2/B C D7 G Am7/D
하늘 의하 나님-그 영광찬양해 - 주님의
G G/B C D G G/B C D
영 광 모 든나라위에-주님의 영 광 온세계위에-하늘
Bsus4 B7/D♯ Em Em/D C D7
에계신-우리아버지 영광찬양해- 우리 주님나라영원하리라
Em Em/D Em/C♯ Am D7 G
- 우리 주님 뜻은 이뤄지리라 -

(미 1271)

영광의 길 너 걷기전에

윤종하

F C7 F
1. 영 광의 길 - 너걷기 전에 갈보리 길 - 너 걸 으 라 -
2. 방 황하 는 - 영혼을 위해 십자가 의 - 길 이 있 네 -
3. 고 난의 길 - 앞서가 신주 가시관 에머 리 찔렸 네 -
F B♭ F C7 1, 2.F 3. F
네 모든것 - 주께맡 긴후 하늘 문을 바 라보 라
죄 에빠 진 - 영혼을 위해 주님 께서 피 흘렸 네
그 십자 가 - 날마다 보네 내모 든죄 다 씻겼 네
Fine
B♭ F/A C7/G F
하늘 가는 다른길 없 네 오 직 예수 - 오 직한 길
못박 힌두손 날 개펼 치 사 나 로 그그늘에 쉬 게하 며
하늘 가는 다른길 없 네 다 만 한분 - 나의예 수
B♭ F/A G G7/B C7
갈보 리 길 걸어가 신 주 그길 따라 너 걸으 라 -
부드 러 운 사 랑의 음 성 날 오 라 - 부르 시 네 -
부활 의 주 말 씀하 시 네 갈보 리길 너 걸으 라 -
D.C.

264 예수님 목마릅니다

(미 1764)

(성령의 불로 / Fire of The Holy Spirit)

Scott Brenner

VERSE 1

E A/E C#m E/B

예 수 님 목 – 마 릅 – 니 다 – –

A E/G# F#m7 Bsus4 B7

오 시 어 기 – 름 부 으 소 서 – –

E A/E C#m E/B

주 님 을 사 – 모 합 – 니 다 – –

A E/G# F#m7 Bsus4 B7

오 셔 서 채 – 워 주 – 소 서 – –

CHORUS 𝄋

E B/D# C#m E/B

성 령 의 – 불 로 – 성 령 의 – 불 로 –

A E/G# A Bsus4 B
임 하 – – 소 서 – 임 하 – – 소 서 –
E B/D# C#m E/B
성 령 의 – 불 로 – 성 령 의 – 불 로 –

A E/G♯ A Bsus4 B
기 름부 - 으 소 서 - 기 름부 - 으 소 서 -
Fine
VERSE 2
E A/E C♯m E/B
불 같 은 사 - 랑 드 립 니 다 - -
A E/G♯ F♯m7 Bsus4 B
나 의 간 구 - 를 들 으 - 소 서 - -
E A/E C♯m E/B
이 세 상 어 - 느 것 - 보 다 - -
A E/G♯ F♯m7 B F♯
주 님 을 의 - 지 합 - 니 다 - -
D.S

265

예수 가장 귀한 그 이름

(The sweetest name of all)

Tommy Coomes

예 수 가장 귀한그-이름 예 수 -언제나 기도들-으사 오
예 수 찬양 하기원-하네 예 수 -처음과 나중되-시는오
예 수 왕의 왕이되-신주 예 수 -당신의 끝없는-사랑오

예 수 -나 의손 잡아주시는 가장 귀한 귀한그-이 름
예 수 -날 위해 고통당하신 가장 귀한 귀한그-이 름
예 수 -목 소리 높여찬양해 가장 귀한 귀한그-이 름

(미 1309)

예수님을 외면하며

(사랑하는 자녀야)

노금선

1.예 수 님 을 외 면 하 며 세 상 따 라 살 던 중 교 만
2.탕 자 처 럼 길 을 잃 고 절 망 속 에 헤 맨 몸 시 기
3.가 시 밭 길 죄 악 길 에 병 든 몸 소 중 하 다 고 세 상
욕 심 죄 악 으 로 내 뜻 대 로 방 황 하 다 넘 어 지 고 쓰 러 져
질 투 죄 악 으 로 내 뜻 대 로 살 아 가 다 찢 어 지 고 병 들 어
부 귀 좇 아 가 다 나 의 영 혼 썩 어 갔 네 만 신 창 인 모 습 으
서 세 상 사 람 조 롱 할 때 주 여 어 디 계 십 니 까 이 죄
서 세 상 사 람 외 면 할 때 주 여 어 디 계 십 니 까 이 죄
로 주 님 앞 에 엎 드 려 서 주 님 어 디 계 십 니 까 이 죄
인 울 고 있 어 요 사 랑 하 는 자 녀 야 내 너 를 위 하
인 찾 고 있 어 요 사 랑 하 는 자 녀 야 내 너 를 위 하
인 만 나 주 세 요 사 랑 하 는 자 녀 야 내 너 를 위 하
여 사 랑 하 는 아 들 까 지 손 과 발 못 박 았 단 다
여 사 랑 하 는 아 들 까 지 가 시 면 류 관 썼 단 다
여 사 랑 하 는 아 들 까 지 십 자 가 에 달 렸 단 다

267 예수님의 보혈로

(미 814)

박혜영
1. 예수님의 보혈로 예수님의 보혈로
2. 성령의능 력으로 성령의능 력으로
3. 예수님말 씀으로 예수님말 씀으로
4. 예수이름 권세로 예수이름 권세로
나의모든 고통이 사라졌도다
예수님의 보혈로 예수님의 보혈로
성령의능 력으로 성령의능 력으로
예수님말 씀으로 예수님말 씀으로
예수이름 권세로 예수이름 권세로
나의모든 부끄러움 씻어졌도다
찬송하세 주보혈 찬송하세 주보혈
찬송하세 주보혈 주가 나를 고치셨도다

(미 894)

예수님의 사랑 신기하고 놀라워 268

D
A7
예 수 님 의 사 랑 신 기 하 고 놀 라 워 예 수 님 의 사 랑
신 기 하 고 놀 라 워 예 수 님 의 사 랑 신 기 하 고 놀 라 워
오 크 신 사 랑 하 늘 그 보 다 높 고 바 다
그 보 다 깊 고 우 주 그 보 다 넓 은 오 크 신 사 랑

269 예수님이 말씀하시니

(미 907)

G C G D G C D7 G C G D7 G C G D7 G
예수님이 말씀하시니 물이 변하여 포도주됐네 예수님이 말씀하시니 물이 변하여 포도주됐네
예수님이 말씀하시니 바디매오가 눈을떴다네 예수님이 말씀하시니 바디매오가 눈을떴다네
예수님이 말씀하시니 죽은 나사로가 살아났다네 예수님이 말씀하시니 죽은 나사로가 살아났다네
예수님이 말씀하시니 거친 바다가 잔잔해졌네 예수님이 말씀하시니 거친 바다가 잔잔해졌네
예수님 – 예수님 – 나에게도 말씀하셔서 – 새롭게 – 새롭게 – 변화시켜 주소서

(미 1056)

예수님이 좋은걸

이광무

E
C♯m
F♯
B
B7
예 수님이 좋-은- 걸 어 떡합-니 까 -
E
B7
E
E7
예 수님이 좋-은- 걸 어 떡합-니- 까 -
A
E
C♯m
F♯
B
B7
세 상의 어 떤것도 바 꿀 수-없 네 -
날 위해 십 자가를 지 신 예-수 님 -
E
B
E
예 수님이 좋-은- 걸 어 떡합-니- 까 -

271 예수님 찬양

Charles Wesley & R.E.Hudson

A D A E7
1. 예 수님찬양 예수님찬양 예수님찬양 합 시 다
2. 예 수이름을 부르는자는 구원을얻으 리로 다
3. 예 수이겼네 예수이겼네 예수사탄을 이겼 네
4. 예 수이름을 높이는자는 새힘을얻으 리로 다
5. 예 수님권세 예수님권세 예수님권세 내권 세
A D A E7 A
예수님찬양 예수님 찬양 예수님찬양 합 시 다
예수이름을 부르는 자는 구원을얻으 리 로 다
예수이겼네 예수이 겼네 예수사탄을 이 겼 네
예수이름을 높이는 자는 새힘을얻으 리 로 다
예수님권세 예수님 권세 예수님권세 내 권 세
E7 A D A
할 렐루 야 할 렐루 야
1. A E7 2. A A
예수님찬양 합 시 다 예수님찬양 합 시 다
구원을얻으 리 로 다 구원을얻으 리 로 다
예수사탄을 이 겼 네 예수사탄을 이 겼 네
새힘을얻으 리 로 다 새힘을얻으 리 로 다
예수님권세 내 권 세 예수님권세 내 권 세

(미 936)

예수보다 더 좋은 친구

272

(나의 참 친구)

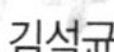

김석균

1. 예수– 보다– 더좋은친구없 네 예수–
2. 예수– 사랑– 참좋은예수사 랑 예수–

보다– 더귀 한친구없 네 괴로울때–
사랑– 참좋 은예수사 랑 세상에서–

다가와서 마음에평화주 는 신실하신 나의참친
제일가는 금으로유혹해 도 예수님만 사랑하겠

구 – 외로울때– 찾아와서 친구가되어주
네 – 세상에서– 제일높은 명예를준다해

는 사랑많은 나의참친 구 –
도 예수님만 따라가겠 네 –

주 예 수 사랑하리 라 나의생명

다할때까 지 – 주 예 수 사랑하리

라 나의생명 다할때까 지 –

273 예수 사랑 나의 사랑

(미 1011)

(Jesus in me)

E
B7
B7
C#m
E
예 수 사 랑 나 의 사 랑 - -
E
E7
A
F#m
E
B7
E
내 맘 속 에 넘 쳐 *형 제 를 사 랑 해

* 자매를, 주님을, 목사님, 장로님, 집사님, 성도님

(미 561)

예수 사랑해요

(Jesus, I love You)

274

Jude Del Hierro

C F F/E Dm7 G F/C C
예 - 수 사 랑 해요 나 주 앞 에 엎드려
C F F/E Dm7 G C G/B
경 - 배 와 찬 - 양 왕 께 드 리 네
Am Dm7 F G C G/B
알 - 렐 루 - 야 알 렐 루 - 야
Am Dm7 F G C
알 - 렐 루 - 야 알 렐 - 루

275 예수 안에서

(미 1140)

G C G D7 G
예 수 안 에 서 - 우 리 *화 목 됐 네
G D7 G D7
예 수 안 에 서 - 우 리 화 목 됐 네 -
G C A7 Am D7
하 나 님 의 영 광 함 께 누 릴 소 망 있 네 -
G D7 G
예 수 안 에 서 - 우 리 화 목 됐 네

* 1. 사랑하네 2. 용서하네 3. 기뻐하네 4. 찬양하네

(미 796)

예수 우리 왕이여

276

(Jesus, we enthrone You)

Paul Kyle

A F♯m F♯m/E

예 수 - 우 리 왕 이 여 -

D Esus4 E

이 곳 에 오 소 서 -

F♯m C♯m

보 좌 - 로 - 주 여 임 하 사 -

Dmaj7 Bm7 Esus4 E7

찬 양 을 받 아 주 소 서 -

F♯m C♯m F♯m F♯m/E

주 님 을 찬 양 하 오 니

D E7 A F♯m

주 님 을 경 - 배 하 오 니

D E/D C♯7 F♯m

왕 이 신 예 수 여 오 셔 서 좌 정

D E6 A Bm/A A

하 사 다 스 리 소 서 -

예수 이름으로

(미 1046)

Maori Origin

F
C7
1. 예수이 름으로 예수이 름으로 승 리 를얻 었 네
2. 예수님 을따 라 예수님 을따 라 어 디 든가 리 라
3. 예수이 름으로 예수이 름으로 마 귀 는쫓 긴 다
C7
F
예수이름으로 예수이름 으 로 승 리 를얻었 네
예수님을따 라 예수님을 따 라 언 제 고살리 라
예수이름으로 예수이름 으 로 병마 는쫓긴 다
B♭
F
C7
F
예수 이름으로나 아 갈 때 우리 앞에누가 서리 요
예수 님을따라나 아 갈 때 밝 은 태양빛이 비치 고
예수 이름으로나 아 갈 때 누가 나를괴롭 히리 요
B♭
F
C7
F
예 수 이름으로 나 아 갈 때 승리를얻었 네
예 수 님을따라 살 아 갈 때 밝은내일있 네
예 수 이름으로 기 도 할 때 악마는쫓긴 다

(미 1693)

예수 이름이 온 땅에

김화랑

D G D G D A

예 수 이 름 이 온 땅 에 – 온 땅 에 퍼 져 가 네
예 수 이 름 이 온 땅 에 – 온 땅 에 선 포 되 네

D G D G D Asus4 A7

잃어 버린영혼 예수이름 – 그 이름듣고 돌아오 네 – – 예수
하나님의나라 열방중에 – 열방중에 임하시 네 – – 하나

G A F♯m Bm G A D

님 기 뻐 노래하시리 잃어 버린영혼 돌아올 때 – – 예수
님 기 뻐 노래하시리 열방 이 –주께 돌아올 때 – – 하나

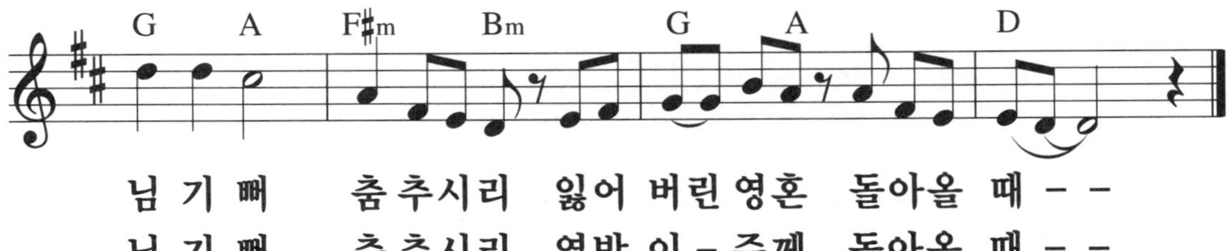
G A F♯m Bm G A D
님 기 뻐 춤추시리 잃어 버린 영혼 돌아올 때 – –
님 기 뻐 춤추시리 열방 이 – 주께 돌아올 때 – –

279

오 거룩하신 주님

김두완

오 거 룩하 신- 주 -님그- 상 하신 몸 멸-
시 와 욕 가- 시 관쓰 셨 네 주
님 이당 하신 고 -난이 죄 인을위 함 이니
범 죄한 날 위해 주 욕을 보 셨네
나 무 엇 으 로써 그 은 혜보 답- 하 리까 무
한 하신 주- 의 사랑 고 맙 고도-크도 다 내
평 생사 는- 동 안은 주위 해 살리 라 주님
의 뜻대 로 나- 평 생살 리 라

(미 1498)

오 거룩한 밤 별들 반짝일 때

Adolphe Adam

1. 오 거룩한 밤 별들반짝 일 때 거룩한 주 탄생한밤일 세
2. 찬 란한별 빛 인도함을 따 라 동방의 박 사가찾아왔 네
3. 주 께서죄 의 사슬풀으 셨 네 감사의 찬 송을불러보 세

오랫동안죄 악에얽매 어 서 헤매던 죄 인을놓으시 러
믿음의불빛 인도함을 따 라 주님의 품 안에안기여 네
주님의법은 사랑평화 로 다 우리도 다 같이사랑하 세

우 리를위해 속죄하시려는 영 광의아침 동이터온다
만 왕의왕이 구유안에누워 우 리의친구 되려하시네
영 광의찬송 함께불러보세 거 룩한주의 이름찬양해

경 배하라 천 사 -의기쁜 소 리 오 거 룩 한

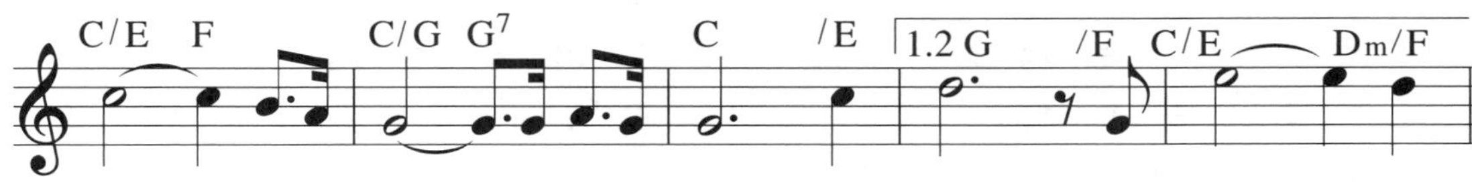

밤 - 주님 탄 -생하신 밤 그 밤 주 예 - 수

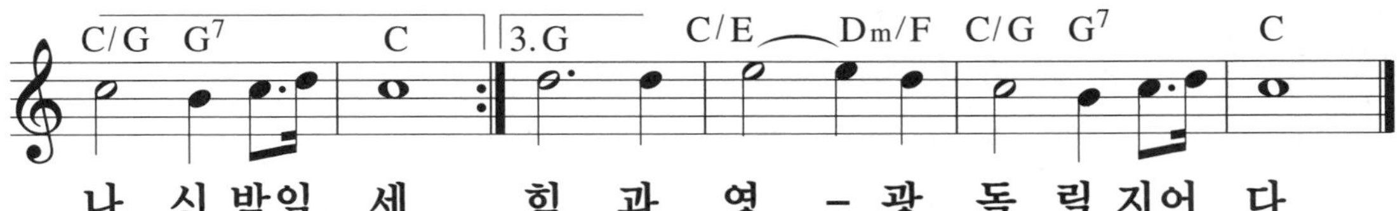

나 신밤일 세 힘 과 영 - 광 돌 릴지어 다

281

오늘 내게 한 영혼

(미 2030)

(주의 사랑 온누리에)

문찬호

Am E Dm

오늘내게한영 혼 보내주시옵소 서 죄에빠져길을잃

E Dm Am E Am

고 헤매이는자에 게 오늘내게한영 혼 보내주시

오늘나를진리 로 인도하여

E Dm E Dm Am E Am

옵소 서 갈바몰라방황하 는 형제 자매 들에 게

주소 서 말씀따라순종하 며 늘- 살게하소 서

F C Dm E F Dm

아무도 사랑않고 관심도 없 는 그 들에게날이 끄사

아무도 원치않고 행치도 않 는 주 님말씀순종 하여

Am E Am

전할말 주소 서 오늘내게한영 혼 보내주시옵소

이몸바 칩니 다 오늘나를진리 로 인도하여주소

E Dm E Dm E Am
서 죄에빠져 길을잃 고 헤매 이는자에 게
서 말씀따라 순종하 며 늘- 살 게 하 소 서

(미 1003)

오늘도 하룻길

(길)

박희춘

오 늘도 하 룻길 나그네길 을 나 혼자 가 -야 해 -
멀 고도 험 한 길 나 그네 길 을 나 혼자 가 -야 해 -
나 혼 자 가 야 해 - 아 아 아 -
갈래갈래 갈림길 길- 이라 도 네 게주신 주 의길 따라갈 려 오
갈 래갈래 갈림길 길- 이 라 도 내 게주신 주 의길 따라갈 려 오
Fine
내 집은 갈릴리 해변 푸 른풀 밭 쉬어갈수 있 - 는 데 -
내 사명 다하기 까지 갈 수 없 네 그 리 운 내 본향 집 -
그 리 운 내 본향 집 - 아 아 아 -
D.S

283 오늘 집을 나서기 전

(미 1096)

M.A. Kidder & W.O.Perkins

D A7
1. 오 늘 집을나서 기 전 기 도했나 요
2. 맘 에 분이가득 찰 때 기 도했나 요
3. 어 려 운시험당 할 때 기 도했나 요
4. 나 의 일생다하 도 록 기 도하리 라
D G A7 D
오 늘 받을은총 위 해 기 도했나 요
나 의 앞길막는 친 구 용 서했나 요
주 가 함께당하 시 면 능 히이기 리
주 께 맡긴나의 생 애 영 원하리 라
D A7
기 도 는우리의 안 식 빛 으로인도하 리
D G A7 D
앞 이 캄캄할때 기 도 잊 지마시 오

(미 1586)

오라 우리가

(여호와의 산에 올라 / Come and let us go)

B. Quigley & M-A Quigley

D
Bm
Em
A7
오 라 우 리 가 - 여 호 와의 - 산 에 올라 - 하
Em7
1. A7
D
A7
2. A
A7
D
D7
나 님의 전에이르자 - 전에이르 자 - 주
G
A7
D
D7
님 의 도 를 배 우 고 - 주
G
A7
D
D7
님 의 길 로 행 하 리 - 이 는
G
A7
D
F♯m/C♯
Bm
율 법 이 시 온 에서나오고 - 주의
Em7
A7
D
말 씀 은 예 루 살 렘 에 서 -

285 오소서 진리의 성령님

(미 1548)

(부흥 2000)

고형원

오소 서진리의 성령님- 이땅흔들며 임 하소서-
거짓과탐욕죄 악에무너진- 우리가슴정케하소 서
오소서은혜의 성령님- 하늘가르고 임 하소서-
거룩한불꽃하늘 로서임하사- 타오 르게하소서 주영광위 해
부흥의불길 -타오르게 하소서--진리 의말씀-이땅새롭게하소 서
은혜의강물- 흐르게 하소서--성령 의바람- 이땅가득불어 와
흰옷입-은주의 순결한백성 주의 영광위해 이제일어 나
열방을- 치유하 며행진하는 영 광의그날을주 -소 서

(미 903)

오 예수님 내가 옵니다

고형원
G Em C G
오 예 수 님 내가옵 니 다
그 큰 사 랑 눈물에 겨 워
Am 1. C G 2. C G
못박 히 신 십자가앞 에 돌아옵 니 다 주
울며 울 며
Am G Am G
님손 과발 못박 혔고- -머 리엔 가시관박히셨 네 내
Am G C Dsus4 D
모든 죄-와허물 위해- 말없 이 피흘려주셨 네
G Em C G
오 예 수 님 나의손 잡 고 이제
C G C G
부터- 영원까 지 내구 주가- 되옵소 서 이제
C G Em C C/D G
부터- 영 원까 지 내구 주가- 되옵 소 서

287 오 이 기쁨 주님 주신 것

(미 770)

G D7
1. 오 - 이 기쁨 - 주님 - 주신 것 -
2. 앞 뒤 동 산에 - 꽃은 - 피었 고 -
3. 높 은 하 늘에 - 종달새 우짖 고 -
4. 오 - 친 구여 - 즐겁게 노래 해 -
5. 손 뼉 치 면서 - 즐겁게 찬양 해 -
D7 G
오 - 이 기쁨 - 주 님 - 주신 것 -
내 - 맘 속에 - 웃 음꽃 피었 네 -
내 - 맘 속에 - 기 쁜 - 노래있 네 -
오 - 친 구여 - 즐 겁 게 노 래 해 -
손 뼉 치 면서 - 즐 겁 게 노 래 해 -
G G7 C
오 이 기쁨 - 주 님 주 신 것 - 주 께
G Em G/D D7 G
영 광 할 렐 루 - 야 - 주 만 찬 양 해 -

오 주님께서 나를 살리셨네 288

4/4
D G A
오 주 님 께 서 나를 살 리 셨 네
하 나 님 께 서 나를 사 랑 하 네
오 성 령 께 서 나를 도 우 시 네
D G D A7
십자 가 의피 로 구 원하 셨 네 –
독생 자 를주 신 참 사랑 일 세 –
크신 능 력으 로 승 리하 리 라 –
D Bm G A
오 주 님 께 서 나를 살 리 셨 네
하 나 님 께 서 나를 사 랑 하 네
오 성 령 께 서 나를 도 우 시 네
D Bm Em A D D7 Fine
전혀 알 지못했 던 기 쁨 일 세 –
독생 자 를주신 참 사 랑 일 세 –
크신 능 력으로 승 리 하 리 라 –
G Em A7 G
이 제나는 주 님만을 의 지하 – 리 라
G D Bm Em A7 D.S.
진 정 놓 지 않 으 리 –

289 오 주님 나를 붙드시면

(미 1273)

1. 오 주 님나를붙 드 시면 내– 영 이소생하 리 – 그
2. 여 호 와의지하 는 자는 새– 힘 을얻으리 니 – 밝
3. 오 주 님자비하 신 모습 나– 의 –얼굴되 어 – 주
4. 새 힘 을주신그 은 혜를 나– 이 제깨달아 서 – 십

크고귀한 사랑–의품 갈길을일러주네 – 주님이가신골고다의언–
고도오묘한 그말–씀에 내영혼편히쉬리 – 달려가달려갈지라도세–
님의품성 닮아–서– 그향기발하겠네 – 오주님나를택 하소서이–
자가보혈의공로–를– 널–리전파하리 – 달려가달려갈지라도세–

덕에내가서 서– 주님하신행 적따–라서 그뒤를이으리라 –
상길가지말 고– 그 하늘비밀 내게–주신 아버지품을향해 –
땅에횃불되 게– 구령의횃불 높이–들고 가리라땅끝까지 –
상길가지말 고– 그 하늘비밀 내게–주신 아버지품을향해 –

가 다 가지쳐쓰 러 지면주– 이 름부르겠 네 –

여 호 와나의 하 나–님 – 응답해주시 리 라 –

(미 764)

오 주여 나의 마음이

290

(시편 57편 / My heart is steadfast)

G Am D7 G
오주여 나의마- 음 이 주께로 정해졌- 으
Em Am D7 G
니 나-는주 찬 양 하 리라 -
G Am D7 G Bm7
깨어라 나의영-혼 아 비파와 수 금들- 어
Em Am D7 G
라 이새벽 에 내가-찬 양 하 리라 -
G7 Am D7
멜- 로 디 - 멜 - 로
예 - - 수 - 예 - -
G Em Am
디 - 예 수 님 은
수 - 예 수 님 은
1. D7 G 2. D7 G
나 의 노래 - 나 의 노래 -

291 오직 성령의 열매는

(미 644)

(성령의 열매)

G Am/C C G/B A9 Dsus4 D G
오 직 성 령 의 열 매 는 사 랑 희 락 화 평 오 직
Am/C C A7/C# G/D D7 G
성 령 의 열 매 는 사 랑 희 락 화 평 인 내
E7 Am D7 G
와 자 비 와 양 선 충 성 과 온 유 절 제 니 오 직
Am/C C A7/C# G/D D7 G
성 령 의 열 매 는 사 랑 희 락 화 평

(미 1901)

오직 주의 사랑에 매여

292

고형원

D A/C♯ Bm A D F♯m7
오 직 주 의 사 랑 에 매 여 내 영 기 뻐 노 래 합 니 다 이 소
G A F♯sus4 F♯ Bm G A D A
망 의 언 덕 기 쁨 의 땅 - 에 - 서 주 께 사 랑 드 립 니 다 오 직
D A/C♯ Bm A D F♯m7
주 의 임 재 안 에 갇 혀 내 영 기 뻐 찬 양 합 니 다 이 소
G A F♯sus4 F♯ Bm G A D D7
명 의 언 덕 거 룩 한 땅 - 에 - 서 주 께 경 배 드 립 니 다 주 께
G A F♯m G A Bm
서 주 신 모 든 은 혜 나 - 는 말 할 수 없 네 내 영
G A F♯sus4 F♯ Bm G A G/D D
혼 즐 거 - 이 주 따 르 렵 - 니 다 - 주 께 내 삶 드 립 니 다

293 오호라 나는 곤고한 사람

(미 729)

황국명 & 이정림

C A°G/B
C
Am
F
Dm7
G7
오호라 나는 곤고한 사람 하나님의 법과 죄의법이 싸우는- 이
Am
F
Dm
G
1.
G+
G A°G/B
사망의- 몸에서 누가 나를 건져 내 랴 음 오호라
2. G
C
Am
F
Dm
G
- 그러나 내겐- 십자가 밖에 - 자랑할 것 자랑할것없나 니
Am
F
Dm (G7)
1.3. G
내속에 계시는 - 주를위해 서라면- 죽음 도 유익함이 라 그러나
2. C
Am
F
G
라
C
Am
F
G
D.S.
그러나
4. C
F G
C
F G
F C
라 죽음 도 유익함이 라 죽음 도 유익함이 라 -

(미 694)

온 땅이여 주를 찬양

(Sing to the Lord all the earth)

Miles Kahaloa & Kari Kahaloa

Em B7 Em
온 땅이여 주를 찬양 - 날마 다 주를찬 양하 세 - - 주
Em B7 Em
의 기사와 주의 영광 - 온땅 에 널리알 려졌 네
Fine
Am D7 G B7 Em
위 대 하신 주 그의 힘 과 - 위 엄 을 기
Am D7 G Em C B7
뻐 하 - 라 주 의 다 스 리 - 심 - 을 -
D.C.

295 온 세상이 아름답게

(축복송)

서옥선

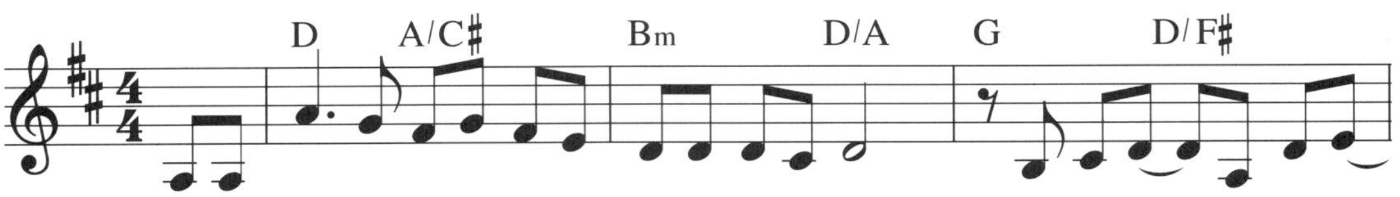

온세 상 이아름답게 피어오르고 기 쁨이-가 득한

-이 봄날에그 대 의두손에는 장미꽃보다

사랑의나의마음 주고싶어라 따 스 한햇살받아 푸른옷입고

춤추 며-속삭이는- 이한날에그 대 의가슴에는 진주옷보다

진실한나의노래 담고싶어라 오 늘 을걸어 갈때 나 내

일 이밝아올때나 오 하나 님의크신축복 그대에게내리리

Asus4
D
A/C♯
Bm
D/A
G
D/F♯
라 하루하 루살아가는 - 인생속에 꽃처럼 - 피어난
Em
A
D
A/C♯
Bm
D/A
G
D/F♯
- 그대에게두손 모 아간절하게 기도를하네 그대의앞 - 길에
A7
D
G
Em
A7
D
축복있으라 하나님그대에게 축복하소서 -

296

완전하신 나의 주

(예배합니다)

Rose Park

F F/A B♭ F/A Gm7 G/B
완 전 - 하 신 나 의 주 의의 - 길 로날 - 인
B♭/C C7 F F/A
도 하 소 - 서 - 행 하 신 - 모 든 일 주
B♭ F/A Gm C7 F F/A
님의 영 광 - 다 경 배 합 - 니 다 - 예 배 합 - 니다
B♭2 F/A Gm C7
- 찬 양합 - 니 다 - 주 님 만 - 날 다 스 리 소 서
F F/A B♭2
- 예 배 합 - 니 다 - 찬 양 합 - 니 다
F/A Gm C7 F
- 주 님 홀 - 로 높 임 받 으 소 서 -

(미 706)

왕이신 나의 하나님

(Psalms 145-I bless you My God)

Stephen Hah

F
A
A7
Dm
F7/C
왕 이 신 - 나 의 하 나 님 -
B♭
Gm7
Csus4
C7
내 가 - 주 를 높 이 고 -
Fmaj7
A
A7
Dm
F7/C
영 원 히 - 주 의 이 름 을 -
B♭
C7
F
B♭/F
F
송 축 하 리 이 다 -

298 왜 나만 겪는 고난이냐고

(미 1637)

(주님 손 잡고 일어서세요)

김석균

1. 왜 나만겪는 고난이냐 고 불 평 하지마 세 요 고난의

2. 왜 이런슬픔 찾아왔는 지 원 망 하지마 세 요 당신이

뒤 편에 있는 주님이주실축복 미리 보 면서 감사하세 요 너무

잃 은것 보다 주님께받은은혜 더욱 많 음에 감사하세 요 너무

견 디기 힘든 지금 이순간에 도 주 님 이 일하고계시 잖 아요 남들

은 지쳐 앉아 있을지라 도 당신 만 은 일어서 세 요 힘을

내 세요 힘을 내 세요 주님이 손 잡고 계시잖아 요 주님

이 나와 함께함을 믿 는다 면 어떤 역경 도 이길수 있잖아 요

고난 도 견딜수 있잖아 요

(미 2023)

왜 슬퍼하느냐

(왜)

최택헌

G D/F♯ Em Em7/D C G/B Am D
왜 슬 퍼 하 느 냐 왜 걱 정 하 느 냐 무
G D/F♯ Em Am C D
얼 두 려워 하 느 냐 아 무 염 려- 말아 라
G D/F♯ Em Em7/D C G/B Am D
큰 어려움 에 도 큰 아픔 있 어 도 이
G D/F♯ Em Em7/D C D7 G
젠 아무걱정하지 마 내 가 널 붙 들 어 주 리
C D7/C Bm Em7 C D G G7
내가너와항상 함께 하 리-라 내가 너 를 지 키 리 라
C G G Bm/F♯ Em D7 C Dsus D7 G
실망 치말고- 나를 보아 라 나 는 너의 하나님 이 라

300 요한의 아들 시몬아

(미 1182)

권희석

요한의아들시 몬아 - 네 가 다른 사람들보 다
나를더 사랑 하 느냐 - 하 고 주님이물으셨 네
네 그 때 나는주께 대답 했네 내가 주 를 사랑하는 지
다
주 님 께 서 - 아십니 다 - 주 님 께 서 내 마 음 아 시 리
Fine
요 한 의 아 들 시 몬 아 네 가 다 른 사람들보 다
내 게 오 는 많은 양 떼 네 게 맡 겨 둘 -테니 -
(2nd time to)
나르더 사랑 하 느냐 - 하 고 주님 이물으셨 네
사랑하 는내 친 구여 - 많 은 양떼 를부탁한

(미 1696)

우리가 걷는 이 길

301

최용덕
우 리 가 - 걷는 이 길은 - 보 기 에 - 좁 고 험 하 며
는 - 함께 이 길을 - 선 택 한 - 형 제 자 매 요
- - 찾 는 이 - 매 우 적 어 서 - - 외 로 웁 지 만 -
- - 영 원 한 - 주 의 나 라 의 - - 백 성 이 기 에 -
- 이 길 끝 에는 - 우 리 주 님 이 계 셔 - - 우 리
- 서 로 도 우 며 - 서 로 손 을 잡 아 주 며 - 이 길
를 그 품 에 안 아 주 시 리 -
을 함 께 걸 어 - 갑 시 다 -
세 상 사 람 들 - -
우 리 들 을 보 며 - 어 리 석 다 고 - - 조 롱 하 - 지 만
- - 이 길 을 - 가 는 자 마 다 - - 영 원 히 -
주 와 살 - 리 라 - - 우 리 - 이 길 - - -
D.S.

302 우리가 주님의 음성을

(여호수아의 군대 / Joshua's Army)

Scott Brenner

Em D
우 리가 주님-의- - 음성을 들을-때-
C Bm Em
- 우리가 나간-다- - 승리의 함성-을-위-해
Em D
- 우리의 나팔-소-리 가- -울-려 퍼질-때-
C Bm Em
- 백성 들이-외-치고 성벽이무너져내-린다- -
Em D C Bm
He - y-- He - y-- He - y--
Em Em D
He - y-- He - y--
C Bm Em Em
He - y-- 여 호수아군-대-처
Em D
-럼- -우리가 도시를둘-러-싼 -다-

C
Bm
Em
1.
2.
Fine
누가 - 주 - 님 - 앞 - 에 - 설 수 있 - 는 - 가 - - 여 -

303 우리가 지나온 날들은

(우리가 하나된 이유)

A Amaj7/G# F#m A/E
우 리가 지 나 온날 들은 - 다 르 지 - 만 - 우리가
D Bm E E7 A Amaj7/G#
살 아온모 습은 - 다르 지 - 만 - 우리가 주 의사랑으로 - 여기모
F#m A/E D E A D E
- 여 - 하나로 하 나님 - 께 찬양드 - 려 - 요 - 우리의
A Amaj7/G# F#m A/E D Bm
느 낌은 - 서로 - 달랐 어 - 도 - 우리의 생각은 - 서로 - 달랐어
E E7 A Amaj7/G# F#m A/E
- 도 - 우리가 하 나된가장큰 - 이 유 - 는 - 주님의
Bm E7 A D E
그크신 - 사 랑때문 - 이 - 라 자 이 제 우리가 - 하 나 된
C#m F#m Bm B7 Esus4 E7
모 습 으로 - 오직 주 님만 - 찬 양 - 하 - 리 니

D E C♯m F♯m D A/C♯
우 리 온 맘 으－로 찬 양 하－며－우 리 모 든 것 으 로 인 하 여－주 께
Bm E A Amaj7/G♯ F♯m A/E
찬 양 드 리 리－우 리 가 하 나 된 이 유 는－ 하 나
D A/C♯ Bm E
님 의 크 신 사 랑 과－믿 음 으 로 인 함 이 니 －이 로
A C♯m/G♯ F♯m A/E D Bm E7
인 하 여－우 리 가 한 맘－으 － 로－ 하 나 님 안 에－하 나 가 되－었
1.A D E 2.A D E 3.A Amaj7/G♯ F♯m /E
D.S.
네 자 네 우 리 네 하 나－라－ 하 나
D Bm E A D Bm7 A
－라－ 우 리 －는－ 하 나 － 라 －

304 우리가 피차 사랑의 빛

(미 1111)

A F#m D E7
우-리 가 피-- 차 사랑의 빛 외-에 는
A F#m D E A to
아-- 무 에게든 지 아무런 빛 -도 지지말 자
F#m C#m Bm E7 A
우리몸 을 -불사르 게- 내-어 준 다 하 여 도
F#m C#m Bm E7
사-랑 이 -없-으 면- 아-무 것 도아니- 요
F#m C#m Bm E7 A
천-사 의 -말을하 고- 모-든 믿 음있- 어 도
F#m C#m Bm E
사-랑 이 -없-으 면- 아-무 유 익이없어 요
F#m Bm E7 A
사랑은 하 -나님의 것 -사랑은 하 -나님의 것
F#m Bm A E7 A Fine
사랑은 하 -나님의 것 -우리서 로 사랑하 자

(미 698)

우리는 주의 백성이오니

(We are Your people)

David Fellingham

F Gm7 C7 Fmaj7

우 리 는 주 의 백 성 이 - 오 니 -

F Gm7 C7 Fmaj7

주 의 그 큰 이 름 선 포 합- 니 다 -

F7 B♭2 B♭ G m Gdim F F/E

이 곳 어 두 운 세 상 에 빛 으 로 부 르 셨 네

Dm Dm7 Gm7 C7 F B♭/F

주 의 얼 굴 구 할 때 역 사 하 소 서

F C7sus F Am7 Dm7

- 교 회 를 세 우 시

B♭ B♭m6 F Gm Dm Gm G7 Csus4

고 - 이 땅 고 쳐 주 소 서

C7 F Am7 Dm9

- 주 님 나 라 임 - 하

B♭ B m6 F Gm C7 F B♭/F

시 고 주 뜻 이 뤄 지 이 다

306 우리 모두 함께 기쁜 찬양

E A B7
1. 우리모두함 께 기쁜찬양하 세 세상모든사람들의
2. 우리모두함 께 복음전파하 세 세상모든사람들의
3. 우리모두함 께 서로사랑하 세 세상모든사람들이
E A
귓가 에 우 리 모두함께 기쁜찬양하 세
맘속 에 우 리 모두함께 복음전파하 세
알도 록 우 리 모두함께 서로사랑하 세
B7 E Fine
세상모든사람들이 듣도 록 –
세상모든사람들의 맘속 에 – 햇 –빛같은
세상모든사람들이 알도 록 –
A E A B7 E
기 쁨 빛 줄기 같 이 금 –광같은
A E B7 D.C
기 쁨 우 리 모두함께 기쁜찬양하 세
기 쁨 우 리 모두함께 복음전파하 세
기 쁨 우 리 모두함께 서로사랑하 세

(미 1250)

우리 모일때 주 성령 임하리

(As we gather)

Mike Faye & Tommy Coomes

D F♯m7 G Gmaj7/A A7
우 리 모 일때 - 주 성령 임 - 하 리
D F♯m7 G A7 Gmaj7 Asus4 A7
우리모일때-주 이름 높이리 우리 마음모-아
D F♯/C♯ Bm7 Bm/A G G/A D D7
주를경배할때 주님 축복하-시 리 --
Em7 G/A A7 D G/D D
주 님 축 복 하 - 시 리

308 우리 보좌 앞에 모였네

(미 1352)

(비전 / Vision)

고형원

A Amaj7 D E A
우리 보좌앞에 모 였네 함께주를찬양-하 며
D E C♯m F♯m D Bm E
하 나님의사랑 그 아들주셨네 그의피로우린 구원받았 네
A Amaj7 D E A
십자 가 에서쏟으신그사 랑 강 같이온땅에-흘 러
D E C♯m F♯m D
각 나라와족속 백 성방언에서 구 원받 고주
Bm Esus4 E A F♯m7
경배드리 네 구 원하심이 -보 좌에 앉으신 우
D2 Bm E A2
리하나님과 어 린양 께있도 다 구 원 하심이 -보
F♯m7 D2 Bm E A
좌에 앉으신 우 리하나님과 어 린양 께 있 도 다

(미 1039)

우리 승리하리

309

C F C F C
우 리 승 리 하 - 리 우 리 승 리 하 - 리
두 려 움 이 없 - 네 두 려 움 이 없 - 네
손 에 손 을 잡 - 고 손 에 손 을 잡 - 고
평 화 롭 게 살 - 리 평 화 롭 게 살 - 리
F G Am D7 G D7 G7
우 리 승 리 하 리 그 날 - - 에
두 려 움 이 없 네 그 날 - - 에
마 귀 권 세 모 두 물 리 - 치 리
평 화 롭 게 살 리 그 날 - - 에
C Dm Em F G7 C
오 - 참 맘 으 로 나 는 믿 네
C Dm C G C G7 C
우 리 승 리 하 리 라 주 안 에 서

310 우리에게 향하신

(미 647)

김진호

E B7 F♯m B7 E E7
우 리 에 게 향 하 신 여 호 와 의 인 자 하 심 이
우 리 에 게 향 하 신 여 호 와 의 진 실 하 심 이
우 리 에 게 향 하 신 여 호 와 의 계 획 하 심 이
A2 E C♯m/E F♯m B7 E E7
크 고 크 도 다 크 시 도 다 - -
영 원 영 - 원 하 시 도 다 - -
놀랍 고 놀 랍 다 놀라우 시 도 다 - -
A2 E C♯m/E F♯m B7 E
크 고 크 도 다 크 시 도 다
영 원 영 - 원 하 시 도 다
놀랍 고 놀 랍 다 놀라우 시 도 다

우리의 어두운 눈이

311

송명희 & 최덕신

우리의 어두운 눈-이- -그 를 미워했 고
우리의 캄캄한 마음이- -그 를 몰랐으 며
우리의 무지한 채 찍질로 그 를 내리쳤 고
우리의 악독한 혀 -가- -그 를 정죄했으 며 우
리 의-폭력의 손 길이- 그몸 멍 들게-때렸으 며 살인
자 의 본 받 아 우 리는그를찔 렀 소 소 우
리는- 그 를죽 였지만- 우 리는- 그를죽 였 지만-그는
살 아 나 셨 고 우 리의악함을- 우
리 의 악 함 을- -벗 기 셨 소 -

312 우리 이 땅에 몸으로

(미 1179)

최용덕

G C G D7
우리- 이땅 에 몸 으로 태-어 나
혹은- 긴인 생 어 떤인 짧은인 생
주님- 안에 서 영 원한 생명얻 어
G G7 C G D7 G
무 슨-일 하다 가 무엇 을 남-기 랴
그 러-나 누구 도 영원 히 살수없 네
언 젠-가 또다 시 만날 수 있-기 에
G C G D7
우 리의 인생 을 누 가 대신 살아주 나
천 국이 없다 면 인 생 이란 허무한 것
우 리헤 어져 도 슬 프 지않을수-있 어
G C G A D
너와 내가남남으 로 주 앞 에설때 에
너와 내가영혼으 로 만 날 수없다 면
너와 내가영혼으 로 또 다 시만나 세
G C G D7 G
우리- 무엇으 로 주 님 께드 리 랴
우리- 이-별 을 어 떻 게견 디 랴
주님- 우리위 해 함 께 계시 리 라

(미 682)

우리 주의 성령이

(When the spirit of the Lord)

Margaret DP. Evans

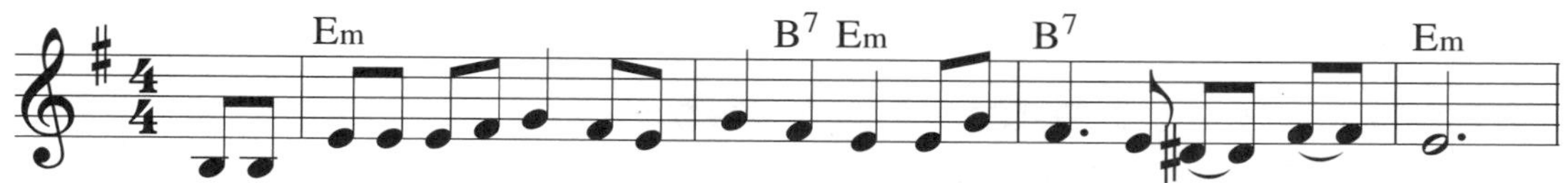

1. 우리 주의 성령이 내게 임 하 여 주를 찬 양 합 - 니 - 다
2. 우리 주의 성령이 내게 임 하 여 손뼉 치 며 찬 양 합 니 다
3. 우리 주의 성령이 내게 임 하 여 소리 높 여 찬 양 합 니 다
4. 우리 주의 성령이 내게 임 하 여 춤을 추 며 찬 양 합 니 다

우리 주의 성령이 내게 임 하 여 주를 찬 양 합 - 니 - 다
우리 주의 성령이 내게 임 하 여 손뼉 치 며 찬 양 합 니 다
우리 주의 성령이 내게 임 하 여 소리 높 여 찬 양 합 니 다
우리 주의 성령이 내게 임 하 여 춤을 추 며 찬 양 합 니 다

찬양 합 니 다 찬양 합 니 다 주를 찬 양 합 니 다
손뼉 치 면 서 손뼉 치 면 서 주를 찬 양 합 니 다
소리 높 여 서 소리 높 여 서 주를 찬 양 합 니 다
춤을 추 면 서 춤을 추 면 서 주를 찬 양 합 니 다

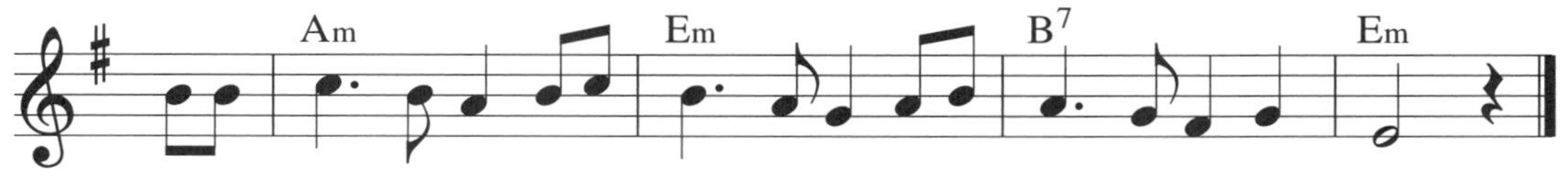

찬양 합 니 다 찬양 합 니 다 주를 찬 양 합 니 다
손뼉 치 면 서 손뼉 치 면 서 주를 찬 양 합 니 다
소리 높 여 서 소리 높 여 서 주를 찬 양 합 니 다
춤을 추 면 서 춤을 추 면 서 주를 찬 양 합 니 다

314 우리 함께 기도해

(미 1642)

고형원

E
C♯m
A
B7
우 리 함께기도 해 주앞에나 -와- 무릎꿇고-
긍 휼 베푸시는 주 하늘을향 -해- 두손들고-
C♯m
G♯m
E B/D♯
하늘문-이 열리고-은 혜의 빛줄기- 이 땅 가득내 리도 록
마침내-주오셔서 -의 의 빛줄기- 우 리 위에 부으시도 록

(미 1574)

우리 함께 기뻐해

(Let us rejoice and be glad)

Gary Hansen

E A2 E A2
우리함께 - 기 뻐- 해 주께영광 - 돌리-
E F#m7 B G#m7 C#m7
세 어린 양 의혼 - 인 잔 - - 치와 - 신부
F#m7 B E A/B E E/G#
가 준비 - 되었 네 - - 할 렐 루 야 전 능
A A/C# E E/G# B A2/C# B/D# E E/G#
하 신 주 가다 스 리 네 할렐 루야 전능
A A/C# C#m7 B 1. E A B E 2. E
하 신 주 가 다 스 리 - 네 네

316 우린 이 세상에서 할 일 많은

(미 1161)

(우린 할 일 많은 사람들)

고재문
A F♯m Bm E7
우 린 -이세상에서- 할 일 -많은사람 들-
A F♯m Bm E7 1.A 2.A
우 린 -이세상에 서- 할- 일 많은사 람- 들 우 들
A F♯m D E7
주님 이 명령하신그말 씀을 모두 에 게전해야하 는
이 하신그-말씀 따 라 우린 밝 은빛이 되어 서
A F♯m E7 1.A
우린주 의 사랑전하 는- 주님의 증인이라 오
어두워 져 가는이세 상 에 밝음을 전해야하
A F♯m Bm E7
우 린 -이세상에 서 - 한 줄 -기의밝은 빛-
A F♯m Bm E7 A 2.A
우 린 -이세상 에서 - 한-줄기의밝은- 빛 주님 오

(미 906)

우물가의 여인처럼 317

(Fill my cup Lord like the woman at the well)

Richard Blanchard

1. 우물 가의 여인처 럼난구 했네 - 헛
2. 많고 많은 사람들 이찾았 었네 - 헛
3. 내친 구여 거기서 -돌아 오라 - 내
되 고 헛된것들 을 그 때 주님 - 하신
되 고 헛된것들 을 주 안 에감 - 추인
주 의 넓은품으 로 우 리 주님 - 너를
말씀 - 내샘에 와 생 수를마셔 라
보배 - 세상것 과 난 비길수없 네 오 -
반겨 - 그넓은 품 에 안아주시 리
주님 - 채우 소서 - 나의잔 을 높이듭니 다 하늘
양식 내게채워 주소서 넘치 도 록 - 채워 주소 서

318 위대하고 강하신 주님

(미 679)

(Great and Mighty is the Lord our God)

Mariene Bigley

E
B7
위대 하-고강하 신주님- 우리 주하 나 님
F♯m
B7
B7
E
위대 하-고강하 신 주님- 우리 주하 나 님
E
E7
A2
깃발 을높이들고 흔들며- 왕 께 찬 양 해
A
E
C♯m
B7
E
E7
위대 하-고강하 신 주님- 우리 주하 나 님---
A
E
C♯m
B7
E
위대 하-고강하 신 주님- 우리 주하 나 님

(미 1896)

유월절 어린양의 피로

319

(Under the blood)

Martin Nystrom & Rhonda Gunter Scelsi

유월 절어린양－의피 로 나의 삶의문이－열렸 네 － 저
어둠의권－세는 힘이없네 주 보혈의능－력으로 － － 원
수가 날정죄할 때 －도 난 의롭게살수있 네 － 난
더이상정죄함 없 －네 난 주보혈아－래있네 － 난
주보혈아－래있네 － 그 피로내죄－사했－ 네 －
하 나 님의궁휼 날 거룩 케하시었 네 － 난
주보혈아－래있네 － 난 원수의어－떠한 공격에도
더이상넘 어 지지않네 난 주보혈아－래있네 －

320

은혜로만 들어가네

(미 1532)

(Only By Grace)

Gerrit Gustafson
은혜로만 - 들어가 - 네 - 은혜로만 - 선다네 -
우리의노 - 력이아 - 닌 - 어린양의 - 보혈로 -
그분의임 - 재가운 - 데 - 오 라 - 하시네 -
2nd time to Coda
우리를부 - 르신그 - 곳 - 은 혜로들어 - 가 네 -
주님의그 - 은 혜 -
범죄한우 - 리가어
- 찌 서 리 요
어린양의 - 보혈이
- 깨끗케 - 하시네 -
D.C.

Coda
Dm7
F/ G
C
Am7
Dm7
F/ G
주님의그 - 은 혜 -
주님의그 - 은 혜
C
Am7
Dm7
F/ G
C
-
주 님 의 그 - 은 혜 -

321 이것을 너희에게

(미 1052)

(담대하라)

문찬호

Dm C B♭ A7
이것 을 너희에게 이름은 너희로 내안에서 평안
사랑
Dm C B♭ A7 1. Dm
을 영원토록 누리게 하려 함이라 이것
2. Dm B♭ Dm Gm Dm C
라 세상에서 너희가 환난을 당하나 담대하
B♭ Dm F Asus4 A7
라 세상을 이기었노라하시니라 이것
Dm C B♭ A7
을 너희에게 이름은 너희로 내안에서 축복
Dm C B♭ A7 Dm
을 영원토록 누리게 하려 함이라

이 날은 이 날은

(This is the Day)

Les Garret

F
C7
1. 이날 -은 이날 - 은주의 지 으 신 주의 날 일 세
2. 이날 -은 이날 - 은나의 모 든 죄 사함 받 은 날
3. 이날 -은 이날 - 은우리 주 님 이 부활 하 신 날
4. 이날 -은 이날 - 은성령 님 께 서 임하 시 는 날
C
F
C7
F
기쁘 하고 기쁘 하며 즐거 워 하 세 즐거 워 하 세
B♭
F
B♭
F
이날 은주의 날 일-세 기 쁘 하고 즐거 워 하-세
F
C7
F
이날 -은 이날 -은 주의 날 일 세

323

이 땅의 황무함을

(미 1361)

(부흥)

고형원
A E/G♯ F♯m F♯m/E D Dmaj7
이 땅의황무함을 보소서 - 하늘의 하나님 - 긍휼을
E E7 Amaj7 E/G♯ F♯m F♯m/E Bm/D G/D
베푸시는주여 우리의죄악 용서 하소서 - 이땅 고쳐 주소
E E7 A E/G♯ F♯m F♯m/E D Dmaj7
서 이제우리모두하 나되어 - 이땅의 무너진 - 기초를
E E7 Amaj7 E/G♯ F♯m Bm/D G/D Esus4
다시쌓을때 우리의우상 들을태우실 - 성령의불 - 임하소 서
A2 F♯m Bm
부흥의불길 - 타오 르게 하소서 - 진리의말씀 - 이땅 새롭게
Esus4 E A2 F♯m Bm
하소서 - 은혜의강물 - 흐르게 하소서 - 성령 의바람
Esus4 Amaj7 C♯m/G♯ F♯m F♯m/E D Bm
- 이제불어 와 오 - 주 의 - 영 광 가 득한 새 날주 소
E E7 Amaj7 C♯m/G♯ F♯m F♯m7 Bm/E E7 A
서 오 - 주 님 - 나 라 이 땅에 임 하 소 서

(미 1537)

이 세상 어두움에

(생명수의 샘물)

J.W.Peterson

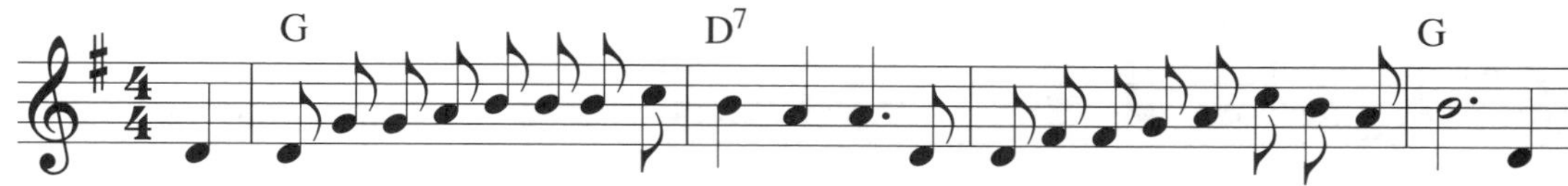

1. 이 세상어두움에가득 찼 으 나 나 항상주앞에나옵니 다 주
2. 주 님의생명수가흘러 내 리 니 내 모든시험이 길수있 네 주
3. 친 구여지금갈보리로 나 와 서 구 원의기쁜소 식들으 라 주

님 의 축 복 우 리 에 게 주 시 니 그 생 명 수 의 샘 물 마 시 네
님 의 크 신 은 혜 내 게 임 하 니 나 소 리 높 여 주 찬 양 하 리
님 의 생 수 아 낌 없 이 주 시 니 목 마 른 영 혼 만 족 하 겠 네

생 명 수 의 샘 물 마 시 면 서 나 는 기 쁘 고 또 나 는 기 쁘 다

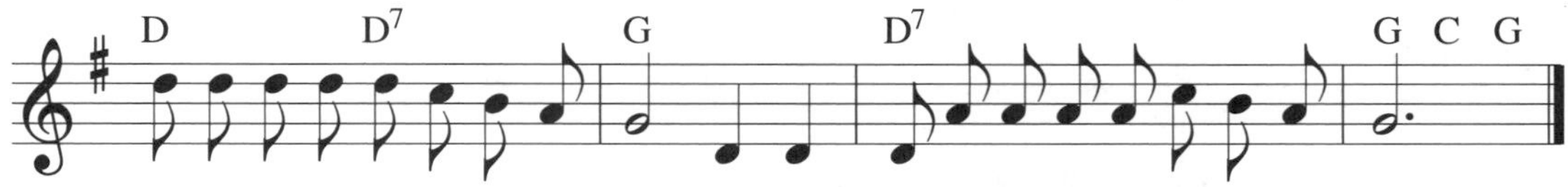

생 명 수 의 샘 물 마 시 면 서 그 풍 성 함 을 가 득 채 우 네

325 이와같은 때엔

(미 621)

(In moments like these I sing out a song)

David Graham

D Bm7 Em7 A7 Adim Em7
이와 같은 때엔 난 노래하네 사랑을 노
이와 같은 때엔 난 기도하네 조용히 기
Em7/A A Dmaj7 G2/A D Bm7
래하네 주님께 이와 같은 때엔 손
도하네 주님께
Em7 A7sus Adim Em7 Em7/A A7 D C/D D7
높이 드네 손 높이 드네 주님께 - 주님
Gmaj7 A7 Dmaj7 D7 Gmaj7 A7 Dmaj7 D D7 Gmaj7
사랑해요 - 사랑해요 - 사
A Bm G D/A A7 D C/D D7
1. 2.
랑해요 주님 사랑해요 - 주님 -

이제 내가 살아도

최배송
1. 이 제 내 가 - - 살 아 도 주 위 해 살 고
하 늘 영 광 - - 보 여 주 며 날 오 라 하 네
2. 이 제 내 가 - - 떠 나 도 저 천 국 가 고
우 리 예 수 - - 찬 송 하 며 나 는 가 겠 네
이 제 내 가 - - 죽 어 도 주 위 해 죽 네
할 렐 루 야 - - 찬 송 하 며 주 께 갑 니 다
이 제 내 가 - - 있 어 도 주 위 해 있 네
천 군 천 사 - - 나 팔 불 며 마 중 나 오 네
그 러 므 로 나 는 사 나 죽 으 나 주 님 의 것 이 요
사 나 - 죽 으 나 - - - 사 나 - 죽 으 나
날 위 해 피 흘 리 - 신 내 주 님 의 것 이 요

327 이젠 고난의 끝에 서서

김종순 & 석명호

G C Am D
이젠 고 난의끝에 서서 저 축복의땅바라보세 요 당신
이젠 고 난의끝에 서서 저 소망의땅바라보세 요 당신
이젠 고 난의끝에 서서 저 평화의땅바라보세 요 당신
이젠 고 난의끝에 서서 저 복락의땅바라보세 요 당신
G Am D G
의 아픔 당신 의 고난 주님 이 다지고가신 다오— 눈물
의 눈물 당신 의 쓴잔 모두 잊 은바될것이 라오—
의 아픔 당신 의 고난 주님 이 다지고가신 다오—
을 통해 축복 을 이를 우리 주 님의—그계 획을—
C G A D
없 이 받을수 없어요 고난 없 이 미래또한 없 지—요 당신
G C Am G D7 G
의 마 음중심에 거 하시는 주님 을 기 억 해 봐 요

(미 1211)

이 험한 세상

(찬송하며 살리라)

정석진

C Em Dm Dm7/F Gsus4 G
이 험한 세 상 나 살아갈동 안
내 작은손 에 불 밝혀들고 서
C Em Am/E F D/F♯ 3 G
내 주님가신 길 걸으며 내 주 님을 찬양해 -
이 세상다시 오 시 - 는 내 주 님을 맞으리 -
C Em Dm Dm7/F Gsus4 G
십 자가 보 혈 날 구한그사 랑
내 무거 운 짐 다 벗겨주시 고
C Em F D/F♯ D7/F♯ Gsus4 G7
나 매일찬송 을 드려도 늘 부족한것 뿐이니
그 아름다운 금 면류관 날 위해예비 하시리
C Dm G G7 C
나 호흡있는 동안에 - 나 생명있는 동안에 -
Am Dm Dm7 F G7 C
나 주를찬양 하리라 - 내게 생 명 주신주님 을

329 인생길 험하고 마음 지쳐

(미 886)

(예수님 품으로)

조용기 & 김보훈
G D7 G C
1. 인생길 험하고 마음지쳐 살아갈
2. 평생의 모든꿈 허물어져 세상의
3. 어둔밤 지나면 새날오고 겨울이
C G D7 G G7 C
용기 없어질 때 너홀로 앉아서 낙심치 말
친구 다떠날 때 어둠에 앉아서 울지만 말
가면 봄이오듯 이세상 슬픔이 지나고 나
C G D7 G
고 예수님 품으로 나-오시오
고 예수님 품으로 나-오시오
면 광명한 새날이 다-가오네
G Em C A D
예수님은 나의생명 믿음소망 사랑되시니
G G7 C
십자가 보혈 자비의손길로
G Em D7 G
상처입은 너-를 고-치시리

(미 1175)

작은 불꽃 하나가

(Pass it on)
Kurt Kaiser
1.작은 불꽃하나 가 큰 불을일으 키-어- -곧
이 돋아나 면 새 들은지저 귀-고- -꽃
구 여당신 께 이 행복전하 고싶소- -내
주 위사람 들 그 불 에몸녹 이듯이- -주
들 은피어 나 화 창 한봄날 이라네- -주
주 는당신 의 의 지 할구세 주라오- -산
님 의사랑 이같이 한번경 험하면- 그 의사랑모
님 의사랑 놀라와 한번경 험하면- 봄 과같은새
위 에올라 가-서 세상에 외치리- 내 게임한주
두에게 전 하고싶으리 - -2.새싹
희망을 전 하고싶으리 - -3.친-
의사랑 전 하기원하네 - -산
위 에올라 가 서 세 상에 외치리- 내
게 임한주 의사랑전 하 기 원 하네 - -

331 저 멀리뵈는 나의 시온성

(미 1162)

(순례자의 노래)

G G7 C G Em
1. 저 멀리뵈는 나 의 시 온 성 오 거 룩한곳
2. 아 득한나의 갈 길 다 가 고 저 동산에서
A D D7 G G7
아 버 지 집 – 내 사 모하는 집 에
편 히 쉴 때 – 내 고 생하는 모 든
C G Am D7 G G7
가 고 자 한 밤 을 새 웠 네 –
일 들 을 주 께 서 아 시 리 –
C G D7
저 망 망 한 바 다 위 에 이 몸 이 상
빈 들 이 나 사 막 에 서 이 몸 이 곤
D7 G G7
할 지 라 도 – 오 늘 은 이 곳 내 일 은
할 지 라 도 – 오 내 주 예 수 날 사 랑
C G C G D7 G
저 – 곳 주 복 음 전 하 리 –
하 – 사 날 지 켜 주 시 리 –

(미 1045)

332 저 성벽을 향해

(Blow the trumpet in Zion)

Craig Terndrup

Dm
F
Gm
저 성 벽을향해 전 진하라 주님이우 리
1. A7
Dm
2 A7
Dm
C/D
Dm
대장되신다 저 대장되신다 주 가 명령하 네 강
A7
Dm
C/D
Dm
한 군 사들 아 주 가 명령하 네 강
A7
Dm
Dm
한 군사들 아 나팔소 리 시 온성에
A7
G/B A/C♯ Dm
크 게울려 거룩한성 에 나 팔소 리 시 온성에
A7
1. Dm
2. Dm
울 - 려 라 라

333 저 죽어가는 내 형제에게

(미 1635)

(메마른 뼈들에 생기를)

고형원

G Em C Am D7

저 죽어가는 – 내형제 에게 – 생명 을 주소 서 흑

G Em C Am D7

암의권세 – 에매여 – 내일 을빼앗긴 – 저들에 게 저

G Em C Am D7

소망없는 – 텅빈가 슴에 – 새날 을 주소 서 고

G Em C Am Dsus4 D

통의멍에 – 에매여 – 신음 하고있는 – 저들에 게 – 아버지

G Em C Am D7

여 이백 성 다 시 살게하소 서 묶였

G Em Em/D C Am Dsus4 D

던 자 자유케되 는 영 광 의 날을주 – 소 서 아버지

G Em Em/D C Am D7
여 이나 라 주 의 것되게하 – 소 서 영원

G B7 Em C D7 Gsus4 G Fine
하 신 하늘아버 지 다 시 섬기게하소 서
E♭ F/E♭ B♭/D Cm F
메 마른뼈들에- 생 기 를 부어 주소서-아버지
B♭ E♭ F/E♭ B♭/D
의 긍휼- 주의 군 대 로-서 게 하 소 서
Cm D sus4 D7 D.S.
성령 의 바람-이제 불어 와 - 아 버 지

334

저 하늘에는 눈물이 없네

(미 966)

Joyce Lee

F C
1. 저하 늘에는 눈물 이없네 거기 는슬픔도없 네
2. 저하 늘에는 눈물 이없네 거기 는기쁨넘치 네
3. 저하 늘에는 눈물 이없네 거기 는즐거움있 네
F C7 F
저하 늘에는 눈물 이없네 거기 는승-리만있 네
저하 늘에는 눈물 이없네 거기 는찬-송넘치 네
저하 늘에는 눈물 이없네 거기 는사-랑넘치 네
F C7
고통 은모두다 사라 져버리고 영광 만가득하겠 네
세상 의근심은 사라 져버리고 영광 만가득하겠 네
인간 의욕심은 사라 져버리고 영광 만가득하겠 네
F C7 F
우리 의주님과 나함 께있을때 영원 한기-쁨넘치 네

(미 2066)

전능하신 나의 주 하나님은 335

(Nosso Deuse poderoso)

Alda Celia

A E/A A E/G# F#m C#m7
전능 하신나-의주-하나--님은- 능치 못하실-일 전혀-
D A/C# Bm7 D7/C Bm7
없-네- 우리 의 모든-간구--도 우리 의모든-생각--도 우리
A/B D/E Amaj7 D/E A E/A
의모든-꿈과-모든-소망--도- 신실 하신나-의주-하나--님은
A E/G# F#m C#m7 D A/C#
- 우리의 모든괴-로움-바꿀-수- 있-네- 불가
Bm7 D7/C Bm7 A/B D/E
능한일-행하-시고 죽은 자를일-으키-시니 그를 이길자-아무-도
A Bm A/C# Dmaj7 E/D C#m7 F#m
없--네- 주의말씀 의지 하 여- 깊은곳에 그물 던져- 오늘
Bm7 D/E Amaj7 Em7 A/C# Dmaj7
그가놀 -라운- 일을-이루 -시는-것보라 - 주의말씀 의 지 하여 -
E/D C#m7 F#m Bm7 A/C# D E A
믿음으로 그 물 던져- 믿는 자에겐-능치-못함-없네 -

336

전심으로 주 찬양

(주의 찬송 세계 끝까지)

고형원

E G♯m A B7 E
전 심으로주 찬 양 주의 이름높-이올려드리 세
E G♯m A B7 E
위 대하신하나 님 온땅 위에높-이올려드리 세
A B7 G♯m C♯m A B7
주 의영광은-하 늘위 에높고 주의찬 송은세계 끝까
E E7 A B7 G♯m G♯ C♯m
지 - - 주 의영광은-모 든나 라위 에 주의
A B7 E
찬 송은 세 계끝 -까 지

(미 843)

정결한 마음 주시옵소서

(Create in me a clean heart)

정 결 한 마음주시 옵 소 서- 오 - 주 님
정직한영을 새 롭게하소 서 - - 나를
주 님앞 에서 - 멀리 하 지 마 시 고 - 주의
성 령을 거 두지 마옵소 서 - 그
구 원의기 쁨 다시 회 복시 키 시-며
변치않는맘 내 안에주소 서 -

338 정말일까

Brother Will

G
Em
C
D7
정 말 일 까 당 신 이 하 신 일
매 일 주 는 십 자 가 지 시 나
정 말 일 까 당 신 이 당 한 일
당 신 말 씀 너 무 나 평 범 해
우 린 역 시 주 님 을 부 인 해
멸 시 천 대 십 자 가 의 죽 음
내 맘 에 실 망 가 득 했 - 으 나
그 러 나 당 신 은 용 서 - 하 며
그 러 나 당 신 은 부 활 - 했 네
이 제 야 비 로 소 - 그 뜻 을 알 겠 네
언 제 나 그 사 랑 - 베 풀 어 주 시 네
이 제 야 비 로 소 - 확 실 히 믿 겠 네

(미 671)

존귀 오 존귀하신 주

339

(Worthy is the Lord)

Mark Kinzer

E A E A/E E Fdim7
존귀 오 존-귀하-신 주 - 감사찬양
F#m B7 E B7
과-경배-다 받으실 주 님
E A E A/E E Fdim7
존귀 오 존-귀하-신 주 - 감사찬양
F#m B7 E E7
과-경배- 다 받으실주 님 - 찬양
A B7 E B7/D# C#m
할 렐 루-야 보 좌위어 린양께 - 우
F#m B7 E E7
리 경 배 하-며 영 광돌리네 -
A B7 E B7/D# C#m
할 렐 루-야 우 리왕 께 영-광- 주는
F#m B7 F#m7 Bsus4 B7 E A E (B7)
승 리의용 --사 또 만 유 의 주 님 -

340 좋으신 하나님

(미 924)

1. 좋으신 하나님 좋으신 하나님
2. 우리의 기도를 응답해 주시는
3. 한없는 축복을 우리게 주시는

E E7 A E B7 E

참 좋으신 나의 하나님
참 좋으신 나의 하나님
참 좋으신 나의 하나님

(미 1857)

좋으신 하나님 너무나 내게

Terry Clark

C7sus4
F F6 F7 F6 F F6
좋 으 신 하 나님 - 너무도내계좋 은분
F7 F6 C C7 1.3. F F6 C7sus
- 찬양하리 영 원히 -참좋은 분 -좋으신
2.4. F F7 Fmaj7 F7 B♭ B♭maj7 B♭ B♭maj7 B♭
Fine
분 -워워워 난 노래 하-리라---
F Fmaj7 F Fmaj7 F B♭ B♭maj7
내 평 생 사는동안--- 언 제 나
B♭ B♭maj7 B♭ G7 G6 G7 C7 C7sus4
D.S.
함께하시--니 난 찬양하리 라 -좋으신

342 죄많은 이 세상은

(미 958)

(이 세상은 내 집 아니네)

4/4
G G7 C G
1. 죄 많은 이 세상은 내 집 아니네 내 모든 보화는 저
2. 저 천국에서 모두 날 기다리네 내 주 예수 피로 죄
3. 저 영광의 땅에 나 길이 살겠네 손 잡고 승리를 외
A7 D D7 G G7 C
하늘에 있네 저 천국 문을 열고 나를 부르네
씻음 받았네 나 비록 약하나 주님 날 지키리
치는 성도들 이 기쁜 찬송 하늘 울려 퍼지네
G D7 G
나는 이 세상에 정들 수 없도다
G G7 C G
오 주님 같은 친구 없도다 저 천국 없으면 난
A7 D D7 G G7 C
어떻게 하나 저 천국 문을 열고 나를 부르네
G D7 G
나는 이 세상에 정들 수 없도다

(미 1089)

죄송해요

343

죄송해 요 죄송해 요 정 말잔치에 갈수 없어 장가

가야 하고 소도 사야 하고 논과 밭 에 나가 서 할일은많아 내

어이하리죄송해 요

1. 한어느 마을의멋진집에 살던사람이 큰
2. 이때에 주인이화가나서 일어나더니 모
3. 이얘기 모두가우리위해 씌여졌구나 주

잔 치 를벌여놓고 손 님청했네 그가 널 리 이웃더러
든 종 을불러세워 명 령하기를 눈먼 사 람 절름발이
님 께 서영광스런 잔 치베풀고 내게 오 라 명령할때

오라 했더니 그 때 모든사 람 들이 대답하는말 죄송해
가릴 것 없이 모 두 불러이 자 리를 가득채워라 죄송해
주저 한 다면 너 도 나도밀 려 나고 후회하리라 죄송해

344

죄악된 세상을

(미 1172)

(불 속에라도 들어가서)

최수동 & 김민식

F Dm Gm C7
1. 죄 악된 세상을 방황하다가 천국
2. 탕 자를 살려준 주님말씀에 죄인
3. 골 고다 언덕길 오르신 예수 추수
F Dm Gm/B♭ C7
과 지옥도 나－는 몰랐네 고집
의 두다리 묻－어 두었네 아들
할 일꾼들 찾－아 부르네 거친
F Am B♭ B♭/D C7/E
대 로 영죽을 험한세상이 왜그
이 여 일어나 내손을잡고 남은
바 다 험한산 피가맺혀도 십자
F B♭ F F/C C7 F
리 －더러운지 이제야아네
몸 －모든영혼 바치라하네
가 －내가지고 끝내이기리
F Am Gm B♭
불속에라도 들어 가서 － 불속에라도 들어 가서 －
C7 F Gm C7 F
세상에 널리 전하리 주의사랑을

(미 905)

죄악에 썩은 내 육신을

345

(주님의 빚진 자)

김석균

G C D7 G D7
죄악에썩은 내－육신을 주님이 쓰시려했 네－－
먹물로칠한 내－육신을 주님이 희게하셨 네－－
평생갚아도 빚진자 되어 주님의 빚진자되 어－－
G C D G
죽 음의덫에 걸려있는몸 주님이 쓰시려했 네
십 자가보혈 증거하라고 주님이 살－리셨 네
주 님가신길 택하였건만 눈물만 솟－구 치 네
G C D7
속죄하는손 치유하시고 속죄하는발 치 유하셨네
기도할때에 음성주시고 찬송할때에 기 쁨되시네
생명주신이 주님이시라 능력주신이 주 님이시라
G G7 C G D7 G
새생 명얻은 이 몸다바쳐 주님께 영광돌리 리
내작 은입이 내 작은몸이 주님의 붙들린자 라
말씀 전하여 복 음전하여 주님의 빚을갚으 리

346 죄악의 사슬에서

배성현 & 서해원

C Am G7 C
죄악 의 - 사슬에 - 서 괴로 움 에눈물흘릴 때 말씀
첫사 랑의뜨거움 - 에 식어 져 서눈물흘릴 때 십자
광야 의 - 세상에 - 서 외로 움 에눈물흘릴 때 골고
C F C G7 C C7
으 로찾아오 신 주님 영생 을 약 속하 네 주님
가 를지고가 신 주님 평안 을 약 속하 네 주님
다 로걸어가 신 주님 천국 을 약 속하 네 주님
Am F C Dm7 D7 G7
의 은혜 사모 하는곳에 주의 응 답 임 하 니 간절
의 사랑 사모 하는곳에 주의 응 답 임 하 니 간절
의 재림 사모 하는곳에 주의 응 답 임 하 니 간절
C Em7 F C G7 C
히 기다 리는마 음 주여 내게자유주 소 서
히 기다 리는마 음 주여 내게승리주 소 서
히 기다 리는마 음 주여 내게오시옵 소 서

(미 1207)

죄에 빠져 헤매이다가

347

(내게 오라)

권희석

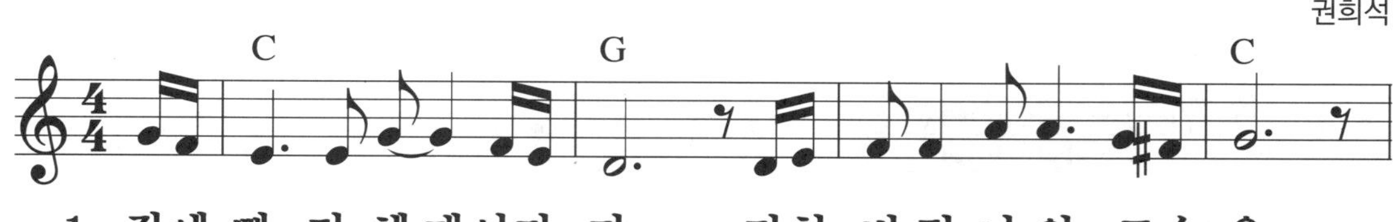

1. 죄에 빠 져 헤매이다 가 　지쳐 버린나의 모습 은
2. 수많 은 사 람 -중에 서 　주님 이날부르 실때 에

못견 디는 아픔 속에 서 　그렇 게 쓰러 졌을 때
설레 이는 나의 마음 은 　그렇 게 기쁠 수없 네

아무 도 오는사람이없 어 　정말 로난 외로 웠- 네
이제 나 도- 주님위하 여 　내모 든것 다드 리- 리

그때 주님내게 찾아 와 　사랑 으로 함께 하셨네
내가 가진모든 것들 을 　아낌 없이 주께 드리리

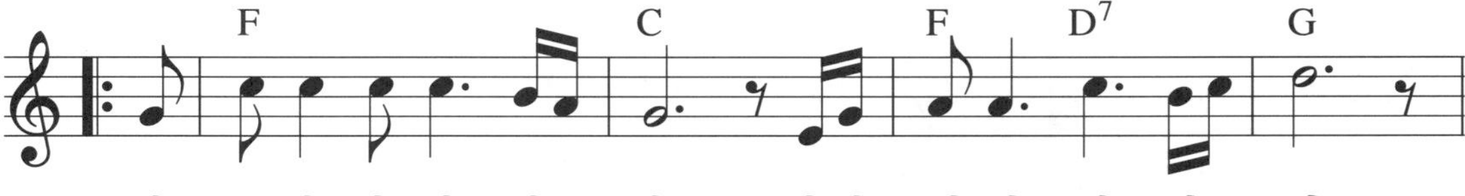

병 든자여내 게오 라 　가난 한자 내 게오 라
슬 픈자여내 게오 라 　괴로 운자 내 게오 라

죄에 빠 진많은사 람 들아 모두 다 　내 게오 라
삶에 지 친많은사 람 들아 모두 다 　내 게오 라

죄인들을 위하여

(미 888)

(예수 안에 생명)

김석균

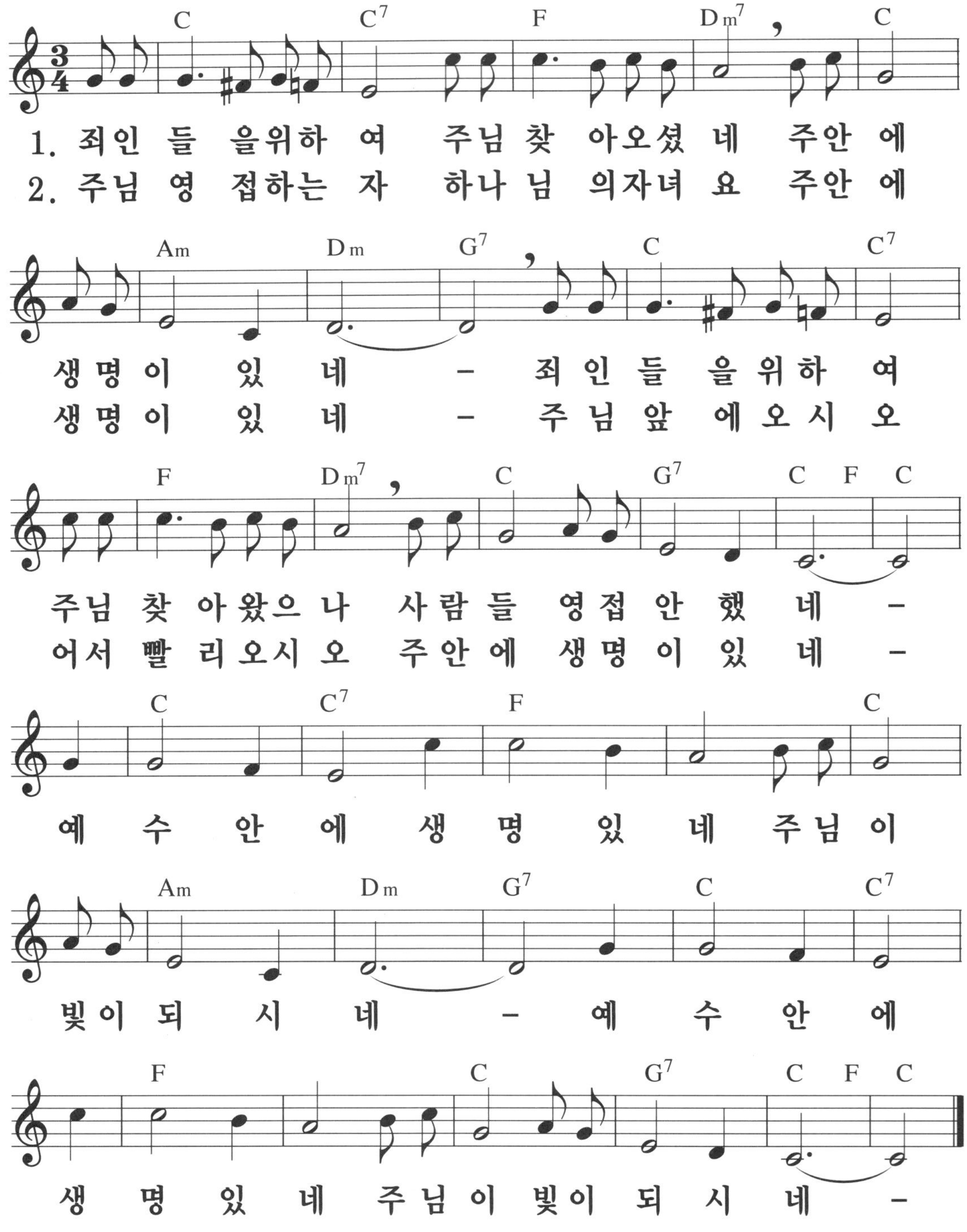
C C7 F Dm7 C
1. 죄인 들 을위하 여 주님찾 아오셨 네 주안 에
2. 주님 영 접하는 자 하나 님 의자녀 요 주안 에
Am Dm G7 C C7
생명이 있 네 - 죄인들 을위하 여
생명이 있 네 - 주님앞 에오시 오
F Dm7 C G7 C F C
주님 찾 아왔으 나 사람들 영접 안 했 네 -
어서 빨 리오시 오 주안에 생명 이 있 네 -
C C7 F C
예 수 안 에 생 명 있 네 주님이
Am Dm G7 C C7
빛이 되 시 네 - 예 수 안 에
F C G7 C F C
생 명 있 네 주님이 빛이 되 시 네 -

주가 보이신 생명의 길

박정은

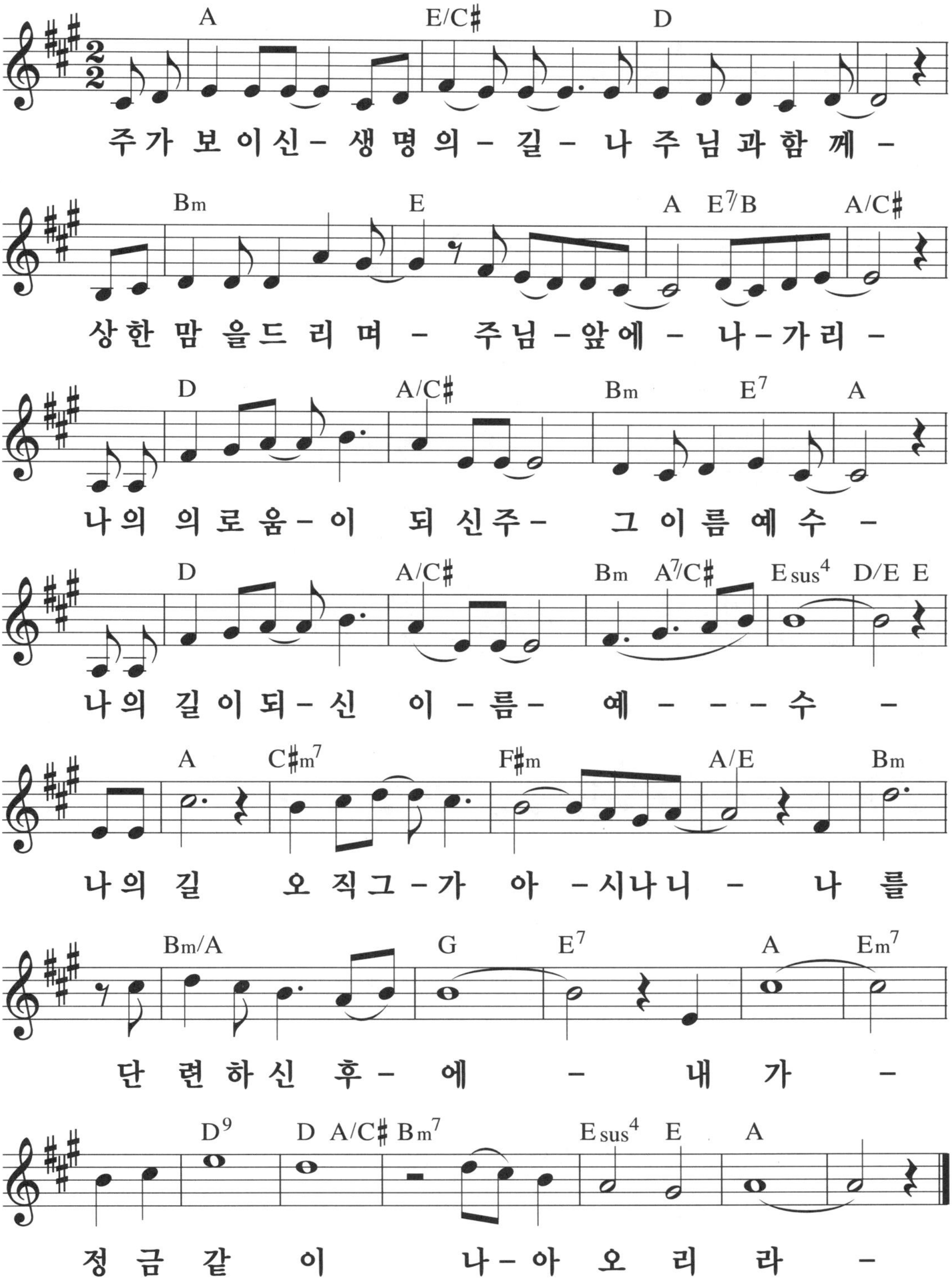

주 가 보 이 신 - 생 명 의 - 길 - 나 주 님 과 함 께 -

상 한 맘 을 드 리 며 - 주 님 - 앞 에 - 나 - 가 리 -

나 의 의 로 움 - 이 되 신 주 - 그 이 름 예 수 -

나 의 길 이 되 - 신 이 - 름 - 예 - - - 수 -

나 의 길 오 직 그 - 가 아 - 시 나 니 - 나 를

단 련 하 신 후 - 에 - 내 가 -

정 금 같 이 나 - 아 오 리 라 -

350 주가 지으신 주의 날에

(기쁨의 노래)

박기범 & 이지음

G　CM7

주가지으 – 신 주 – 의 날 – 에 우리다함 – 께 기

여호와는 – 내 빛 – 과 구 – 원 하나님은 – 내 힘

CM7　Em

– 쁨 으 – 로 즐거워하 – 며 주 – 께 나 – 가

– 과 방 – 패 내영혼이 – 주 를 – 기 뻐 – 하

1. C9　2. CM7

세 네 – yeah – –

D　C　G9　D/F♯

할 렐 루 – 야 선 하고인 – 자 하 – 신 – 하나님

Em　A　CM7　D

– 이구원의기 – 쁨 – 감 출 수 없 네 –

D　C　G9　D/F♯

할 렐 루 – 야 모 든 전쟁 – 을 승 – 리 – 하신 왕

Em　A　CM7　Dsus4　D

– 이승리의노 – 래 – 멈 출 수 없 네 –

G sus4 G G sus4 G D/E Em D/E E7
기 뻐 - 기 뻐 으 로 - 노래 하 네 - 노 래 해 -
기 뻐 - 기 뻐 으 로 - 춤을 추 네 - 춤 추 네 -
Am7 D sus4 D 1. F D sus4 D
나 를 구 - 원 하 - 신 주 - 생 명 주 셨 네 -
승 리 하 - 신 왕 - 의 왕 -
2. F D sus4 D G
다 스 리 시 네 - 기 뻐 해

351

주께 가오니

(미 1535)

(The power of Your love)

Geoff Bullock

주께가 오니 – 날새롭게 하 시고 – 주의은혜
나의눈 열어 – 주를보게 하 시고 – 주의사랑

를 부어주 – 소 서 내안에발견한 –
을 알게하 – 소 서 매일나의삶에 –

나의연약 함 모두 – 벗어지리 라 – 주의사랑 으로
주뜻이뤄 지 도록 – 새롭게하소 서 –

– – – – 주 사랑 – 나를붙드 시 – –

고 주 곁에 – 날이끄소 –서 – –

독 수리 – 날개쳐올라 가 – – 듯 나주님과함

께 일어나걸으 리 주의사랑안에 – – – –

(미 982)

주께서 내 길 예비하시네

조일상

F C^{7} F

1. 주 께 서 내 길 예 비 하 시 네 –
2. 나 이 제 주 를 따 라 가 려 네 –
3. 나 이 제 겸 손 하 게 살 려 네 –
4. 나 이 제 기 도 하 며 살 려 네 –
5. 나 이 제 승 리 하 며 살 려 네 –

F C^{7} F F^{7}

주 께 서 내 길 예 비 하 시 네 –
나 이 제 주 를 따 라 가 려 네 –
나 이 제 겸 손 하 게 살 려 네 –
나 이 제 기 도 하 며 살 려 네 –
나 이 제 승 리 하 며 살 려 네 –

B♭ F Dm

이 제 하 루 하 루 를 주 를 위 해 살 리 라
세 상 죄 길 버 리 고 생 명 길 을 찾 았 네
세 상 죄 길 버 리 고 생 명 길 을 찾 았 네
세 상 죄 길 버 리 고 생 명 길 을 찾 았 네
세 상 죄 길 버 리 고 생 명 길 을 찾 았 네

G^{7}/B F/C C^{7} F

주 께 서 내 길 예 비 하 시 네 –
나 이 제 주 를 따 라 가 려 네 –
나 이 제 겸 손 하 게 살 려 네 –
나 이 제 기 도 하 며 살 려 네 –
나 이 제 승 리 하 며 살 려 네 –

353 주께 두 손 모아

(미 1125)

(사랑의 종소리)

김석균

E B7 E
주 께 두손모아비 나니 크 신 은총베푸사 밝
주 께 두손모아비 나니 크 신 은총베푸사 주
A E F♯m B7
아 오는이– 아 침을 환 히 비 춰주소 서 오–
가 예비하신동 산에 항 상 있 게하소 서 오–
E B7 E A/E A B7
주 우리모든 허 물을 보 혈 의피로씻기 어 하–
주 우리맘에 새 빛이 어 두 움밝게하시 어 진–
E A E/B B7 E
나 님사랑 안 에 서 행 복 을–갖게하소 서 서–
리 의말씀 안 에 서 늘 순 종–하게하소 서 서–
B7 E A B7
로 믿음안에 서 서– 로 소망가운 데 서–
로 참아주면 서 서– 로 감싸주면 서 서–
E A C♯m F♯7 B7
로 사랑안에 서 손 잡 고가 는 길 오–
로 사랑하면 서 주 께 로가 는 길

E
B7
E
B7
E
주 사랑의종 소 리가 사- 랑 의종소리 가 이
A
A/E
E
B7
E
시 간우리 모 두-를 감 싸 게하여주소 서

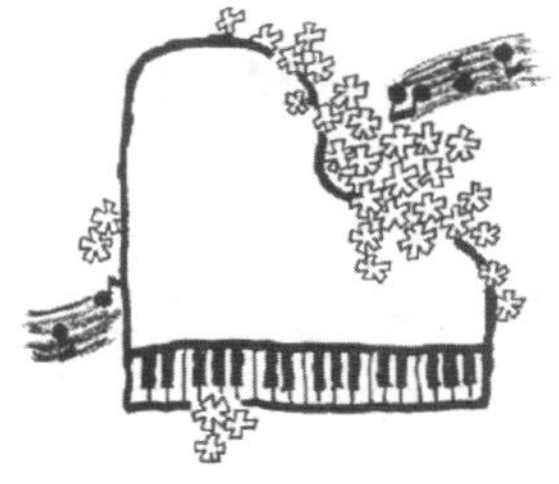

354

주께서 전진해 온다

(미 1043)

(For the Lord is marching on)

Bonnie Low

Dm C/D Dm Dm C/D Dm
주께서 전진해온다 그의 강한 승리의 군대-
B♭maj7 Am7 Gm7 Am7 B♭maj7 C Dm C/D
그의 영광찬란 하게 비 치- 네
Dm C/D Dm B♭maj7 C/B B♭maj7
찬양 하세 승리 의 노래 주찬 양 승리 의 찬양
Dm/A Gm7 B♭/C C B♭/C C Dm C/D D
누가 당 할손 가 주 님 의 군- 대
B♭ F B♭ F
우리 대장되신구주 예수 나 주님의뒤따 르면 누가
B♭maj7 Am7 Gm Am B♭ C 1.Dm C/D Dm 2.Dm
당 할손 가 주님 의군 대 우리 대

(미 593)

주께와 엎드려

355

(예배드림이 기쁨됩니다 / I will come and bow down)

Martin Nystrom

F/G C Am7sus Am Dm7 F/G G G/F
3
주 께 와 엎 드 려 경 배 드 립 니 다 주 계
Em7 A7 A/C♯ Dm Gsus4 G7
신 곳 엔 기 쁨 가 득 - 무 엇
Am Bsus4 B7 Em Asus4 A7
과 도 - 누 구 와 도 - 바 꿀 수 없 네 예 배
Dm7 Gsus4 G7 F/C C
드 림 이 기 쁨 됩 니 다 -

356

주께 힘을 얻고

(미 2058)

(축복의 사람)

설경욱

주 께 힘을 얻고그마음에 - 시온 의대로가 있는 그대는 -

하나님의- 축복 의사 람이죠- 주님 그대를-너무기뻐 하시죠 -

주의 집에거하기를사모 하 - 고- 주를 항상찬송하는 그대는 -

하 나님의- 축 복 의 사람이죠- 주님 그대를-너무사랑 하시죠 -

그대 섬김은-아름다운찬 송 그대 헌신은-향 기로운기 도

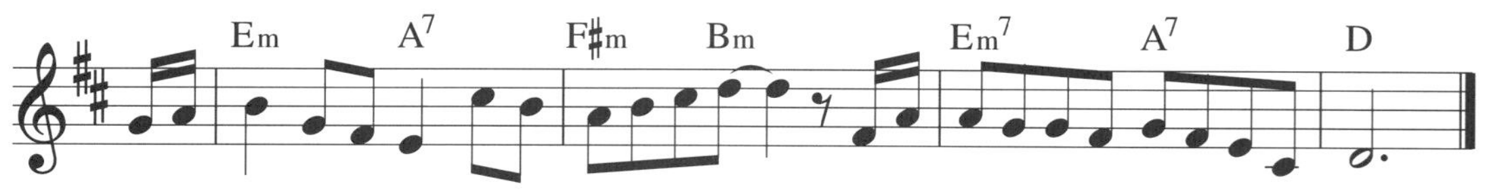

그대 가 밟는땅 어디 에서라도- 주님 의이름높아질거에 요

(미 941)

주 나의 사랑 나 주의 사랑

* 주 나의사랑 나주의사랑 그사랑은내기 쁨

* 주 나의사 랑 나 주의사 랑 그 사랑은내기 쁨

* 주 나의사 랑 나 주의사 랑 그사랑은내기 쁨

그 사 랑 은 내 기 쁨 –

* 2. 주 나의 목자, 나 주의 양
3. 주 나의 포도나무, 나 주의 가지
4. 주 나의 신랑, 나 주의 신부

358

주님 가신길

(미 865)

김영기, 최형섭

G G7 C G
1. 주 님 가 신 길 십 자 가 의 길 외 롭 - 고
2. 머 리 - 에 는 가 시 면 류 관 허 리 - 엔
3. 마 르 는 눈 물 타 는 목 마 름 피 로 찌 든
4. 우 리 의 생 명 주 께 드 리 네 나 의 자 랑
Em A7 Am D7 G G7
무 거 웠 던 길 - 골 고 다 의
굵 은 창 자 욱 - 손 과 발 목
십 자 가 위 에 - 하 늘 향 해
십 자 가 일 세 - 나 의 생 애
C G G D7 G G7
거 친 언 덕 길 지 치 - 신 주 님 의 음 성 -
다 - 찔 리 신 지 치 - 신 주 님 의 모 습 -
호 소 하 시 는 버 림 받 은 주 님 의 영 혼 -
주 님 가 지 사 주 님 영 광 나 타 내 소 서 -
C G Em
오 나 의 주 님 용 서 하 소 서 - 죄 인 위 해
A Am D7 G G7
고 난 받 으 셨 네 - 이 세 상 에
C G G Em D7 G C G
생 명 주 시 길 그 렇 게 도 원 하 셨 던 길 -

(미 908)

주님 것을 내 것이라고

359

(용서하소서)

김석균

C Am F C G7
1. 주님것 을 내것이 라고 - 고집 하며 - 살아 왔 네
2. 천한이 몸 내것이 라고 - 주의 일을 - 멀리 했 네
3. 주님사 랑 받기만 하고 - 감사 할줄 - 몰랐 었 네
C Am F C G7 C
금은보 화 자녀들 까 지 - 주님 것을 내 것이 라
주신이 도 주님이 시 요 - 쓰신 이도 주 님이 라
주님말 씀 듣기만 하 고 - 실행 하지 못 했었 네
G7 C F D G G7
아버 지여 - 철없는 종을 - 용서 하 여주 옵소 서
아버 지여 - 불충한 종을 - 용서 하 여주 옵소 서
아버 지여 - 연약한 종을 - 용서 하 여주 옵소 서
C C7 F C G7 C
맡긴 사명 - 맡긴재 물을 - 주를 위 해쓰 렵니 다
세상 유혹 - 다멀리 하고 - 주의 일 만하 렵니 다
주님 명령 - 순종하 면서 - 주를 위 해살 렵니 다

360

주님 곁으로 날 이끄소서

(미 1734)

(Draw me close to You)

Kelly Carpenter

A D/A E/A A
주님곁 - 으로 - 날 이끄 - 소 서 -
나의참 - 소망 - 그 무엇 - 과도 -
E2/G♯ D/F♯ F♯m9 F♯m9/E
내 모 든것 - 다 드 - 리 며 - 주 음 성 듣 - 기원
바 꿀 수없 - 는 주 - 사 랑 - 그 품 안 에 - 나안
Dmaj7 D6 A/E D/E E A D/E E
- 하네 - 주 님의 - 길로 - 인도하 - 소서 -
- 기리 -
A E/A D2/A A E/G♯ D2/F♯ E7sus4 E7
주님 - 만이 - 내모 - 든것 - 되시 - 니 -
A E/A D/A Esus4 E A
주님 - 만 을 - 더 알 게 하 소 서 -

(미 1243)

361

주님과 같이

(There is none like You)

Lenny LeBlanc

G D/F# C/E G/D C G/B Am D7
주님과같- -이- 내마음-만 지는 분은없네-
G D/F# G/F C/E G/D G/D D G
오랜세-월찾아 난알았네- 내겐- 주밖에없-- -네-
Fine
CM7 C/D G Em Am D/F# G
주 자비 강-같이 흐르-고 주 손길치-료-하- 네
CM7 C/D G Em Am C/G D/F# C/E D
고통 받는 -자녀품 -으-시- 니 주밖 에 없 네
D.C.

362 주님과 함께 하는

(미 1951)

(온 맘 다해 / With all my heart)

Babbie Mason

주 님과 함께하는 이 고요한-시-간 주 님의 보좌앞에 내
나 염려하잖아도 내 쓸것아-시-니 나 오직 주의 얼굴 구

마음을-쏟-네- 모든것 아시는 주님 께 감출것 없네 내
하게하-소-서 다 이해할수 없을때라도 -감사하며 날

맘과 정성 다해 주 바라나-이- (다) 다 온맘다
마다 순종하며 주 따르오-리-

해 사랑합니다- 온맘다해 주 알기 원하네 내 모든

삶 당신것 이니- 주만 섬기-리 온맘다해

(미 765)

주님께 찬양하는

현윤식
G C G
주 님께 - 찬 양하는 우 리의마 음
Am D7 G G7
얼마 나 아름 다 운 지 -
C Am G Em
주 님 께 - 찬 양하 는 모 든순 간
Am7 D7 G C G G Bm
내마 음 천 국일 세 - 찬 양
Em C D7 G G7
찬 - - 양 주님 께 찬양 드려 요 -
C Am G Em
두 손을 - 높 이들 고 마 음을모 아
Am7 D7 G C G
주 님 께 찬 양 드 려 요 -

364 주님 나를 부르셨으니

(미 993)

윤용섭

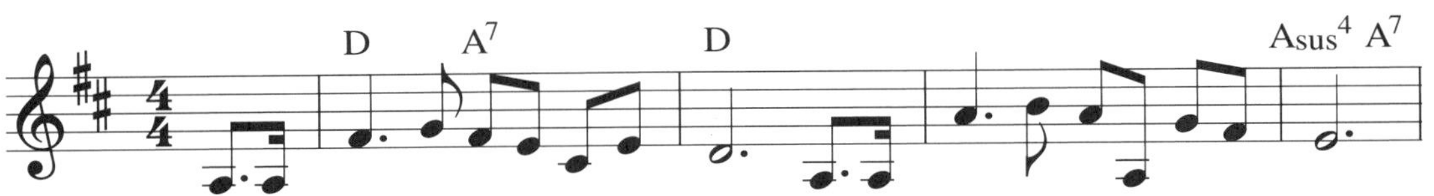

1. 주님 나 를부르셨으 니 주님 나 를부르셨으 니
2. 주님 나 를사랑했으 니 주님 나 를사랑했으 니
3. 주님 나 를구원했으 니 주님 나 를구원했으 니

내모 든 정성 내모 든 정 성 주만 위 해바칩니 다
이몸 바 쳐서 이몸 바 쳐 서 주만 따 라가렵니 다
소리 높 여서 소리 높 여 서 주만 찬 양하렵니 다

주 – 님 주 – 님 나 의 기 도 들 으 – 사
주 – 님 주 – 님 나 의 기 도 들 으 – 사
주 – 님 주 – 님 나 의 기 도 들 으 – 사

영원 토 록주님만 을 사 모 하 게하옵소 서
언제 까 지주님만 을 사 모 하 게하옵소 서
할렐 루 야주님만 을 사 모 하 게하옵소 서

(미 977)

주님 내가 여기 있사오니

(나를 받으옵소서)

최덕신

주님 내 가여 기있 사오니 나를 보 내 소- 서

나의 맘 나의몸 주께 드리오-니 주 받으옵 소 서

주님 내 가여 기있 사오니 나를써 주 소- 서

가진 것 모두다 주께드 리오-니 주 받으옵 소 서

알 렐 루 - 야 알-- 렐 - 루 - 야

알 렐 루 - 야 ---- 알 - 렐 루 야

야 나를 받 으 옵 소 서 나를 받 으

옵 소 서 -

366 주님 내 길 예비하시니

(미 772)

(여호와 이레)

홍정표

G C G D G
1. 주 님 내 길 예비하시니 나 기 뻐 합 니 다
2. 주 님 내 게 평화주시니 나 기 도 합 니 다
3. 주 님 내 게 승리주시니 나 찬 송 합 니 다
4. 주 님 나 를 치료하시니 참 감 사 합 니 다
5. 주 님 나 를 사랑하셨네 날 구 원 하 셨 네
G C G D7 G
주 님 내 길 예 비 하 시 니 나 기 뻐 합 니 다
주 님 내 게 평 화 주 시 니 나 기 도 합 니 다
주 님 내 게 승 리 주 시 니 나 찬 송 합 니 다
주 님 나 를 치 료 하 시 니 참 감 사 합 니 다
주 님 나 를 사 랑 하 셨 네 날 구 원 하 셨 네
G C G D7 G
여 - 호 와 이 레 여 - 호 와 이 레
여 - 호 와 샬 롬 여 - 호 와 샬 롬
여 - 호 와 닛 시 여 - 호 와 닛 시
여 - 호 와 라 파 여 - 호 와 라 파
할 렐 루 야 아 멘 할 렐 루 야 아 멘
G C G D7 G
주 님 내 길 예 비 하 시 니 여 - 호 와 이 레
주 님 내 게 평 화 주 시 니 여 - 호 와 샬 롬
주 님 내 게 승 리 주 시 니 여 - 호 와 닛 시
주 님 나 를 치 료 하 시 니 여 - 호 와 라 파
주 님 나 를 사 랑 하 셨 네 할 렐 루 야 아 멘

(미 1994)

주님 다시 오실때까지

367

고형원

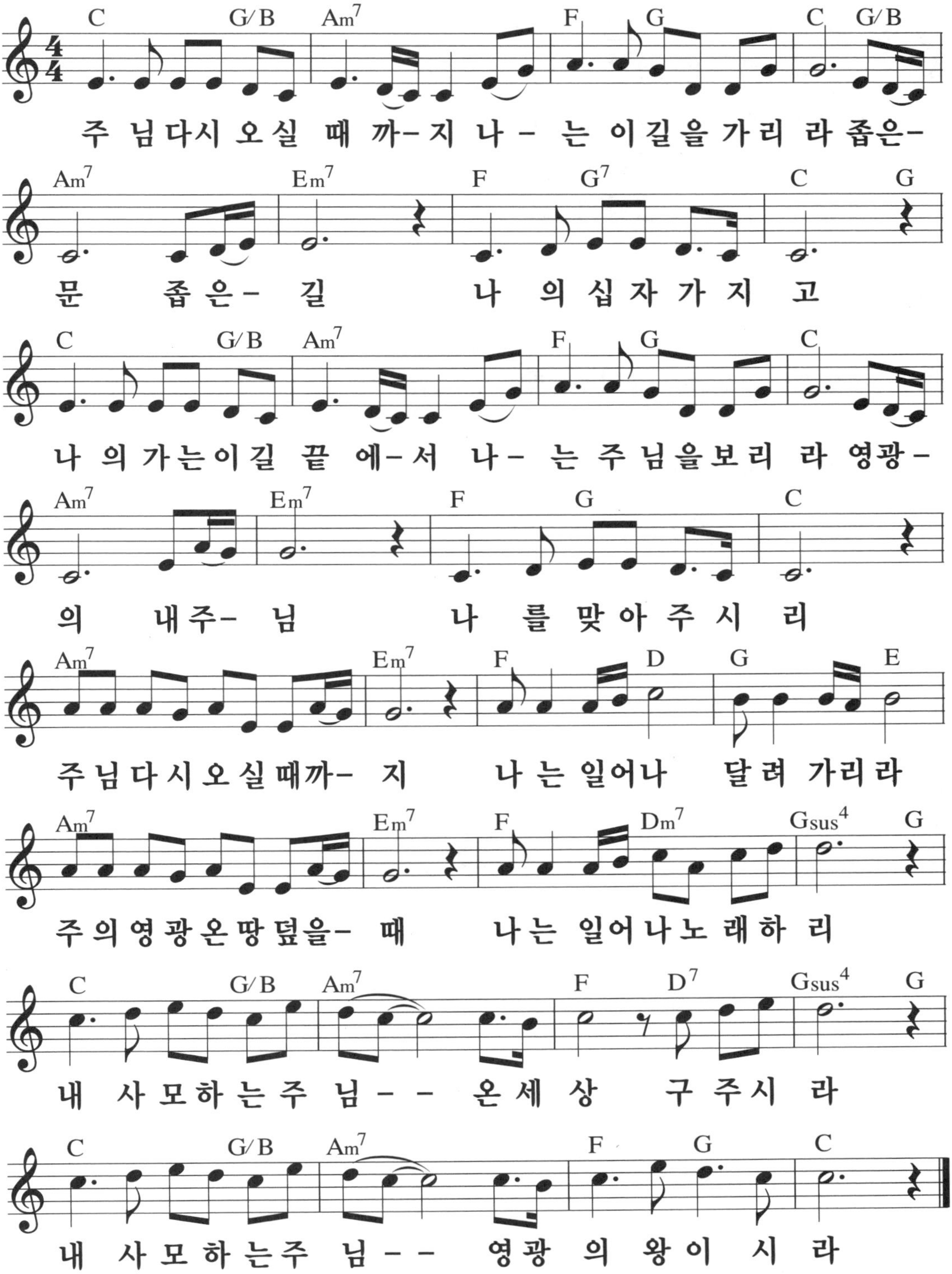

주 님 다 시 오 실 때 까 - 지 나 - 는 이 길 을 가 리 라 좁 은 -
문 좁 은 - 길 나 의 십 자 가 지 고
나 의 가 는 이 길 끝 에 - 서 나 - 는 주 님 을 보 리 라 영 광 -
의 내 주 - 님 나 를 맞 아 주 시 리
주 님 다 시 오 실 때 까 - 지 나 는 일 어 나 달 려 가 리 라
주 의 영 광 온 땅 덮 을 - 때 나 는 일 어 나 노 래 하 리
내 사 모 하 는 주 님 - - 온 세 상 구 주 시 라
내 사 모 하 는 주 님 - - 영 광 의 왕 이 시 라

368

주님 뜻대로

(미 658)

Norman Johnson

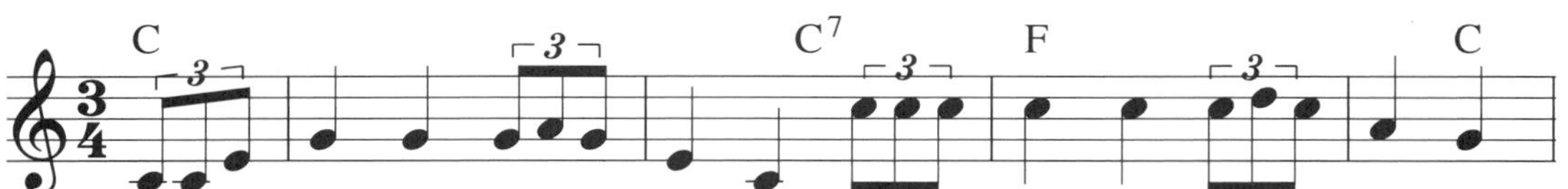

1. 주님뜻 대 로 살기로 했 네 주님뜻 대 로 살기로 했 네
2. 이세상 사 람 날몰라 줘 도 이세상 사 람 날몰라 줘 도
3. 세상등 지 고 십자가 보 네 세상등 지 고 십자가 보 네

주님뜻 대 로 살기로 했 네 뒤돌아 서 지않 겠 네
이세상 사 람 날몰라 줘 도 뒤돌아 서 지않 겠 네
세상등 지 고 십자가 보 네 뒤돌아 서 지않 겠 네

(미 1757)

주님 말씀하시면

(말씀하시면)

김영범

주님 말씀 하-시 면- 내가나아가-리다- 주님
뜻이아-니면- 내가 멈춰서-리다- 나의
가고서-는것- 주님 뜻에있-으니- 오주
-님- 나를이끄-소-서- 주님 뜻하
신그-곳에- 나있기원합-니-다- 이끄
시는-대로- 순종하며살-리-니- 연약한내-영혼
- 통하여 일하-소-서- 주님나라와-그뜻을위-하여
- 뜻하 오-주 -님- 나를이끄-소 -서-

Word and Music by 김영범.

370 주님 보좌 앞에 나아가

(미 1724)

(Lord I come before Your throne of grace)

Robert & Dawn Critchley

A D E A Dmaj7 A/C#
주 님보좌앞-에 나아가 참된 안식과기쁨-나
기 도들으시-는 하나님 폭풍 속에내등불-내
Bm7 Esus4 E7 Amaj7 D E E7 A F#7/A#
누리-겠네 경 배하-며주의얼-굴 구할때 신실
노래-시라 주의 날개-아래서내-맘 쉬리니
Bm7 Esus4 E7 A Bm7
하신주-님찬 양해 신실하-신 하나님-
D6/E E A D2/A A F#m
- 신실하-신 -주- 나의주-하
Bm7 D/E Esus4 E7 1. A D/E 2. A D/A
나 님은- 신실-하신 주 님 님
A D2/E A D E A Dmaj7 A/C#
평 화내려주-신 하나님 나로 고통받-는자-를 위로

Bm7
Esus4 E7
Amaj7
D
E
하계하-소서 -나의 평생에-주의 사랑 을 전하
F♯sus4
F♯
Bm7
Esus4 E7
A
G/A
A7
D.S.
리 - 신실 하신주-님찬양 해 신실하-신
D/E
Esus4
E7
Bm7
Esus4 E7 A
신실-하신 주 님 -

371

주님 사랑해요

(미 721)

이정림

G
B7/F#
Em
Em7/D
주님 – *사 랑 해 요 –
C
A7
Dsus4
D
주 님 – *사 랑 해 요 –
B7/F#
Em
Em/D
C
C#dim
말 하 지 않아 도 표 현 다 못 해 도
D
C/D
D7
C/G
G
주 님 – *사 랑 해 요 –

* 찬양해요, 감사해요

(미 854)

주님여 이 손을

Anonymous

G Em Am C
주님 여 이손 을 꼭잡 고 가소 서 –
인생 이 힘들 고 고난 이 겹칠 때 –
G Em Am/D D7
약하 고 피곤 한 이몸 을 –
주님 여 날도 와 주소 서 –
Gmaj7 Em Am C
폭풍 우 흑암 속 헤치 사 빛으 로 –
외치 는 이소 리 귀기 울 이시 사 –
G D6 D7 C/G G
손잡 고 – 날인 도 – 하소 서 –

373 주님 예수 나의 동산

(미 1589)

이영후 & 장욱조

D
Dmaj7
A7
주님예 수 나의동 산 내맘속 에 동녘하 늘

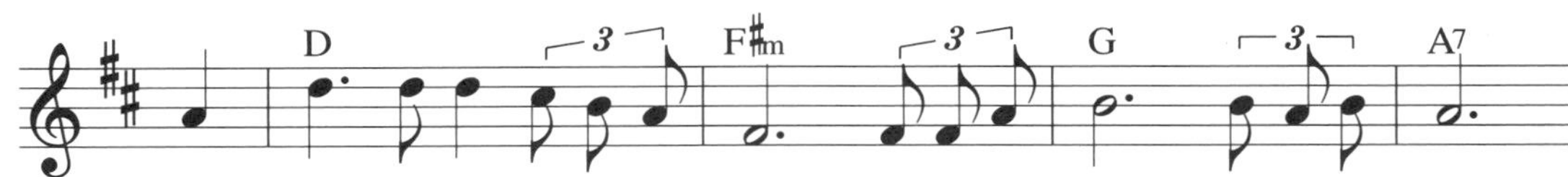

활짝피 는 백합같 아
아침햇 살 가득안 고 자라나 는 나무같 아
피어나 는 안개같 아

피어나 는 꽃되리 라
그 안 에서 이 생명 도 귀한재 목 되겠어 요
맑은영 혼 되겠어 요

이꽃바 쳐-- 당신제 단 밝히리 니
오 하 나님 이재목 바쳐- 당신제 단 쌓으리 니
이영혼 바쳐- 당신제 단 향내리 니

은혜로 운 사랑으 로 하늘평 안 내리소 서

주님 예수 나의 생명

374

(주님 안에 살겠어요)

김기원 & 장욱조

1. 주님예 수 나의생 명 죽음이 몸 살리신 주
2. 주님예 수 나의목 자 방황에 서 인도한 주
3. 주님예 수 나의구 주 사망권 세 이기신 주

주님예 수 피마시 고 새생명 을 얻은이 몸
주님주 신 생수마 셔 소생함 을 얻은영 육
그살먹 고 배부르 고 그피로 서 변한이 몸

주 님 안에 이생명 도 한몸이 된 지체이 라
주 님 따라 이인생 도 순종하 며 감사하 리
주 님 께만 이시간 도 충성하 며 희생하 리

오 내 주님 이몸바 쳐-- 당신위 해 살겠어 요
오 내 목자 인도따 라-- 십자가 를 지겠어 요
오 내 구주 구원의 주-- 사랑하 며 살겠어 요

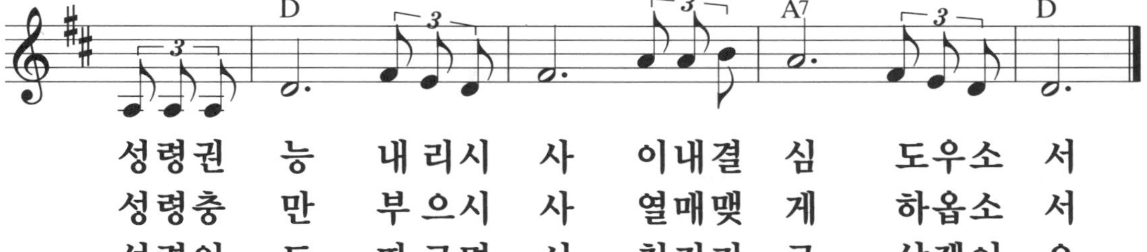
D
A7
D
성령권 능 내리시 사 이내결 심 도우소 서
성령충 만 부으시 사 열매맺 게 하옵소 서
성령인 도 따르면 서 청지기 로 살겠어 요

375

주님 오신 참 뜻을

(백만년이 지나도)

John W. Peterson

1. 주 님 오 신 참 뜻을 – 알 수 있 나 – 고 난 의 십 자 가
2. 놀 라 우 신 주 사랑 – 알 수 있 나 – 죄 짐 을 맡 으 신

– 어 이 지 셨 나 – 누 구 위 해 보 혈을 – 흘 리 심 인
– 진 실 한 친 구 – 그 의 귀 한 사 랑을 – 알 수 없 어

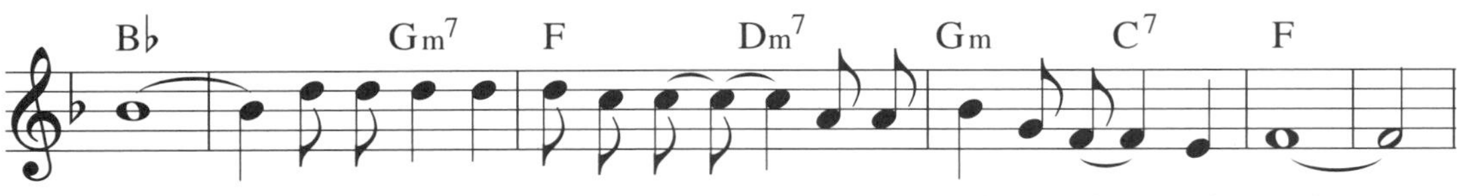

가 – 갈보리산 고난은 – – 누구 위한것 – 일 까 –
도 – 주이름을 찬양하리 – 주의 이름찬 – 양 해 –

백 만 년 이 지 나 도 – 알 수 없 네 – 너와나를 위해죽은

십자가의 욕된고통 을 – 우 리 죄를 지 시 고 – 예수돌아

가 셨네 – 귀하신주의사 – 랑을 – 어 찌 알수있 – 으 랴 –

(미 985)

주님을 의지합니다

376

Linda Stassen

Cm Gm Cm Gm
1. 주 님 을 의 지 합 니 다 –
2. 주 님 을 찬 양 합 니 다 –
3. 주 님 을 사 랑 합 니 다 –
주 님 을 의 지 합 니
Cm E♭ G
주 님 을 의 지 합 니 다 –
주 님 을 찬 양 합 니 다 –
주 님 을 사 랑 합 니 다 –
다 – 주 의 지 합 니 다
Cm Gm A♭ E♭
내 삶 의 위 로 와 참 평 안 주 시 는
오 할 렐 루 – 야 오 할 렐 루 – 야
오 할 렐 루 – 야 오 할 렐 루 – 야
할 렐 루 야
Cm Gm Cm C
주 님 을 의 지 합 니 다 –
주 님 을 찬 양 합 니 다 –
주 님 을 사 랑 합 니 다 –

377 주님의 보혈

(미 870)

1. 주 님 의 보 혈 주 님 의 보 혈 보 혈 의 잔 마 시 네
2. 성 령 으 로 써 성 령 으 로 써 승 리 의 삶 얻 겠 네

이 스 라 엘 의 이 스 라 엘 의 거 룩 한 제 사 같 이
마 가 다 락 방 마 가 다 락 방 주 님 의 제 자 같 이

흐 르 고 있 네 흐 르 고 있 네 귀 하 신 주 보 혈 –
넘 치 고 있 네 넘 치 고 있 네 성 령 의 폭 포 수 –

기 쁨 으 로 서 노 래 부 르 며 영 원 히 마 시 겠 네
주 님 안 에 서 주 님 안 에 서 승 리 는 내 것 일 세

(미 1699)

주님의 성령 지금 이곳에

378

(임하소서)

송정미 & 최덕신

D A/C♯ Bm D/A G B7/F♯ Em A D A/C♯ Bm D/A
주 님 의 성 - 령 지 금 이 곳 에 임 - 하 소 서
Gmaj7 A7 D G/A D A/C♯ Bm D/A G B7/F♯ Em A
임 하 소 서 주 님 의 성 - 령 지 금 이 곳 에
D A/C♯ Bm Gmaj7 A7 D F♯m/C♯ Bm7 F♯m
임 - 하 소 서 임 하 소 서 알 렐 루 야 알 -
G A/G F♯m B7/F♯ Em7 A7 D A/C♯ Bm G A 1.D 2.D
렐 루 야 알 렐 - 루 - 야 알 렐 루 야 야

379

주님의 손길

(미 1987)

1. 주님의손길 생명빛되네 눈먼 자광명찾았 네
2. 주님의말씀 능력이되네 믿는 자치료받았 네
3. 주님의보혈 속죄가되네 갇힌 자해방되었 네
놀라운손길 날위로하네
놀라운말씀 날치료하네 빛으로인도 해
놀라운보혈 날구원하네
놀라운은혜 나에게주사 새생명받았 네
놀라 운손길 나찬양하네 영원토록찬양 해
그놀라운주손 길 은혜로운주손 길
오 주 그놀라운주말 씀 오 주 은혜로운주말 씀
그놀라운주보 혈 은혜로운주보 혈
놀라운은혜 나에게주사 새생명받았 네
놀라 운손길 나찬양하네 영원토록찬양 해

(미 1203)

주님의 쓴 잔을 맛보지

(쓴잔)

송명희 시 • 김석균 곡

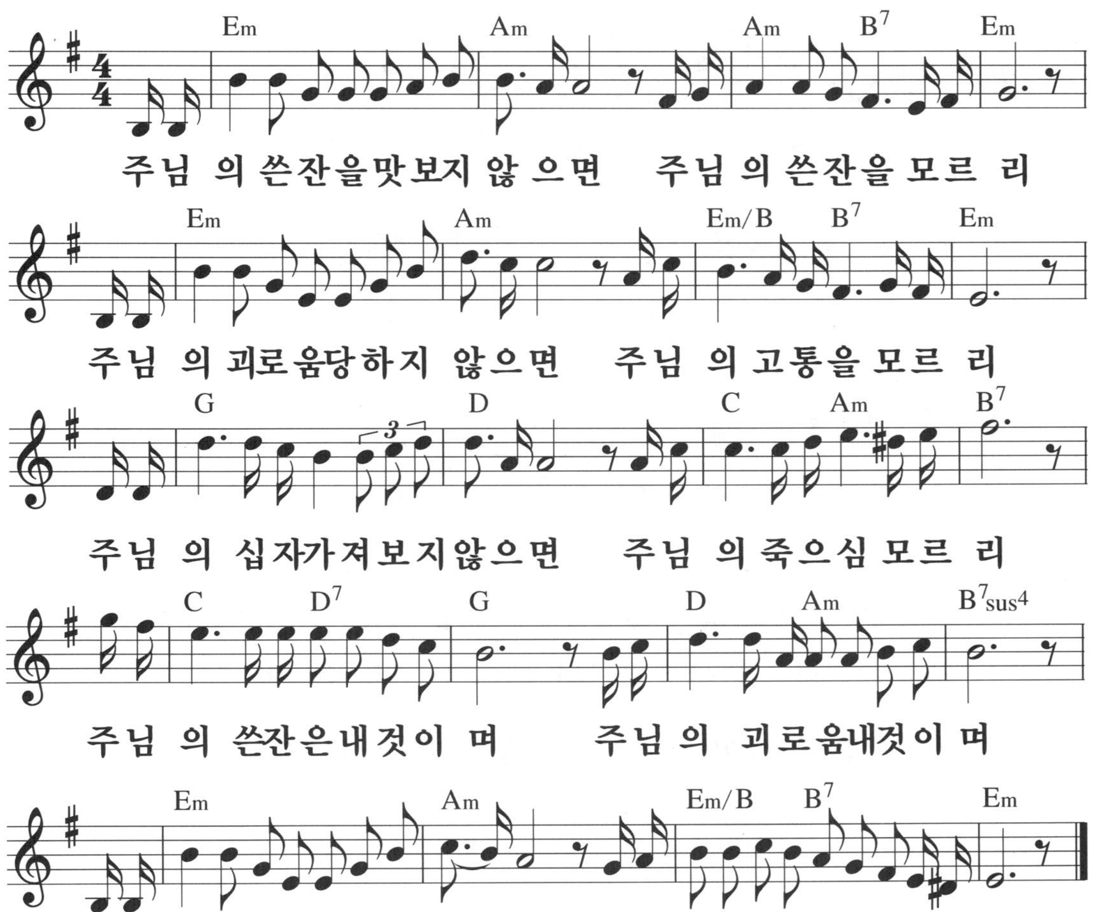
Em
Am
Am
B7
Em
주님 의 쓴잔을맛보지 않 으면 주님 의 쓴잔을 모르 리
Em
Am
Em/B
B7
Em
주님 의 괴로움당하지 않으면 주님 의 고통을 모르 리
G
3
D
C
Am
B7
주님 의 십자가져보지않으면 주님 의 죽으심 모르 리
C
D7
G
D
Am
B7sus4
주님 의 쓴잔은내것이 며 주님 의 괴로움내것이 며
Em
Am
Em/B
B7
Em
주님 의 십자가내보물 이 라 - 또한 그의부활내영광이리라

381 주님의 영광이 임하여서

(미 650)

김진호

C7
F
C7
F
주 님 의 *영 광 이 - 임 하 - 여 서
F7
B♭
Gm7
C7
나 - 의 영 혼 이 - 힘 을 얻 - 었 네
F
F7
B♭
Gm7
오 나 의 영 혼 아 - 빛 을 발 - 하 라
C7
F
오 나 의 영 혼 아 - 빛 을 발 하 라

* 2. 성령이 3. 능력이 4. 사랑이 5. 기쁨이 6. 권능이 7. 은총이

(미 927)

주님이 주시는

(파도 같은 사랑)

C Dm G7 C
1. 주 님 이 주 시 는 파 도 같 은 사 랑 은
2. 주 님 이 주 시 는 솟 아 나 는 기 쁨 은
3. 주 님 이 주 시 는 하 늘 나 라 평 화 는
CM7 Dm G7 C
내 작 은 가 슴 에 흘 러 흘 러 넘 쳐 요
내 작 은 가 슴 에 샘 물 처 럼 솟 아 요
내 작 은 가 슴 에 깊 이 깊 이 흘 러 요
F C F G7
생 각 하 면 할 수 록 기 도 하 면 할 수 록
F C F G7
두 눈 가 에 눈 물 이 터 질 것 만 같 아 요
C Dm G7 C
주 님 의 사 랑 은 한 없 이 크 셔 라
주 님 의 기 쁨 은 끝 없 이 새 로 와
주 님 의 평 화 는 놀 랍 고 놀 라 와
CM7 Dm G7 C
우 리 의 영 혼 에 한 줄 기 빛 이 어 라
우 리 의 삶 속 에 영 원 한 향 기 어 라
우 리 의 마 음 에 빛 나 는 보 석 이 라

383

주님이 주신 땅으로

(미 1845)

(이 산지를 내게 주소서)

홍진호

A D2 E
주님 이 주신 땅으로 – 한걸 음씩 – 나아
D/A A Amaj7 C#m F#m/C#
갈 때에 수많 은 적들과 견고한성이 – 나를
Bm Bm7 Esus4 E7 F#m
두렵게 – 하지 만 주님 을 신뢰
C#m Dmaj7 E
함으로 – 주님 을 의지 함으로 – 주님
F#m C#m D B7
이 주시는 담대함 으로 – 큰 소리 외치며 –나아가
Esus4 E7 Amaj7 E D
네 이산지 를 내게주 소–서– 그날 에 –주께서
A/E E7 Amaj7 E
말 씀–하신 이제내 가 주 님의 이 름으로– 그땅
1.D Bm7/D Esus4 E7 2.D Bm/D Esus4 E7 D/A A
을 취하리 니 이산지 을 취하리 니 –

(미 811)

주님 큰 영광 받으소서 384

(Jesus shall take the highest honor)

Chris A. Bowater

A Bm7 C#m7 G/A A7 Dmaj7 E/D C#m7 F#m7
주님 큰영광받-으 소서- 홀로 찬양받으-소서 모든
Bm7 E7 A F#m7 Dmaj7 B7/D# E E7
이 름위에- 뛰어 난 그이름- 온 땅과하- 늘이다찬-양 해
A Bm7 C#m7 G/A A7 Dmaj7 E/D C#m7 F#m7
겸손하-게우리무-릎 꿇고- 주 이름앞-에영광돌-리 세 모
Bm7 E7 Amaj7 F#m Dmaj7 B7/D# E E7
두 절하세- 독생 자 예 -수- 주님께 - 찬양드-리리 모든
A E/G# F#m A/E D A/C# Bm7 Esus4 E7
영광 과존귀 와 능력- 받으소서- 받으소서-
A E/G# F#m A/E D A/C# Bm7 Esus4 E7
영광 과존귀 와 능력- 받으소서- 받으소서-
C#/F F#m Bm D/E E6 A D/A A
그리 스도 살아 계신- 하나 님 -

385 주님이 흘린 눈물은

유상렬

G Bm/F# Em Em7/D C D D7/C Bm E7
주 님이흘린눈물 - 은- 십자 가의 무거움이아니 라오 -
Am7 D D7/C Bm7 Em D C A7/C# Dsus D7
우 리의무지함을아 파하시며흘 리신눈물이었 소
G Bm/F# Em Em7/D C D D7/C Bm E7
골고다그언덕길 -을- 우리 위해 걸어야했던 그는-
Am D D7/C Bm7 Em/D C D7 Gsus G2
비 난과손가락질에-물 과 피 -를-흘 려 야 했건만 -
Bm Em C Am Dsus D7
험난한-주님의 십자가- 몹시도 무거웠-건 만
Bm Em Am A7/C# Dsus
우리의- 비난과 채찍에 - 제물돼야 했 던
G B7/F# Em C Am D
주님 의 아파하 심 으로- 나구원 받았으니 -

Bm C Am A7/C# Dsus D7
이제 는 주님을 위 하 여 이한몸 바치리 다
G Bm/F# Em D C D C Bm E7
당 신은알고있나 - 요 - 죽음 으로 사 랑을하 - 신 것을 -
Am D /C Bm7 Em/D C D7 G
우 리예 수님께서자기 몸다하여죄 인을사랑 - 하신것 을

386

주님 한 분 만으로

(미 1573)

박철순

G Bm Em/D C
주님 한분만으로 - 나는 만족 - 해- 나의 모든것 되신 - 주님
G/D D G Bm Em Em/D
찬양 - 해 - 나의 영원한생명 - 되신 예수 - 님 - 목
C C/D D7 G C/D G D C D G
소리높 - 여찬양 해 주님의크신 사랑찬 - 양해 - 나의
C G D D7 Am D
힘 과 능력 - 이 되신 - 주 - 나의 모든삶 - 변화
Bm Em Am7 D G
되었 - 네 - 크신 주의사랑 찬 양 해

(미 949)

주님 한 분 밖에는

(나는 행복해요)

김석균

있 는 주를 사랑하는 맘 주님 한분밖에 는
웁 게 주님 피가흘러 요 주님 한분밖에 는

기 억하지 못해 요 처음 주를만난그 날 울 며 고백하던
약 속 한이 없어 요 나를 믿고따르는자 반 석 위에 서리

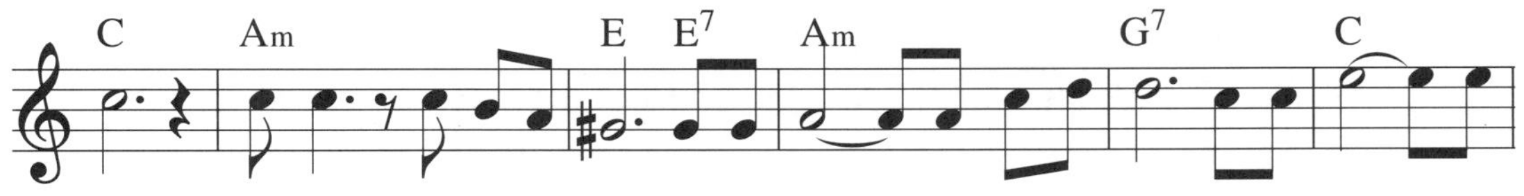

말
라 나는 행복해 요 죄사 함 – 받 았 으 니 아 버 지 – 품

안에 서 떠나 살 기 싫어 요 나는 행복해 요 죄사

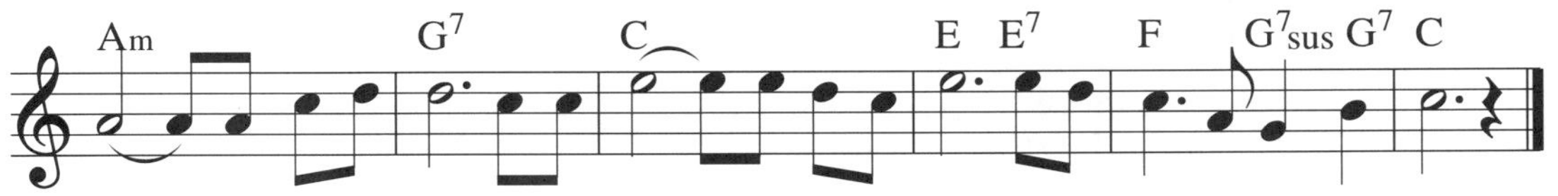

함 – 받았으 니 이세 상 – 무엇이 든 채우 고 도남 아 요

388 주를 향한 나의 사랑을

(미 1807)

(Just let me say)

Geoff Bullock

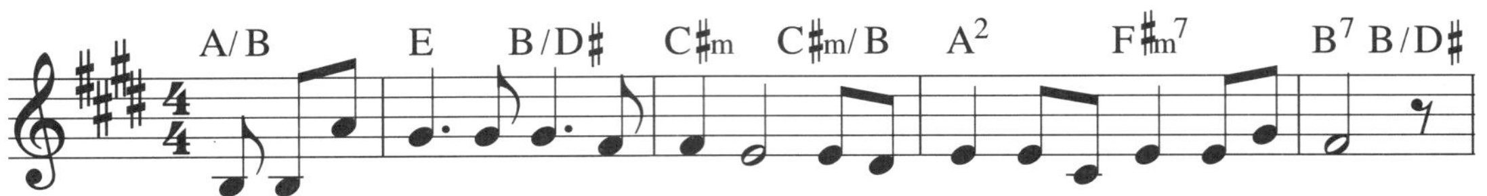

1. 주를향 한나의사 랑을주께 고 백하게하소서
2. 부드러 운주의속 삭임나의 이 름을부르시네
3. 온맘으 로주를바 라며나의 사 랑고백하리라

아름다 운주의그늘아래살 며주를보게하소 서
주의능 력주의영광을보이 사성령을부으소 서
나를향 한주님의그크신사 랑간절히알기원 해

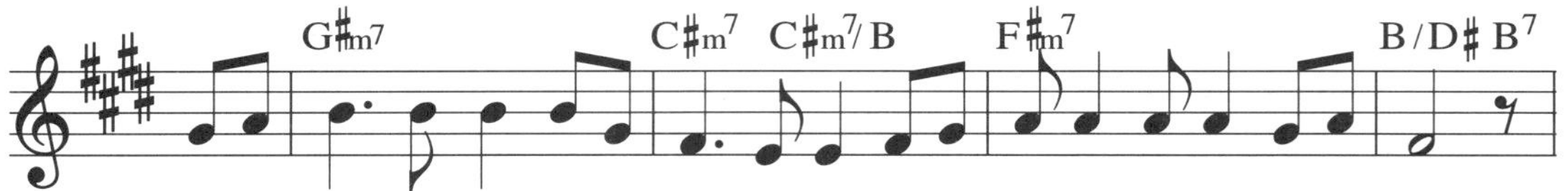

주님의 말씀선포될때에땅과하늘진동하리니
메마른곳거룩해지도록내가주를찾게하소서
주의은혜로용서하시고나를자녀삼아주셨네

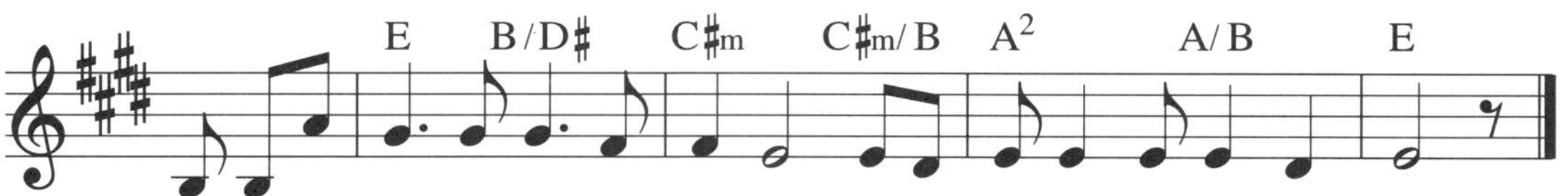

나의사랑고백하리라
내모든것주께드리라 나의구주나의친 구
나의사랑고백하리라

(미 1684)

주 안에 우리 하나

389

(기대)

천강수
주안에우린하 나 모습은달라 도 예수님한 분만바라네
사랑과선행으 로 서롤 격려 해 따스함으로 보듬어-가리-
주님 우리안 에 함 께하시니- 형제자-매의- 기
쁨과슬-픔느-끼네- 내안 에있는 주님 모 습보네
그 분 기 뻐 하 시 네
주 님우릴통-해 계획하-신일- 부족한-입술로-찬양
하게하-신일- 주 님 우 릴통 - 해 계 획 하 -신 일 - 너
를 통 해 하 실 일 기 대 - 해 - -

390

주여 나에게 세상은

(미 1213)

(당신의 뜻이라면)

이정림

주 여 나에 게 세상 은 넓어 요 주 여 나에 게
세상 은 험해 요 사 - 랑 의주 여 내곁 에 오셔 서
이세 상 가는 길 지켜 주 - 시옵 소 서 주의길 가는동 안
흐르 는 눈물 이 주님 이 주신 것이라 면 기 쁘게흘리게하-소 서
그 대 의 아 픔 은 주님 이 가신 고난의 길
그 대 의 눈물 은 - 주님 이 흘린 보혈의 피
오주 여 이길 이 당신 의 뜻이라 면
이 아 픔의 길- - 이 영광 의 길되게하소 서

(미 899)

주여 우리의 죄를 용서하여 391

(벙어리가 되어도)

문찬호

주여우리의죄를 용서하여주소서
주여우리의죄를 용서하여주소서
지난날의잘못을 사하여주옵소서
지난날의허물을 사하여주옵소서
주여 주여 나의죄를위-하여
주여 주여 나의죄를위-하여
주여 주여 십자가를지셨네
주여 주여 십자가를지셨네
주님가신그길을 나도걸어야하네
나의생명다하여 주를위해살리라
주님가신그길을 나도걸어야하네
벙어리가되어도 찬양하며살리라

392 주여 이 시간 주께 의지

(미 838)

Noah

D D/F♯ Em A Em A F♯dim B
주 여 이시간주께 의 지하고 간 절히기도하 오 니
Gmaj7 A/G F♯m Bm/F♯ Em E/G♯ Asus4 A
모 든사람들에 게 주 의축복주소 서 주
Gmaj7 D/F♯ Em A Em A F♯dim B
여 이시간주를 바 라보고 간 절히기 도하 오 니
Gmaj7 A/G F♯m Bm/F♯ Em A D
당 신의변함없 는 사랑 내 게채워주소 서
나 를바꿔주소 서

(미 974)

주여 작은 내 소망을

393

조일상
D Em A7 D D7
1. 주 여작은 내 소망 을 – 무릎 꿇고 아뢰니 다 –
2. 고 요중에 기다려 요 – 주의 자비 로운손 길 –
E A7 D D7
나 의죄를 회개하 니 – 내모든죄 사하소 서 –
하 늘문을 열으시 고 – 나를영접 하옵소 서 –
G D D7 G D D7
내가주를따 를래 요 – 주님만을 섬 길 래 요 – – –
G D G
나 의맘을받으 소 서 – 예 수 만 을사 랑 하
A7 D Em A7
게 – – 나 의몸을 받 으소 서 –
A7 D
나 의생명 받 으소 서 – 온 갖충성 다 하리
Em E7 G A7 D
니 – 주 의 일꾼 삼 으소 서 –

394 주여 진실하게 하소서

(미 831)

(I'll be true, Lord Jesus)

D
A7
주여 *진 실 하 게 하 소 서 오 늘 하 루
D
D7
순 간 순 간 을 주 가 주 신 힘 으 로 승 리
G
Em
D
A7
D
하 기 원 하 네 주 여 나 를 진 실 하 게 하 소 서

* 사랑하게, 묵상하게, 기도하게, 말씀보게, 전도하게

(미 798)

주 여호와는 광대하시도다

(Great is the Lord)

Steve McEwan
A D2/A A D2/A
주 여호 와는광대하시-도다 그 거룩한하나님성에
F#m7 A/E Bm7 C#m7 D2/E
서 찬 양할지-어다-
Amaj7 D2/A A D2/A
주 승리 우리에게주셨-도다 모 든원수물리치-셨
F#m7 A/E Bm7 D/E E D/F# E/G#
네 엎 드려절-하세- 다
A C#m7 D2 A/C#
주의크-신이-름 높이 며 우 리에게-행하-신 위대
Bm D/E A C#m7
한일감-사하-세 오 주의신-실하-신그사 랑 온
D2 A/C# Bm7 D/E E A
땅과하-늘위에게-셔 홀로 영원하신 이 름--

396

주 예수 사랑 기쁨

(미 931)

(주님이 주신 기쁨 / JOY JOY DOWN IN MY HEART)

George W.Cooke

1. 주예수 사랑 기 쁨 내 마 음속에 내 마 음속 에 내마음속에

2. 이제는 정 죄 없 네 예 수 안에서 예 수 안에 서 예수안에서

3. 이제는 해 방 됐 네 예 수 안에서 예 수 안에 서 예수안에서

주예수 사 랑 기 쁨 내 마 음 속에 내 마 음 속에 있 네 –

이제는 정 죄 없 네 예 수 안에서 예 수 안에서 없 네 –

이제는 해 방 됐 네 예 수 안에서 예 수 안에서 해 방 –

나는기 뻐 요 정말기 뻐 요 주 예 수 사랑기쁨 내 맘 에 –

나는기 뻐 요 정말기 뻐 요 주 예수사랑기쁨내 맘 에 –

(미 1025)

주와 함께라면 가난해도 397

김민식

1. 주 와 함 께 라 면 가 난 해 도 좋 아
2. 주 와 함 께 라 면 병 들 어 도 좋 아
3. 내 맘 아 시 는 주 항 상 함 께 계 셔

참 된 부 요 함 이 내 맘 에 가 득 하 니 까 때 로 는
참 된 강 건 함 이 내 맘 에 가 득 하 니 까 때 로 는
약 한 내 영 혼 에 위 로 와 능 력 주 시 네 가 난 해

날 유 혹 하 려 고 세 상 바 람 휘 몰 아 쳐 와 도 나 는
날 넘 어 뜨 리 려 거 친 파 도 휘 몰 아 쳐 와 도 나 는
도 병 이 들 어 도 시 련 의 밤 어 둡 고 깊 어 도 나 는

결 코 잊 을 수 없 어 자 비 로 운 주 의 음 성 을
결 코 잊 을 수 없 어 따 사 로 운 주 의 손 길 을
결 코 떠 날 수 없 어 아 름

다 운 주 의 나 라 를 주 의 나 라 를

398 주 예수 오셔서

(미 1010)

(물가로 나오라)

Marsha J. Stevens

1. 주 예수 오셔서 - 내 슬픔 아셨네
2. 내 주님의 사랑 - 다 알 수 없지만
3. 내 마음과 영혼 - 다 주께 드리네

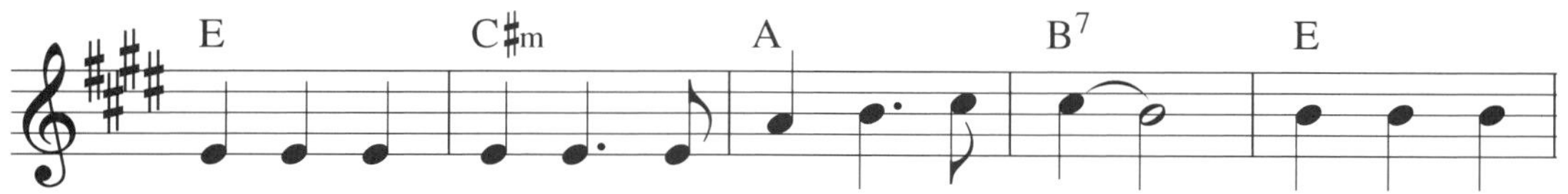

나의 앞일도 내 주 아셨네 - 나 주를
난 주를 믿네 날 위한 사랑 - 영광 다
주 없는 삶은 다 허무한 삶 - 구주여

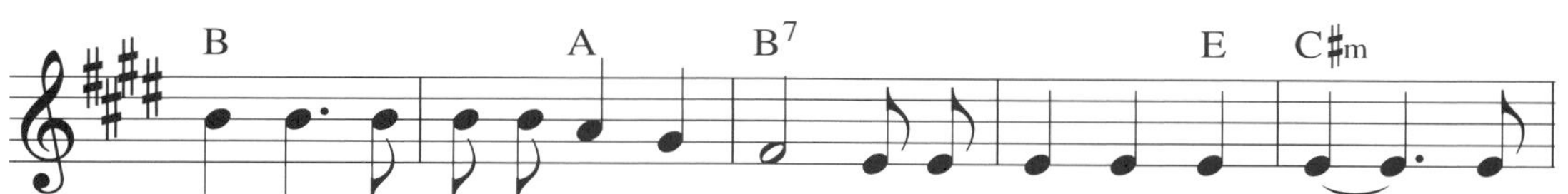

버리고 떠나갔었네 주님 약속대로 - 날
버리고 나를 위하여 주 십자가 지사 - 자
은혜의 문을 여소서 주의 크신 사랑 - 나

붙드셨 - 네 - 주 말씀하네 -
유 주셨 - 네 - 주 말씀하네 -
찬양하 - 리 - 주 말씀하네 -

E7
A
E
물 가 로 나 오 - - 라 - 내 곁 에 서-
B7
라 네 목 마 른 것 을 내가 채 우 리
E
E7
A
라 - 어 둠 에 헤 맬 때
E
흘 리 던 네 눈 물 - 그 - 눈 물 을-
B7
E
위 해 내 가 죽 었 노 라 -

399 주 우리 아버지

(미 766)

(God is our Father)

Alex Simon & Freda Kimmey

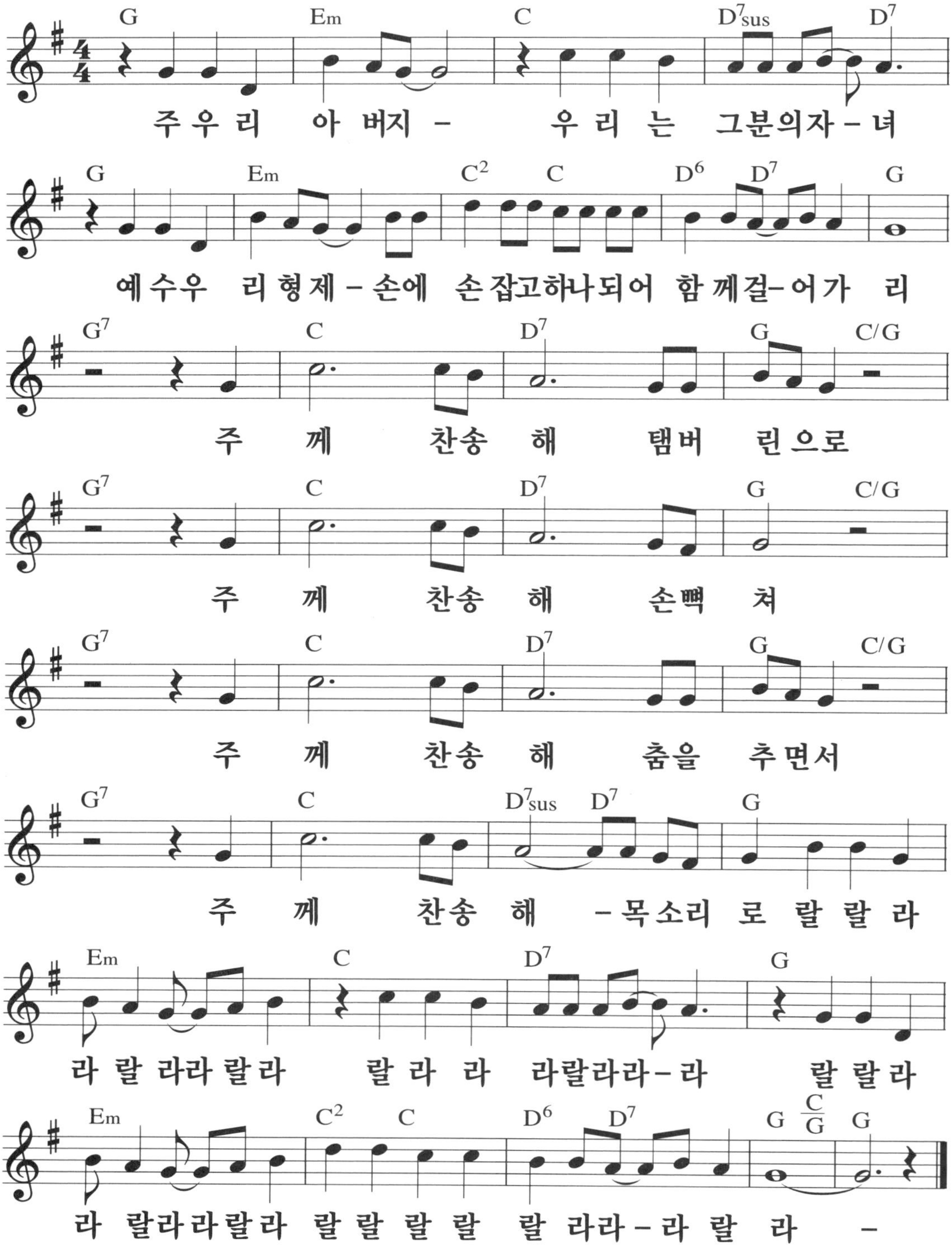
G Em C D7sus D7
주우리 아버지 – 우리는 그분의자 – 녀
G Em C2 C D6 D7 G
예수우 리형제 – 손에 손잡고하나되어 함께걸–어가 리
G7 C D7 G C/G
주 께 찬송 해 탬버 린으로
G7 C D7 G C/G
주 께 찬송 해 손뼉 쳐
G7 C D7 G C/G
주 께 찬송 해 춤을 추면서
G7 C D7sus D7 G
주 께 찬송 해 –목소리 로 랄 랄 라
Em C D7 G
라 랄 라라 랄라 랄 라 라 라랄라라–라 랄 랄 라
Em C2 C D6 D7 G C/G G
라 랄라라랄라 랄 랄 랄 랄 랄 라라–라 랄 라 –

(미 564)

주의 거룩하심 생각할 때

400

(주께 경배해 / When I look into Your holiness)

Wayne & Cathy Perrin

주의 거룩하심 생각할때 주의 크신사랑느낄 때
주의 영광의빛 나의 생활 비춰주 실 때 -
주가 주신기쁨맛볼 때 에- 주의 사랑속에나잠길 때
주의 영광의빛 나의 생활 비춰주 실 때 - - -
경 배하 리 - 경 배하 리 -
나 사는동안 - 주께경 배 해 - -
경 배하 리 - 경 배하 리 -
나 사는 동 안 - 주께경 배 해 -

401 주의 사랑으로 사랑합니다

(미 1138)

(I love you with the love of the Lord)

Jame M. Gilbert

F
Fmaj7
주 의 사 랑 으 로 사 랑 합 니 다 주 의
환 영
D7
Gm
C7
Gm
C
사랑 으로 사랑 합 니 다 형제 안 에 서 주의
환영 자매
A/C♯
Dm
Gm
C7
F
영 광 을 보 네 주 의 사 랑 으 로 사 랑 합 니 다
환 영

주의 생수 내게 넘치소서

402

Carol Foster & Gary Muller & John Watson, Barry Pretorius
D G D/A A7 D A/E
1. 주 의 생 수 내 게 – 넘 치 소 – 서
2. 성 령 이 여 지 금 내 게 오 소 – 서
3. 너 의 삶 을 모 두 주 께 드 리 – 라
D/F# G D/A A7 D
성 령 이 여 나 를 다 스 리 소 – 서 – – – –
사 랑 으 로 나 를 품 어 주 소 – 서 – – – –
주 의 팔 에 너 를 모 두 맡 기 – 라 – – – –
D G D/A A D
내 마 음 의 괴 로 움 과 모 든 염 려
두 려 움 과 의 심 벗 게 하 시 – 고
그 가 너 를 자 유 케 하 시 리 – 니
Bm G A D
무 거 운 짐 주 께 모 두 드 리 – – 리
주 님 곁 에 내 영 혼 이 끄 소 – – 서
주 와 함 께 영 원 히 다 스 리 – – 리
D G D A
예 수 예 – – 수 – – –
아 바 아 – – 바 – – –
성 령 하 나 – 님 – – –
Bm G A7 D 1.2.D A7/E 3.D
예 – – – – – – – – – – 수 –
아 – – – – – 버 – – 지 –
성 – – – – – 령 – – 님 –

403 주의 신을 내가 떠나

(미 1223)

(Psalm 139:7-14)

Kelly Willard

C G/B Am Am/G F Dm7 Em7 Am7
주 의신을 내가 떠 나 어디로피 - 하리 까
Dm7 Gsus4 G7 Em7 Am Dm7 Gsus4 G7
주는모든 - 것아 시 오 - 니 어디로다 - 니 리 까 내가
C G/B Am Am/G F Dm7 Em7 Am7
새 벽날 개 치며 - 저 바다끝에 - 거해 도
Dm7 G7 Em7 Am7 Dm7 Gsus4 G7 C (Em/B)
어둠도숨 - 기 지 못하 리라 - 주님의손 - 이날 인 도해
Fine
Am Em7sus Em7 Am Em7
주님은내 - 모 든것 - 을 - 지으신분 - 이 시 니
Am Em7sus Em7 D/F♯ D7/F♯ G7sus G7
주님의위 - 대 하심 - 을 - 내가 고백 - 하 리 다
D.C.

주의 이름 높이며 주를 찬양 404

(Lord I lift Your name on high)

Rick Founds

주의 이름높 - 이 며 주를 찬양하 - 나

이 - 다 나를 구 하러 - 오 신

주를 기 뻐하 - 나 이 - 다 하 늘영광 버 리 고

- 이 땅 위에 - 십자가 - 를 지시고 - 죄 사 - 했

네 무덤에 - 서 일 어나 - 하 늘 로 - 올 리 셨네

- 주 의 이 름높 - 이 - 리 - -

405 주의 이름 높이세

G
G7
C
G
주의이름높 이 세 나 의 죄속하 셨 네
D
G
A7
D
은 혜 또 한 풍 성 히 나 에 게 주 셨 네
G
G7
C
G
주의이름높 이 세 나의죄속하 셨 네
G
D7
G
D7
G
내 게 승 리 주 신 예 수 주의이름높 이 세

2. 주의 이름 찬양해 3. 주의 이름 놀라와

(미 1662)

주의 이름 안에서

406

(찬양의 제사 드리며 / We bring the sacrifice of praise)

Kirk Dearman

D Bm
주의 이름안-에서- 주의 성소로-가네--- 영광
주의 말씀주-시고- 우리 감사드-리네--- 주의
G D/F# Em A7
스러운-이곳-에 우리 기쁘게-왔네-- 거룩
날개그-늘밑-- 우리 피난처-되네-- 주의
D Bm
한보좌-앞에-서 따뜻 함을느-끼네--- 우리
길을따-르며-- 우리 주께순-종해--- 모든
G D/F# Em A Asus4 A7
마음경-배하-며 찬양의 제사드리네---
상황속-에서-도 찬양의 제사드리네---
D Em7sus4 F#m7 Bm7 G D/F# Em A
찬 양의제사드리 며 -성소로 들어 갑니 다
D Em7sus4 F#m7 Bm7 G Em7 A D
찬 양의제사드리 며 -성소로 들어 갑니 다 우리
G F#m7 Bm7 Em7 A9 D Em7 D/F# D
모 두주님 께 -감사의 제 사를 드리세 우리
G F#m7 Bm7 Em7 A9 D
모 두주님 께 -기쁨의 제 사드리 네

407 주의 인자는 끝이 없고

(미 619)

(The steadfast love of the Lord)

Edith McNeill

D Bm G D/A A7
주 의 인 자 는- 끝 이- 없 고 그
주 의 사 랑 은- 끝 이- 없 고 그
주 의 보 호 는- 끝 이- 없 고 그
D Bm G Asus4 A
의 자 비 는- 무 궁 하 며 - 아 침
의 공 의 는- 영 원 하 며 - 아 침
의 자 비 는- 풍 성 하 며 - 아 침
Gmaj7 A7/G F♯m Bm G
마 다 새 롭 고 늘 새 로 우 니 주 의 성
Asus4 A7 D D2 D7 Em G/A A7 D
실 이 큼 이 라 성 실 하 신 주 님 -

(미 617)

주의 임재 앞에 잠잠해

408

(Be still for the presence of the Lord)

David J. Evans

D F♯m Bm Em Em7 A7
주 의 임재 앞에잠잠해 주 여 기 계 시 네
주 의 영광 앞에잠잠해 주 의 빛 비 치 네
주 의 능력 앞에잠잠해 주 역 사 하 시 네
D Dmaj7 F♯m Bm Em Em7 Asus4 A7
와 서 모두 굽혀경배해 신 령 과 진 리 로
거 룩 한- 불태우시며 영 광 의 관 쓰 네
죄 사 하고 치유하시는 놀 라 운 주 은 혜
Gmaj7 D/F♯ Gmaj7 D/F♯
순 결 하 신 주 님 거 룩 한 존 전 에
그 영 광 찬 란 해 빛 되 신 우 리 왕
주 믿 는 자 에 게 능 치 못 함 없 네
G A7/G F♯m Bm Em A7 D
주 의 임재 앞에잠잠해 주 여 기 계 시 네
주 의 영광 앞에잠잠해 주 의 빛 비 치 네
주 의 능력 앞에잠잠해 주 역 사 하 시 네

409 주의 자비가 내려와

(미 1672)

(Mercy is falling)

David Ruis

D Em D/F♯ A7 D Em D2/F♯ G A
주의자비-가내려 -와내려- 와 주의자비-가봄 비같이
D Em D/F♯ A7 D2
주의자비-가내려 -와나 를덮 네 -
D G D G A7
헤이호 주의 자비하심과 헤이호 주의 은혜로
D G D/F♯ D/E A D G/D D
헤이호 나는영원히 춤추 리 -

(미 1874)

주 품에 품으소서

(Still)

Reuben Morgan

C G/B Am7 F D/F♯ Gsus4 G
주 품 - 에 - 품 으 소 - 서 -
주 님 안 - 에 - 나 거 하 - 리 -
C Am F D7 Gsus4 C7
능 력 - 의 - 팔 로 덮 으 - 소 - 서 - 거 친 파 도
주 능 - 력 - 나 잠 잠 히 - 믿 - 네 -
F G Csus4 C7 F G Am
날 향 해 - 와 도 - 주 와 함 께 날 아 오 - 르 리 - 폭 풍 가 운
F G Csus4 G/B F/A G C
데 나 의 - 영 혼 - 잠 잠 하 게 - 주 를 보 - 리 라 -

411 주 하나님 독생자 예수

(미 780)

(Because He lives)

Gloria Gaither/Bill Gaither & William Gaither

1. 주 하 나 님 독 생 자 예 수 날 위 하 여
2. 주 안 에 서 거 듭 난 생 명 도 우 시 는
3. 그 언 젠 가 주 뵐 때 까 지 주 를 위 해
오 시 었 네 내 모 든 죄 다 사 하 시 고
주 의 사 랑 참 기 쁨 과 확 신 가 지 고
싸 우 리 라 승 리 의 길 멀 고 험 해 도
죽 음 에 서 부 활 하 신 나 의 구 세 주
예 수 님 의 도 우 심 을 믿 으 며 살 리
주 님 께 서 나 의 앞 길 지 켜 주 시 리
살 아 계 신 주 나 의 참 된 소 망 걱 정 근 심
전 혀 없 네 사 랑 의 주 내 갈 길 인 도 하 니
내 모 든 삶 에 기 쁨 늘 충 만 하 네

(미 1220)

지금껏 내가 한 일이

(눈물의 참회록)

김석균

1. 지금 껏 내가 한일 이 주를 위 한일이었는 지
2. 한평 생 주를 위하 여 변함 없 이살－겠다 던
3. 오늘 도 복음 을들 고 쉼－ 없 이다－녔지 만

지나 간 세월 돌 이켜 주님 앞 에아－룁니 다
베드 로 같은 믿 음이 내게 도－있었습니 다
성령 의 불같 은 인도 믿음 없 이전했습니 다

이한 몸 주를－위하 여 목숨 버 린다－했으 나
그러 나 지금내맘속 엔 허영 과 교만－만있 고
육신 의 곤고함더하 여 복음 의 사 명약했으 니

주의영광 －뒤로하 고 나의 자 랑앞세웠으 니
주님지신 －십자가 는 짐이 된 다벗었습니 다
아버지여 －연약한 종 어찌 해 야하－오리 까

내가 가 는이 길 이 주를 위 한것보 다
내가 가 는이 길 이 주를 위 한것보 다
내가 가 는이 길 이 영광 의 길이라 면

예수 이름만파－ 는 가룟 유 다와같습니 다
율법 만앞세우－ 는 바리 새 인과같습니 다
바울 과같은믿음 을 내게 도 허락－하소 서

413 지금은 엘리야 때처럼

(미 1706)

(Day of Elijah)

Robin Mark

지금-은엘리야때 처럼- 주 말씀-이선-포되고 - 또
에스-겔의 환상 처럼- 마 른뼈-가살-아나며 - 또
주의-종모세-의 때와- 같이- 언약-이성취-되 네 비록
주의-종다윗-의 때와- 같이- 예배-가회복-되 네
전쟁-과기근-과 핍박- 환 난날-이다가-와 -도- 우
추수-할때가-이 르러- 들 판--은희어-졌 -네-
리는-광야 -의외 치는- 소리 - 주 의 길을예 -- 비하라
우리-는추 -수할 일꾼- 되어 - 주 말 씀을선 -- 포하라
- 보라 주- 님 구름 타 시고 - 나팔 불때에
- 다시오 -시 네 모두외 치- 세 이는은혜의해니
- 시온에서 구 원이임 하 네 또 네

지치고 상한 내 영혼을

(주여 인도하소서)

414

최인혁
G B7/F# Em A
지 치고- -상 한 -내영 혼을- 주여 받아주소서- 내
Am Dsus4 D Am A Dsus4 D D7
가 주께 로 지금 가 - 오 니 버림
Gmaj7 B7/F# Em A
받고- -깨 진 -나의 마음을- 주여 받아 주소서 - 내
Am Dsus4 D Am/D D G
가 주께 로 지금 갑 니 다
C Bm B7 Em
험한세 상에 나혼자 있 게 마 시 고 오
Am A Dsus4 D D7
주여- 나 를 인도하소서 - - 거친
Gmaj7 B7/F# Em A
비바람- 불어 올 때 나 를보호하 시고 - -오
Am Dsus4 D7 C/D D7 G
주여 - -나 를 인도 하 -소 서

415

짐이 무거우냐

(예수께 가면)

Ralph Carmichael

F Bb A7 Dm
짐 이무거 우냐 홀로 지 고가기 엔
슬 픔절망 으로 벅찬 삶 을사느 냐
F7 Bb Bdim F C7
험 한데로 갈까 두렵 지 는않느 냐 - -
장 래모든 걱정 너를 짓 누르느 냐 - -
F Bb A7 Dm F7
온 갖일에 매여 고달 프 지않느 냐
친 구잃고 지쳐 길마 저 잃었느 냐
Bb6 D Gm F Gm7 C7 F
주 가 도 우 시 리 요 청만하 면
오 늘 주 께 오 면 도 와주시 리
Bb Bdim F A Dm
우리기도를 언제어디나 들 으 시 며
G7 Dm C C7
큰사랑으로 감싸주시고 동 행 하 니
F Bb A7 Dm F7
네 가실망 할때 기억 해 야할것 은
Bb6 D Gm F Gm7/C C7 F
예 수 께 가 면 주 네 게오리 라

짙은 안개 가득하던

416

(평안)

이유정

D
Bm7
Em7
A7
D
짙 은안개 -가득 -하던- 나의 아픈영혼에 -
D
Bm7
Em7
한 줄 기비 춰오는 -햇살 아침 이슬같은눈 빛
Asus
A7
Em7
A7
F#m7
Bm7
Em7
A7
- 이세 상어느곳에 -서 도- 찾을 수 없던보석
D
Em7
A7
F#m7
Bm7
- 나의 가 장깊 은 곳 -에 서- 들리
Em7
Asus
A7
Em7
Asus A7
D
는그분의음 성 - 평안 을네게주 노- 라

Word and Music by 이유정.

417

찬바람 부는 갈보리산

(귀하신 나의 주)

1. 찬바람 부는 갈보리 산 – 나의주
2. 마지막 숨거 두실때 도 – 이죄인
3. 오사랑 하는 구주예 수 – 언제나
예수 걸어간 곳 – 나같은 죄인 살리시
위해 기도한 말 – 오아버 지여 저들의
찬양 하옵니 다 – 저하늘 까지 다다르
려 – 가진것 모두 주셨도 다 –
죄 – 다용서 하여 주옵소 서 –
게 – 영원히 주께 찬양하 리 –
오사랑 하는 귀하신 주님 오늘도
험한갈보리에서 – 찔리고 피를 흘려주
시니 내가참 생명 얻었도 다 –

(미 1083)

찬송을 부르세요

418

1. 찬송을 부르세요 찬송을 부르세요
2. 기도를 드리세요 기도를 드리세요
3. 서로 사랑하세요 서로 사랑하세요
4. 말씀을 들으세요 말씀을 들으세요
5. 항상 기뻐하세요 항상 기뻐하세요
6. 모두 용서하세요 모두 용서하세요

놀라운 일이 생깁니다 찬송 부르세요
놀라운 일이 생깁니다 기도 드리세요
놀라운 일이 생깁니다 서로 사랑해요
놀라운 일이 생깁니다 말씀 들으세요
놀라운 일이 생깁니다 항상 기뻐해요
놀라운 일이 생깁니다 모두 용서해요

419 찬양이 언제나 넘치면

(미 802)

김석균

A D A E
찬 양이 언제나 넘 치면 - 은 혜로 얼굴이 환 해요-
감 사가 언제나 넘 치면 - 은 혜로 얼굴이 환 해요-
사 랑이 언제나 넘 치면 - 은 혜로 얼굴이 환 해요-

기 도가 언제나 넘 치면 - 은 혜로 얼굴이 환 해요-

A D A E7 A

성 령의 충만한 모 -습을- 서로가느-껴 요

A D A E

할렐루 할렐루 손뼉 치-면서 할 렐루 할렐루 소리 외-치며

A D A E7 A

할 렐루 할렐루 두 손을-들고 주님을찬양해 요

찬양하라 내영혼아

G
C
A
찬양하 라 내영혼 아 찬양하 라 내영혼
D
G
C
G D7
아 내 속 에있는 것들아다 찬 양 하
1.G
2. G
G
C G C G
Fine
라 찬양하 라 왕의왕 (영 원히 영원히)
A
D A D A
B
Em B Em B
주의주 (영 원히 영원히) 왕의왕 (영 원히 영원히)
Am G/B Am/C A7/C♯ G/D D G
D.S.
왕 의 왕 또 주 의 주 감사하

421

찬양하세

(미 779)

(Come let us sing)

Danny Reed

E7sus A D2/A A Bm Bm7
찬 양 하 세 – 찬 양 하 세 – 왕 께
D 1. E A 2. E A
소 리높–여 찬 양 드 리 세 찬 양드–리 세
G/A D E/D C♯m F♯m7
찬 양 받 기 에 합 당 하 신 주 님 –
Bm7 E A G6/A
언 제 나 동 일 하 신 주 –
D E/D C♯m7 F♯
무 릎 꿇 고 서 주 이 름 외 치 세
Bm A/C♯ D Bm A/C♯ D
예 수 나 의 왕 예 수 나 의 왕
Bm A/C♯ D E7 A D/A A
예 수 나 의 왕 아 멘 –

참 사랑 우리 맘에

E♭ B♭/D G G7 Cm Cm7 F7 A♭
3/4
참 - 사 랑 우 리 맘 에 흘 러흘러 넘 치
E♭/B♭ B♭ E♭ B♭7/D G G7 Cm
기 를 진 실 하 신 사랑의 예 수 님 께
Fm A♭ 1. E♭ A♭/B♭ B♭ 2.E♭ A♭/B♭ E♭
기 - 도드 립 니 다 - 다 - 참 사
B♭/D G Cm Fm7 A♭ B♭sus4 B♭7
랑보여주 신 주 님 찬 - 양드 립 니 다 -
E♭ B♭/D G Cm Fm A♭ B♭
주 님 의 사랑을 전 하 리 언 제나 어 디 서
E♭ A♭/E♭ E♭ B♭/E♭ Fm7 A♭ B♭7 E♭7
나 - 감 - 사 드 립 니 다 -

423 참 좋은 나의 친구

(미 696)

G G/D G Am7 D7
참좋은나의친 구 영원하 신 -주 예수 님
G G/D G G/B D7 D7/F# G
참좋은나의친 구 은혜의 주 사랑의 주
G G/D Em/G D7/A D7 G
주 함께동행하면 - 새생명내게주시 니
내 모든허물과죄 - 눈처럼희게벗겼 네
C/F# G A7 D7
시들은나 의영혼 갈급한나 의마음 새힘을얻었 네
나평안얻 었다네 난정말기 쁘다네 새힘을얻었 네
예예예
G G/D G Am7 D7
참좋은나의친 구 영원하 신 -주 예수 님
G G/D G G/B D7 D7/F# G
믿음
참 좋은나 의친 구 소망의 주 사랑의 주
구원

(미 1174)

424 참참참 피 흘리신

(성령의 불길)

김용기

참 참참 피 - 흘 리신 예 수의사랑안에 서
참 참참 들 - 려 오는 구 원의큰종소리 에

주 님 의 십자가따라 생 명을바 치겠 느 냐
복 음 을 전파하려면 희 생을각 오하 느 냐

복 음 의 불 길오 른다 다 같 이 일 어나거 라
구 원 은 성 도들 의것 진 리 로거 두리로 다

영 광 의 주 님의나 라 다 같이참여하 여 라
우 리 는 천 국에가 서 영 생의꽃이되 리 라

성 령 의 성령의불 길 성령 불이 야 성 령의 성령의불 길

성 령 불 이 야 온 천 하 세 계 만 방 에

1. 펴 치 자성 령의 불 길 2. 펴 치 자 성 령 의 불 길

425 창조의 아버지

(Father of creation)

David Ruis

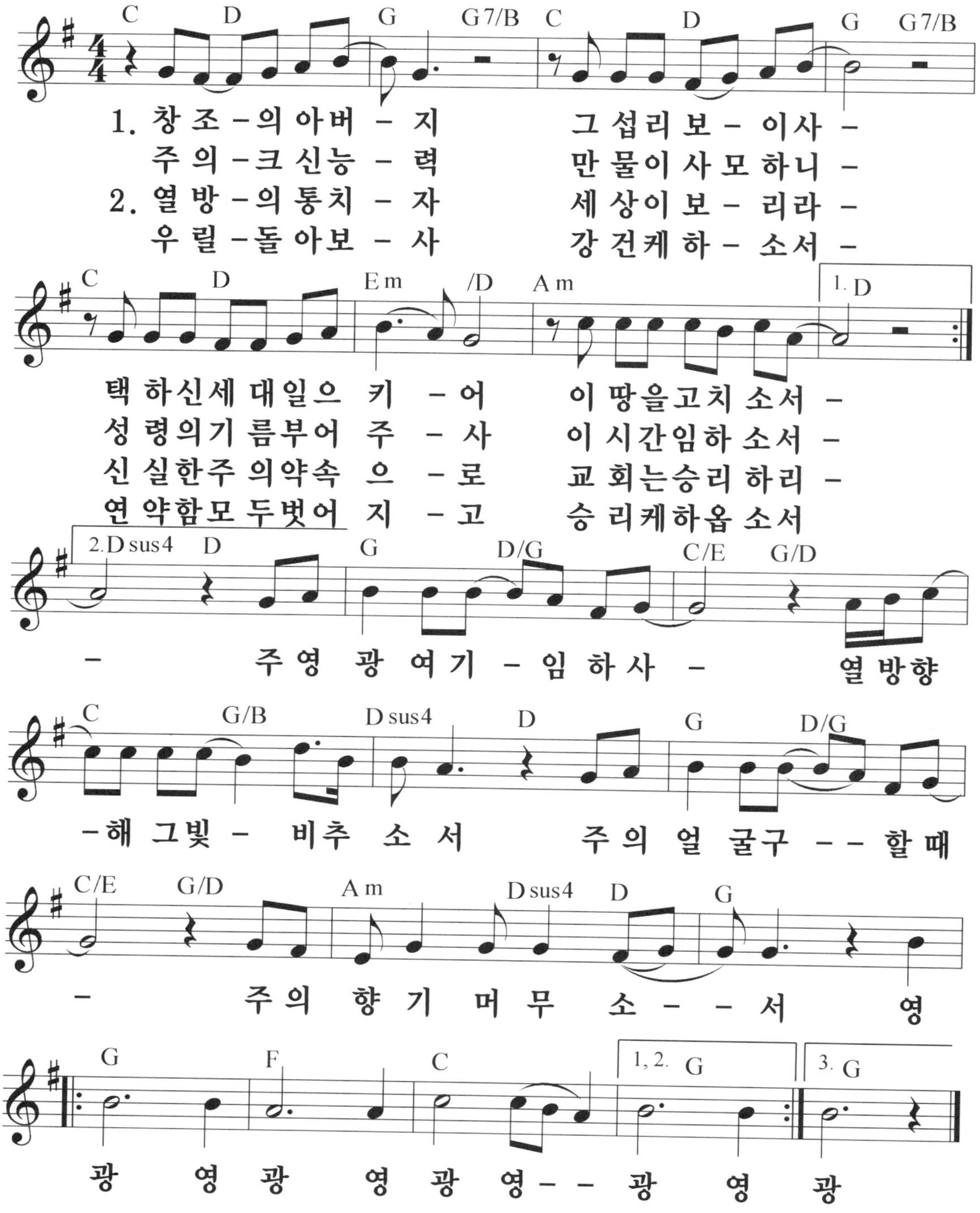
C D G G7/B C D G G7/B
1. 창 조 -의 아 버 - 지 그 섭 리 보 - 이 사 -
주 의 -크 신 능 - 력 만 물 이 사 모 하 니 -
2. 열 방 -의 통 치 - 자 세 상 이 보 - 리 라 -
우 릴 -돌 아 보 - 사 강 건 케 하 - 소 서 -
C D Em /D Am 1. D
택 하 신 세 대 일 으 키 - 어 이 땅 을 고 치 소 서 -
성 령 의 기 름 부 어 주 - 사 이 시 간 임 하 소 서 -
신 실 한 주 의 약 속 으 - 로 교 회 는 승 리 하 리 -
연 약 함 모 두 벗 어 지 - 고 승 리 케 하 옵 소 서
2. Dsus4 D G D/G C/E G/D
- 주 영 광 여 기 - 임 하 사 - 열 방 향
C G/B Dsus4 D G D/G
-해 그 빛 - 비 추 소 서 주 의 얼 굴 구 - - 할 때
C/E G/D Am Dsus4 D G
- 주 의 향 기 머 무 소 - - 서 영
G F C 1, 2. G 3. G
광 영 광 영 광 영 - - 광 영 광

축복합니다 주님의 이름으로 426

이형구 & 곽상엽

E E/G♯ A B E

축복합니다 – 주님의 이 름으로 –

E E/G♯ A B B7 E

축복합니다 – 주님의 사 랑–으로 – 이곳에

A B G♯m7

모인 주의거 룩한 자녀에게–주님의 기쁨과주님의

C♯m7 F♯m7 D Bsus4

사랑–이– 충만 하게 충만 하게 넘치기를 –

A/B Bsus4 B E E/G♯ A B E

(축복합니다) God bless you God bless you

E E/G♯ A B E

축복합니다 – 주님의 사 랑–으로 –

427

천년이 두 번 지나도

(미 1937)

전종혁 & 조효성

G Am7 D G
천년 이두번 -지 나도 - 변하 지 않는건 - 당신
C G/B Am D
을향한 - 하나님의 - 사 랑 이 예요 - 천년
G Am D G
이두번 - 지나 도 - 바꿀 수 없는건 - 당신
C G/B Am7 D G
을향한 - 하나님의 - 마 음 이 예요 - 당신
G Am7 D7 G
의 삶을 - 통 해 하나 님영 광 받 으시 고 - 우리
C D/C G G7
가하나 - 될때 주님나라 이 뤄 지 죠 - 당 신 을
C D D#° Em
향 한하 나 님 의 - 선 하 신 계 획 - 우 리 의

C G/B C Am7 D7
섬김과- 나눔으로-아름 답게 열매맺 어 요 하나-
G Am D G C
님은당-신을-통해- 그의마-음을- 그의 사랑과-그의
G/B Am D G C
용서를- 나타내기 원해요-천년 이두번지나도 -당신
D D/F♯ G D/F♯ Em Am D7 G
은하나님의사람-이죠 - 천년 이가도- 영 원 히

428

캄캄한 인생길

(미 963)

(달리다굼)

현윤식

G 3 C G D7
1. 캄캄 한 인 - 생 길 홀 로 걸 어가 다 지치
운 죄 - 악 의 길 을 걸 어가 다 상하
2. 주님 을 떠 - 나 서 세 상 을 향 - 해 맘대
의 어 - 려 움 절 망 가 운 - 데 눈물
G 3 C 3 G/D D7 3 1. G
고 곤 하 - - 여 내영혼 깊 은잠이 들었었 네 어두
고 찢 기 - - 어 내영혼 깊 은잠이 들었었
로 고 집 - 하 며 내영혼 먼 곳으로나 갔었 네 인생
과 한 숨 - - 과 내영혼 슬 픔속에 잠이드
2. G C G D7/A D7 G
네 내 - 영 혼 어 둠속에 방 황 할 때
네 주 - 님 을 떠 나 - 서 방 황 할 때
C G D/F♯ A7 D7
어 디 선 가 들 려오 는 주 님 음 성
G 3 C D7 3 G
깨 어 라 일어나 라 달 리 다 굼 일어나 라

G Em D7/F♯ Am G
일 어나 라 죄악에 잠 자 던영 혼-- 아
G Em D7 G C
달 리다 굼 깨어라 일 어 나 걸-어라 어
G D7 G C
둠 은물러가 고 새날 이 다가오 네 주님
G D7/F♯ G C G
오 실날 멀잖았 네 어둠속 에 잠 자 던 영 혼 일어나 라
C G/D D7/F♯ G
일 어 나 걸-어 라 달 리 다 굼 일어나 라

429 크신 주께 영광돌리세

(미 668)

(Great is the Lord)

Robert Ewing

E B7
1. 크 신 주 께 영 광 돌 리 세 하나
2. 여 호 와 께 찬 양 드 리 세 우리
F#m B7 E
님 의 성 에 서 그 의 거 룩 한 산 에 서
들 을 지 으 사 그 의 자 녀 삼 으 시 고
E E7 A
터가 높고 아 름 다 와 온 세 상 의 기 쁨
하나 님의 영 광 위 해 다 살 게 하 시 니
A E B7 E
저 북 방에 있는 시 온 산 큰 왕 의 성 일 세
만 백 성아나와 하 나 님 께 찬 양 드 리 세
E A E B7
Sing 할 렐 루 야 Sing 할 렐 루 야
E A E B7 E
Sing 할 렐 루 야 큰 왕 의 성 일 세

(미 910)

탕자처럼 방황할 때

(탕자처럼)

김영기

1. 탕 자 처 럼 방 황- 할 때 도 애타게 기 다리 는 -
2. 불 순종 한 요 나와 같 이 도 방황 하 던 나에 게 -
3. 음 탕 한 저 고 멜과 같 이 도 방황 하 던 나에 게 -

부 드 런 주 님의 음 성 이 내 맘 을 녹 이셨 네 -
따 뜻 한 주 님의 손 길 이 내 손 을 잡 으셨 네 -
너 그 런 주 님의 용 서 가 내 맘 을 녹 이셨 네 -

오 주 님 나 이제 갑 니 다 날 받 아 주 소- 서 -

이 제 는 주 님만 위 하 여 이 몸 을 바 치 리 다 -
이 제 는 주 님만 위 하 여 이 생 명 바 치 리 다 -
이 제 는 주 님만 위 하 여 죽 도 록 충 성하 리 -

431 평안을 너에게 주노라

(미 1191)

(My peace I give unto you)

Keith Routlege

D F♯m Em A7
평안 을 너에 게 주노 라 - 세상
D F♯m Em A7
이 줄 - 수 없 - 는 - 세상
G A/G F♯m Bm Bm/A
이 알수 도 없 는 평 - 안
G A/G F♯m7 Bm
평 - - 안 평 - - 안 평안
Em7 A7 G/D D
을 네 게 주 노 라 -

(미 1674)

하나님께로 더 가까이

(Nearer to God)

432

Stephen Hah

G
Am7
G/B
C
C/B
하 나 님께 로 더 가까 이 갑니 다
Am
A/C#
Dsus4
D7
고 통 가운 데 계 신주 님 – 변함
G
B7/F#
Em
G/D
없 는주님 의 크 신사 랑 – 영원
C
D7
C/G
G
히 주 님만 을 섬 기 리 –

433 하나님께서는 우리의 만남을

(미 1163)

(우리 함께 / Together)

Rodger Strader

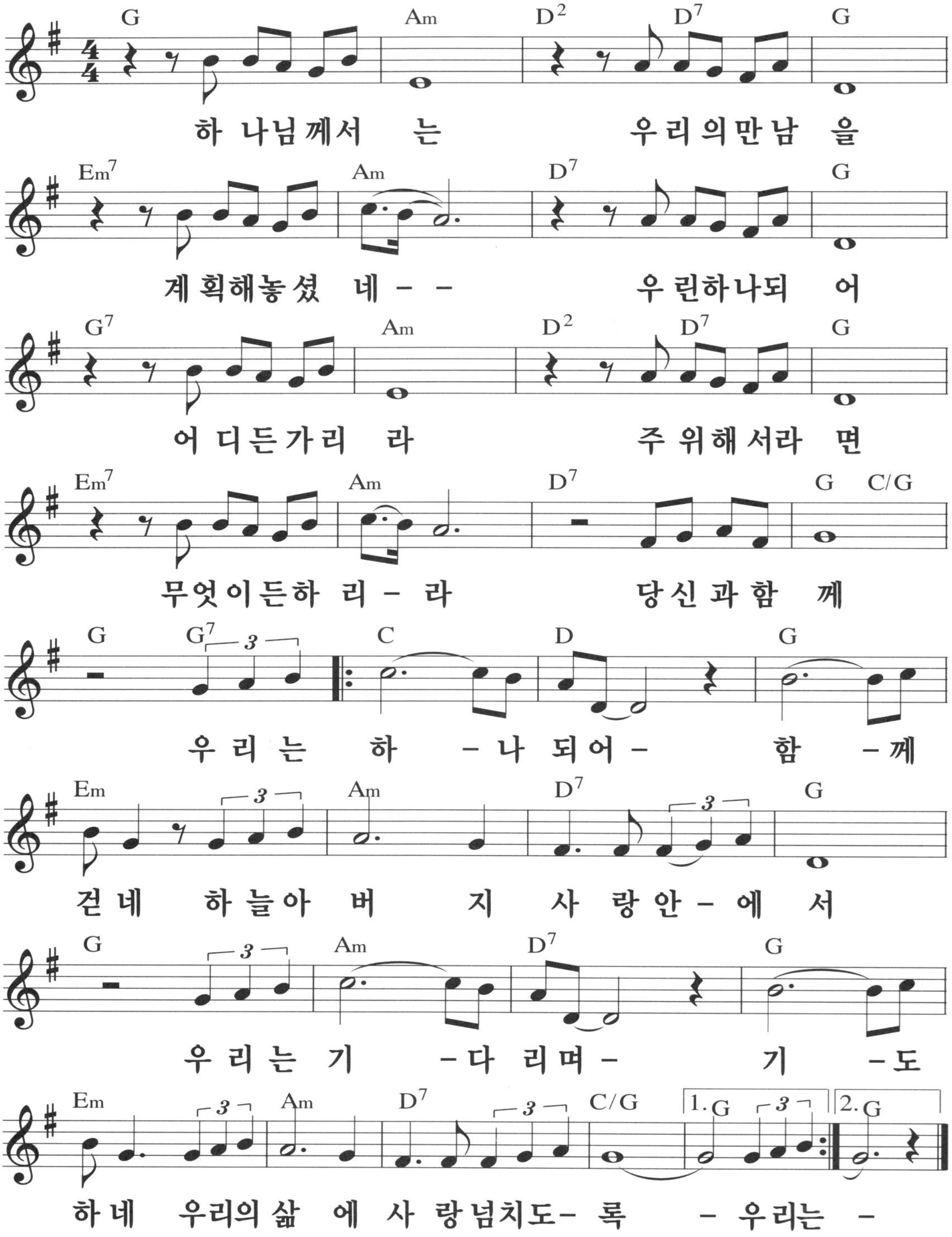

하 나님께서 는 우리의만남 을

계 획해놓셨 네 - - 우 린하나되 어

어 디든가리 라 주 위해서라 면

무엇이든하 리 - 라 당신과함 께

우 리 는 하 - 나 되어 - 함 - 께

걷 네 하 늘아 버 지 사 랑 안 - 에 서

우 리 는 기 - 다 리 며 - 기 - 도

하 네 우리의 삶 에 사 랑 넘치도 - 록 - 우리는 -

(미 1737)

하나님께서 당신을 통해

김영범

G
Em
C
하 나 님 께 서 당 신 을 통 해 메 마 른 땅 에 샘 물
Am7
D
C/D
G
Em
나 게 하 시 기 를 가 난 한 영 혼 목 마 른 영 혼
C
Cmaj7/D
D
G
당 신 을 통 해 주 사 랑 알 기 원 하 네 -

Word and Music by 김영범.

435 하나님은 너를 만드신 분

(미 1936)

(그의 생각*요엘에게)

조준모

하 나- 님은 - 너 를 만드신- - 분 - 너를 가장많- - 이 - 알고
하 나- 님은 - 너 를 원하시-는분 - 이 - 세 상그-무엇 - 그누
계시며 - 하나- 님 은 - 너 를 만드신- -분 - 너를
구보다 - 하나- 님 은 - 너 를 원하시 -는분 - 너와
가장깊 - -이 - 이해하 신단다 - 하나- 님 은 - 너 를
같이있 - -고 - 싶어하 신단다 - 하나- 님 은 - 너 를
지키시-는분 - 너를 절대포 - -기 - 하지 않으며 - 하나 -
인도하-는분 - 광 - 야 -에-서도 - 폭풍 중 에도 - 하나-
님 은 - 너 를 지키시 -는분 - 너를 쉬 -지 -않고 - 지 켜보
님 은 - 너 를 인도하 -는분 - 푸른 초 -장 -으 로 - 인 도하
신단다 -
신단다 -
그의 생각 - 셀수 없고 - 그의 자비 - 무궁하

F B♭ C/B♭ Am Dm Gm C F
며 그의성실- 날마다 새롭 고-그의사랑 끝이 없단 다

(미 636) 하나님 우리와 함께 하시오니 436

(The Lord is present in his sanctury)

Gail Cole

Am G F E7 Am E7 Am
하 나 님 우 리와 함께하시 -오니 주 를 찬양 하 세

Am G F E7 Am E7 Am
우 리 가 모 일때 임하시는-주님 주 를 찬양 하 세

Dm Am E7 Am
찬 양 찬 -양 주 를 찬양 하 세 - - - -

Dm Am E7 Am
찬 양 찬 -양 주 를 찬 양 하 세

437 하나님은 너를 지키시는 자

(미 1658)

정성실
E E/D♯ C♯m E/B A E/G♯ F♯m B7
하나 님 은 너 를 지 키 시 는 자 너 의 우 편 에 그 늘 되- 시 니 -
E E/D♯ C♯m E/B A B7sus B7 E
낮 의 해 와 밤 의 달- 도 너 를 해 치 못 하 리 -
E E/D♯ C♯m E/B A E/G♯ F♯m B7
하나 님 은 너 를 지 키 시 는 자 너 의 환 난 을 면 케 하 - 시 니 -
E E/D♯ C♯m E/B A B7 E
그가 너 를 지 키 시 리 라 너 의 출 입 을 지 키 시 리 라
B7 Esus4 E B7 B7/A E/G♯ G♯/D♯
눈을 들 어 산을 보 아 라 너의 도 움 어디 서 오나
C♯m A F♯m B7 E
천지 지 으 신 너 를 만 드 신 여 호와께 로- 다

하나님은 사랑이요

438

강뿔라
1. 하 나 님 은 사 랑 이 요 나 를 구 원 하 신
2. 하 나 님 은 말 씀 이 요 나 를 인 도 하 신
예 수 님 -을 이 땅 위 에 보 내 주 신 하 나 님
영 원 함 -이 천 국 이 라 참 좋 으 신 하 나 님
나 의 하 나 님 은 혜 베 푸 신 아 버 지
나 의 하 나 님 나 를 세 우 신 하 나 님
나 를 충 만 케 하 시 옵 소 서 나 를 좀 도 와 주 소 서
불 속 에 라 도 뛰 어 들 리 라 나 를 붙 잡 아 주 소 서
가 는 길 이 험 하 다 고 불 평 않 게 하 소 서
환 난 근 심 이 겨 내 어 승 리 하 게 하 소 서
(가 는 길 이 가 난 타 고 불 평 않 게 하 소 서)
(가 는 길 이 외 롭 다 고 불 평 않 게 하 소 서)
오 - - 오 - 오 - -
주 님 뜻 대 로 살 기 원 하 여 이 처 럼 간 구 합 니 다

439 하나님은 우리의 피난처가

(미 1870)

(Psalm 46)

Stephen Hah

A Bm E7 A
하 -나님은 우 리의- 피 -난처가 되 시며-
C♯m F♯m D Bm E A
환 -난 중에 우 리의- 힘 -과도움 이 시 라-
A Bm7 E7 A
너 희는가만히 있-어- 주 가하나님-됨 알지-어다
A Bm7 E7 A
열 방과세계가 운-데- 주가 높임을- -받으리 라
A Bm7 E7 A
사 랑합니다내 아버지- 찬 양합니다-내 온맘다하여
A Bm7 E7 A
선 포합니다예 수그리스도 주님 오심을- -기다리 며

(미 1281)

하나님을 아버지라 부르는

440

(좋은 일이 있으리라)

오관석 & 한태근

E B7 E G♯m C♯m E/B B7
하 나 님 을 아 버 지 - 라 부 - 르 는 - 자 는 -
예 수 님 을 구 - 주 - 라 부 - 르 는 - 자 는 -
성 령 님 의 인 - 도 - 를 구 - 하 는 - 자 는 -
E C♯m G♯m A E B7 E
좋은일이 있으리라 많이 있으리- 라 -
E A E A C♯m E G♯m B
우 리 서 로 뜨 - 겁 게 사랑 하 - 며 는 - - -
E C♯m G♯m A E B7 E
좋은일이 있으리라 크 게 있으리- 라 -

441 하나님의 사랑을 사모하는자

(미 1285)

(주만 바라 볼지라)

박성호

A Amaj7 F♯m D Bm7/D Esus4 E
하나 님의 사-랑을 사모하는자 하나 님의 평-안을 바라보는자
님께 찬-양과 경배하는자 하나 님의 선하심을 닮아가는자
D E C♯m/E F♯m 1. Bm7 Esus4 E7
너의 모든것창조하신 우리주님이 너를 얼마나사랑하시는 지 하나
2. Bm7 E A E7 A F♯m
자 녀 삼으 셨 네 하나 님 사랑 의 눈으로-
D B7/D♯ E E7 A F♯m
너를 어느 때나바라보시 고 하나 님 인자 한 귀 로써-
D B7/D♯ Esus4 E7 Amaj7 F♯m
언제 나너에게 기울이시 니 어두 움 에 밝은빛을 비춰주시 고
Bm Bm7/D Esus4 E Amaj7
너의 작 은 신음에도 응답 하시 니 너는 어느곳에 있- 든지
F♯m Bm7 E 1. A E7
주를 향하 고 주만 바 라 볼 찌 라 하나
2. A F♯m D Esus4 E D/A A
라 주 만 바 라 볼 찌 라 -

(미 568)

하나님의 음성을 듣고자

442

(시편 40편)

김지면

Cmaj7 Em F G7 C C7
1. 하 나님의 음성 을 듣고 자 -기도하- 면 귀-
2. 주 를의지하- 고 교만 하 지않-으- 며 거짓
Fmaj7 G Em A Dm Dm7 B♭ Gsus4 G7
를 기울이고나 의 기도를 들 어주신다- 네
에 치우치지아 니 하-면 복 이있으리- 라
Cmaj7 Em F G7 C C7
깊 은웅덩이- 와 수렁 에 서끌어주시 고 나의
여 호와나의주 는 크신 권 능의-주- 라 그의
Fmaj7 G Em Am F G7sus G7 C B♭/C C7
발 을반석위에 세 우시사 나 를 튼튼히하셨 네 -새
크 신권능으로우 리들을 사 랑 하여-주시 네 -
F G Em Am F G C B♭/C C7
노 래로-부르 자 라라라 하나 님 께올릴찬송 을 -새
F G C E7/B Am F G7sus G7 C D.S.
노 래로--부르- 자 하나 -님- 사랑 을
Fine

443

하나님 한번도 나를

(미 995)

(오 신실하신 주)

최용덕

하 나 님 한 번 도 나 를 - 실 망 시 킨 적 없 으 시 고 -

지 나 온 모 든 세 월 들 - 돌 - 아 보 - 아 - 도 - -

언 제 나 공 평 과 은 혜 - 로 나 를 - - 지 키 셨 네

그 어 느 것 하 나 주 의 손 길 안 미 친 것 전 혀 없 네

오 신 실 하 신 주 오 신 실 하 신 주

내 너 를 떠 나 지 도 않 으 리 라 내 너 를 버 리 지 도 않 으 리 라

약 속 하 셨 던 주 님 - 그 약 속 을 지 키 사 이

후 로 도 영 원 토 록 - 나 를 지 키 시 리 라 확 신 하 네

(미 1200)

하늘에 계신 아버지

(주기도문 / The Lord's Prayer)

Albert H. Malotte & Peter Henry Mooney

하 늘 에 - 계 신 아 버 지 - 이 름 거
룩 하 사 주 님 나 라
임 하 시 고 뜻 이 이 루 어 지
이 다 일 용 할 양 식 주 시
고- 우 리 들 의 큰 죄- 다 용 - 서 하 옵
시 고 또 시 험 에 들 게 마 시 고 악 에 서 구 원 하
소 서 대 개 주 의 나 라 - 주 의 권 세 - 주 의
영 광 - 영 원 - 히 - 아 - - 멘

445 하늘 보아도 땅을 보아도

(미 835)

D
G
D
하 늘보 아 도
땅 을보 아 도
Bm
A7
D
앞 을보 아 도
뒤 를보–아 도
D7
G
쉴 곳이 없 는
안 개와 같 은
D
A7
D
우 리네 인생 을
사 랑 하신주 님
D
A7
D D7
주 여이 곳 에
주 여 이– 맘 에
G
A7
D
불 을내 리 사
응 답 하–소 서
D
G
D
사랑하게하 소 서
위로하게하 소 서
D
Bm
A7
D
인내하게하 소 서
소망보게하 –소 서

A7 D D7

찬양하게하 소 서 감사하게하 –소 서

G A A7 D

기도하게하 소 서 말씀보게하 –소 서

D G D

겸손하게하 소 서 순종하게하 소 서

Bm A7 D

진실하게하 소 서 충성하게하 –소 서

446 하늘 위에 주님 밖에

(미 1603)

(God is the strength of my heart)

Eugene Greco

A E/A D A D D/E

하 늘 위 에 주 - 님 - 밖 에 - 내 가

A E/A D/A G6/A A

사 모 할 자 이 세 상 - 에 - 없 - 네 -

DM7 A/C# Asus4/B E7 A

내 맘 과 힘 은 믿 을 수 - 없 네 -

DM7 A/C# Asus4/B D6/E

오 직 한 가 지 그 진 리 를 - 믿 네 주 는 나 의

D A/C# Bm7 Bm7/E A

- 힘 이 요 - 주 는 나 의 - 힘 이 요 -

D C#m7 F#m

주 는 나 의 - 힘 이 요 - 영 원 히 - 주 를

Bm7 A/C# D6 D6/E 1. 2. D6/E A

의 지 - 하 리 주 는 나 의 영 원 - - 히 -

(미 1849)

하늘의 나는 새도 주 손길

447

(주 말씀 향하여 / I will run to You)

Dalene Zschech

하늘 - 의나 - 는새도 주손길 - 돌보 - 시네 - 온땅에
- 충만한 - 주사랑 - 으로 - 내마 음을덮으 - 소서 -
주나 - 를부 - 르셨 네 주의 - 영광 - 위해 - 모든사
- 람 - 이 끄소 - - 서 - 주의영 - 광 - - 으로 - 주말씀향
- 하 - 여 - 달려가 - 리 - 라 - 힘도아닌 - 능 - 도아
- 닌 - 오 - 직성 - 령 - 으로 - 주얼굴향 - 하 - 여
- 달려가 - 리 - 라 - 오주의영 - 광 - 안에
- 살게하 - 소서 - - 주나 - 주말씀향 -

448 하늘을 바라보라

(미 759)

(주님의 솜씨)

이유정

하늘 을바 라보라 – 드넓 은저 바다도 – 온 세상 지으신 – 주
들에 핀꽃 을 보라 – 하늘 을나 는새도 – 만 물을 지으신 – 주

님의 솜씨라 – 먹구 름이 다가와 – 태 – 양을 가려도 – 만
님의 솜씨라 – 눈보 라가 닥쳐와 – 온 – 땅을 덮어도 – 만

물을 주관 하시는 – 주 님의 섭리라 모두 고개를들 고 어둔
물을 주관 하시는 – 주 님의 섭리라

마음 을열어 크신 주님의 – 능력 을바 라보라 – 너

와나 지으신 주의 놀라 운손 길 – 우리 다함께 – 주를

찬 양– 해 찬양 해 – 온

Em B7/D♯ Em Em/D C G/B Am7 D7 Bm7 E
3
하 늘과 땅 위의만물아 - 겸손히무릎꿇 고
Am7 C/D D7 C/G G
주의위엄앞에 경배하라 -

Word and Music by 이유정.

449

하늘의 해와 달들아

(미 631)

(호흡이 있는 자마다)

김세영
D F♯m/C♯ Bm Bm/A
하 늘의- 해 와 달- 들아 - - 소리
산과- 넓 은 푸른 바다 - - 모두
G D Asus4 A7
높 여 찬 양 하-여라 - - 나
주 를 찬 양 하-여라 - - 호
D F♯m/C♯ Bm Bm/A
팔 소 리- 비 파와 수금으로 - - 춤
흡 이 - - 있 는- 자- 마 다 - - 여
G A D 1. G/A 2. D7
추 -며 찬 양 하-여라 - 험한 -
호 와를
Gmaj7 A/G F♯m7 Bm7
세 상 모든 사 람 들아 주 를 찬 양하라 -
G A7 D C/D D7
살 아 계 신 나 의 하 나 님을 - -
Gmaj7 A/G F♯m7 Bm7
세 상 모든 사 람 들아 주 를 찬 양 하 라 -

G
E7
Asus4
A7
살아 계 신 너 의 하 나 님 을 –
D
F♯m
Bm
Bm7/A
호 흡 이 있 는 자 – 마다 – –
G
A
D
여 호 와 를 찬 양 하 – 여라 – –

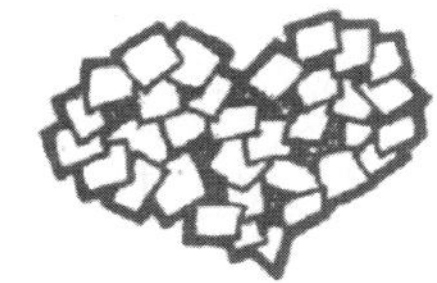

450 한걸음 또 한걸음

(미 1292)

김석균
Em B7 Am B7
1. 한걸 음 - 또한걸 음 무거 운 발길 옮길 때 저들
2. 한마 디 - 또한마 디 용서 의 기도 드릴 때 저들
3. 한방 울 - 또한방 울 뜨거 운 눈물 흘릴 때 저들
Em G B7 Em
모 두큰소리 로 소리 치 며뒤-따랐 네 지치
모 두조롱하 며 십자 가 에못-박았 네 골고
모 두큰소리 로 희롱 하 며비-웃었 네 옆구
G D7 C B7
어 -쓰러질 때 살을 찢 는채 찍소 리 고난
다 -언덕위 에 살을 찢 는망 치소 리 쓰리
리 -창에찔 려 흘러 내 린저 붉은 피 죽음
G D C B7 G
의 -십자가 를 누굴 위 해지 셨나 요 - 주님
고 -아픈고 통 누굴 위 해참 았나 요 - 주님
의 -골고다 를 누굴 위 해가 셨나 요 - 주님
Em G D7 B7/D#
의 무거운걸 음 내가 어 찌알 리 요 주님
의 용서의기 도 내가 어 찌알 리 요 주님
의 뜨거운눈 물 내가 어 찌알 리 요 주님
Em D/A G Am B7 Em
의 무거운발 길 내가 어 찌알 리- 요
의 용서의눈 물 내가 어 찌알 리- 요
의 뜨거운눈 물 내가 어 찌알 리- 요

(미 758)

할 수 있다 하면 된다

(할 수 있다 해 보자)

451

D A7 D G A7
할 수 있 다 하 면 된 다 해 보 - 자
D A7 D G A7 D
믿 는 자 에 게 능 치 못 함 이 없 으 리 라
A7 D D7 G E7 A7
나 는 부 족 해 도 나 는 약 해 도 주 님 도 와 주 신 다
믿 음 가 지 고 - 꿈 을 가 지 고 주 님 바 라 보 아 라
기 도 하 면 서 - 찬 양 할 때 에 주 님 함 께 하 신 다
G A7 D G E7 A
의 심 말 고 두 려 워 말 라 기 적 이 일 어 난 다
성 령 님 이 도 와 주 신 다 좋 은 일 일 어 난 다
할 렐 루 야 할 렐 루 - 야 기 적 이 일 어 난 다
D A D A7/E A7 D
말 씀 안 에 서 믿 음 안 에 서 할 수 있 다 해 보 자

452

할렐루야 할렐루야

(우리 모두 함께)

E A B E
할렐루야 – 할렐루야 – 할렐루야 – 할렐루야 –
E A B E
할렐루야 – 할렐루야 – 할렐루야 – 할렐루야 –
E A B E
우리모두함께 기쁜찬양하세 세상모든사람들의 귓가에 –
E A B E
우리모두함께 기쁜찬양하세 세상모든사람들이 듣도록 –
A E D7
햇 – 빛같은 기 쁨 빛 – 줄기같이 – – –
예 – 수사랑 노 래 주 – 의말씀나누세 –
E E7 A E B7
금 – 광같은 기 쁨
크 – 신능력외 쳐
우리모두 함께 기쁜찬양하세
E A B E
할렐루야 – 할렐루야 – 할렐루야 – 할렐루야 –

E A B E
할렐루야 – 할 렐 루야 – 할 렐루 야 – 할 렐루야 –
E A B E
예 수님 때문 에 형 제를사랑 합니 다
E A B E
예 수님 때문 에 자 매를 사 랑 합니 다
E A B E
예 수 예 수 예 수 예 수
E A B E
예 수 예 수 예 수님 때문 에
E A B E
할 렐루 야 – 할 렐루야 – 할 렐루야 – 할 렐루 야 –
E A B E
할 렐루야 – 할 렐 루야 – 할 렐루야 – 할 렐 루야 –
E A B E
할 렐 루 야

453 할 수 있다 하신 이는

(미 1094)

이영후 & 장욱조

C F C Am E Am C G7 C Dm F G7 Am D7 E7
할수 있다 하신 이는 나의 능 력 주하나 님
의심 말 라 하-시 고 물결 위 로오라하 시 네
나를 바 라 보-시 고 능력 준 다하-시- 네
주저 말 라 하-시 고 십자 가 를지라하 시 네
변치 말 라 하-시 고 성령 충 만하게하 시 네
할수 있 -다하 신 주 할수 있 다하 신 주
믿 음 만 이 믿 음 만 이 능 력 이 라 하 시 네
사 랑 만 이 사 랑 만 이 능 력 이 라 하 시 네
희 생 만 이 희 생 만 이 능 력 이 라 하 시 네
성 령 만 이 성 령 만 이 능 력 이 라 하 시 네

454 항상 진실케

(Change my heart, oh God)

Eddie Espinosa

Cmaj7 Dm7 G C
항 상 진 실 케 - 내 맘 바 꾸 사 -
Cmaj7 Em7 Dm7 G C
하 나 님 닮 게 - 하 여 주 소 서
Fine
E7 3 Am Dm7 G7 C
주 는 토 기 장 이 나 는 진 흙
E 3 Am Am/G D G
날 빚 으 소 - 서 기 도 하 오 니
D.C.

455

해 뜨는 데부터

(미 666)

(From the rising of the sun)

Paul S. Deming

E E G#m7
해뜨는데 부터- 해지는 데 까 지--
E F#m7 B7 E 1.
주 이 름 찬양받으 리 해뜨는데
2. E7 A E G#m7
랄랄라 할 렐-루 야 여호 와의 모든 종들 아
A B7 E E7 A
주 이 름 찬 양 해 이제부터 영 원- 까 지
E G# A B7 E A E
주 이 름 찬 송 할 지 어 다

(미 850)

해 아래 새 것이 없나니

(새롭게 하소서)

456

이종용

G C/G G C Am D
해아 래 새것 이- 없나니 이 죄 인살 리신 주
G C/G G C A/C♯ Dsus4 D7
보라 새 롭게 된이 피조물 주 의 놀라 운권 능
G D D7 G D/G G
찬 양 하세 우리 주 오 주 여영 광받 으소 서
G D D7 G
새 롭게 하소 서 새 롭게 하소 서
G D Am/D D7 G
새 롭게 하소 서 늘 새 롭게 하소 서

457 햇빛보다 더 밝은곳

(미 1188)

1. 햇빛보다더밝은곳 내집 있네 햇빛보다더밝은곳 내집 있네
2. 예수믿고구원됐네 예수 믿어 예수믿고구원됐네 예수 믿어
3. 예수님은다시오네 다시 오네 예수님은다시오네 다시 오네

햇빛보다더밝은곳 내집 있네- 푸 른하늘 저 편
예수믿고구원됐네 예수 믿어- 예 수믿으 시 오
예수님은다시오네 다시 오네- 우 리데려 가 리

내주여내주여 날 들으소서 내주 여내주여 날 들으소서

내주여내주여 날들으소서 - 푸 른하늘 저 편

허무한 시절 지날 때

458

(성령이 오셨네)

김도현

C E7(b13)(#9) Am7 Gm7 F#7b5 FM7 Em7 Am7
허무한시절지날때– 깊은한숨내쉴때– 그 런풍경보–시며–탄식
억눌린자갖힌자– 자유함이없는자– 피 난처가되–시는– 성
Dsus4 D7 G7 C E7(b13)(#9) Am7 Gm7 F#7b5
하 는 분– 있네 – 고 아 같이 너희를–– 버려두지 않으리–
령 님 계– 시네 – 주 의 영이 계신곳에– 참자유가 있 다네–
FM7 Em7 Am7 Dm7 G7 C G7 C Dm7
내 가너희와영원히–– 함께하– 리라 – 성령이 오– 셨네 –
진– 리– 의 영이신– 성 령이오– 셨네 –
Esus4 E7/G# Am7 Gm7 FM7 Em7 Am7 C2/D D7 G7/F
성 – 령이 오셨네 – 내주의보내신 – 성 령이 오– 셨네–
C/E Dm7 Esus4/B E/G# Am7 Gm7 FM7 C/E Dm7 G7(b9) C
우리 인생 가운데– 친히 찾아 – 오셔서– 그나라꿈 꾸게 하시 네

459 험하고 어두운 길 헤매일 때

(미 933)

(늘 노래해)

유의신 & 서영석
1. 험하고 어두운길 헤매일때 에 주님은 날부르셨 네 – 세상의 가치없는 노래부를 때 주님날 구원하셨 네 –
2. 가시밭 험한곳도 찾아가 – 서 주님을 노래부르 리 – 내주여 나와함께 하시어– 서 늘찬송 하게하소 서 –
이세상 노래다해도 내맘엔 기쁨없지 만 –
그러나 이젠 찾았 네 진실한 나의노래 를 – 주님의 사랑 주님의 은혜 내생명바 쳐 늘노래 해

(미 1019)

험한 세상길 나 홀로

460

(두렵지않아)

김보훈

D G A D G D
험 한 세 상 길 나 홀 로 가 도 외 롭- 지 않 으 - 오
모 진 시 련 이 내 게 닥 쳐 도 놀 라- 지 않 으 - 오
주 를 위 하 여 고 난 당 해 도 낙 심- 치 않 으 - 오
D G A D G D A D
비 바 람 속 을 나 홀 로 가 도 내 맘- 에 두 려 움 없 어
불 같 은 마 귀 대 적 해 와 도 내 맘- 에 두 려 움 없 어
주 이 름 으 로 죽 음 당 해 도 내 맘- 에 두 려 움 없 어
D Bm G D G D A
구 름 기 둥 과 불 기 둥 으 로 인 도 하 시 는 주 가 계 시 오 니
하 늘 불 말 과 불 수 레 로 써 세 상 끝 까 지 나 를 지 키 시 니
사 자 굴 속 과 불 풀 무 에 서 함 께 하 시 는 주 가 계 시 오 니
D G D G D A7 D
주 를 뒤 따 라 나 가 는 길 에 두 렵 지 않 아
말 씀 외 치 며 증 거 하 는 길 두 렵 지 않 아
부 르 심 받 아 나 서 는 이 몸 두 렵 지 않 아

461 형제의 모습 속에 보이는

(미 1233)

박정관

F
B♭
Gm7
F/C
C7

형 제 의 모 습 속 에 보 이 는 하 나 님 형 상 아 름 다 워 - 라
우 리 의 모 임 중 에 임 하 신 하 나 님 영 광 아 름 다 워 - 라

Am
Am/C
Dm
Gm7
C7
F
존 귀한 주의 자녀 됐 으니 사랑 하며 섬기 리
존 귀한 왕이 여기 계 시니 사랑 하며 섬기 리

(미 1636)

호렙산 떨기나무

김익현

Am Dm Am F E7
호 렙 산 떨 기 나 무 에 나 타 나 신 하 나 님 모 세
불 꽃 떨 기 속 에 계 신 거 룩 하 신 하 나 님 약 하
Am F Am F E7 Am
를 부 르 신 주 – 하 – 나 님 하 나 님
고 힘 없 는 내 백 성 을 찾 으 라 찾 으 라
Am Dm Am E7
내 가 너 와 함 께 가 리 라 너 를 도 와 주 리 라
Am Dm Am E7
고 통 속 에 있 는 내 백 성 어 서 찾 아 가 라
억 압 받 고 있 는 내 백 성 어 서 구 하 여 라
Am Dm Am F E7
불 꽃 떨 기 속 에 계 신 거 룩 하 신 하 나 님 우 리
Am F Am F E7 Am
를 부 르 신 주 하 나 님 하 나 님

463

호산나

(미 1236)

(Hosanna)

Carl Tuttle

G D Em C D
1. 호 산 - 나 호 산 - 나 호 산나높은곳에 서
2. 영 - 광 영 - 광 왕의왕께영광 을
G D Em C D
호 산 - 나 호 산 - 나 호 산나높은곳에 서
영 - 광 영 - 광 왕의왕께영광 을
C D7 G G7 C D7 G G7
주의 이름 높여 - 다 찬양 하라 -
주의 이름 높여 - 다 찬양 하라 -
C D7 G D Em C D G
귀하신주나의 하 나 님 호 산나높이 외치 세
귀하신주나의 하 나 님 주 님께영광 돌리 세

(미 979)

흙으로 사람을

(From the dust of the earth my God created man)

1. 흙으로 사람을 지으사 그코에생기를 불어넣으
2. 갈보리 십자가 흘리신 그피로영생을 얻게하–

신 주하나님 – 우리 위해 아들을 세상
신 주예수님 – 나이 제– 주위해 한평

에보내신 사랑의 주하나님 을사랑해 –
생살아갈 동–안 주님만 사랑하리라 –

나는 하나님형상 따라 지음받은 몸이니

이 몸을 주께바치리 –
항상 내생활속에 주를 부인하지 않으며

내 주를 섬기렵니다 –

465

힘들고 지쳐

(미 1877)

(너는 내 아들이라)

이재왕 & 이은수

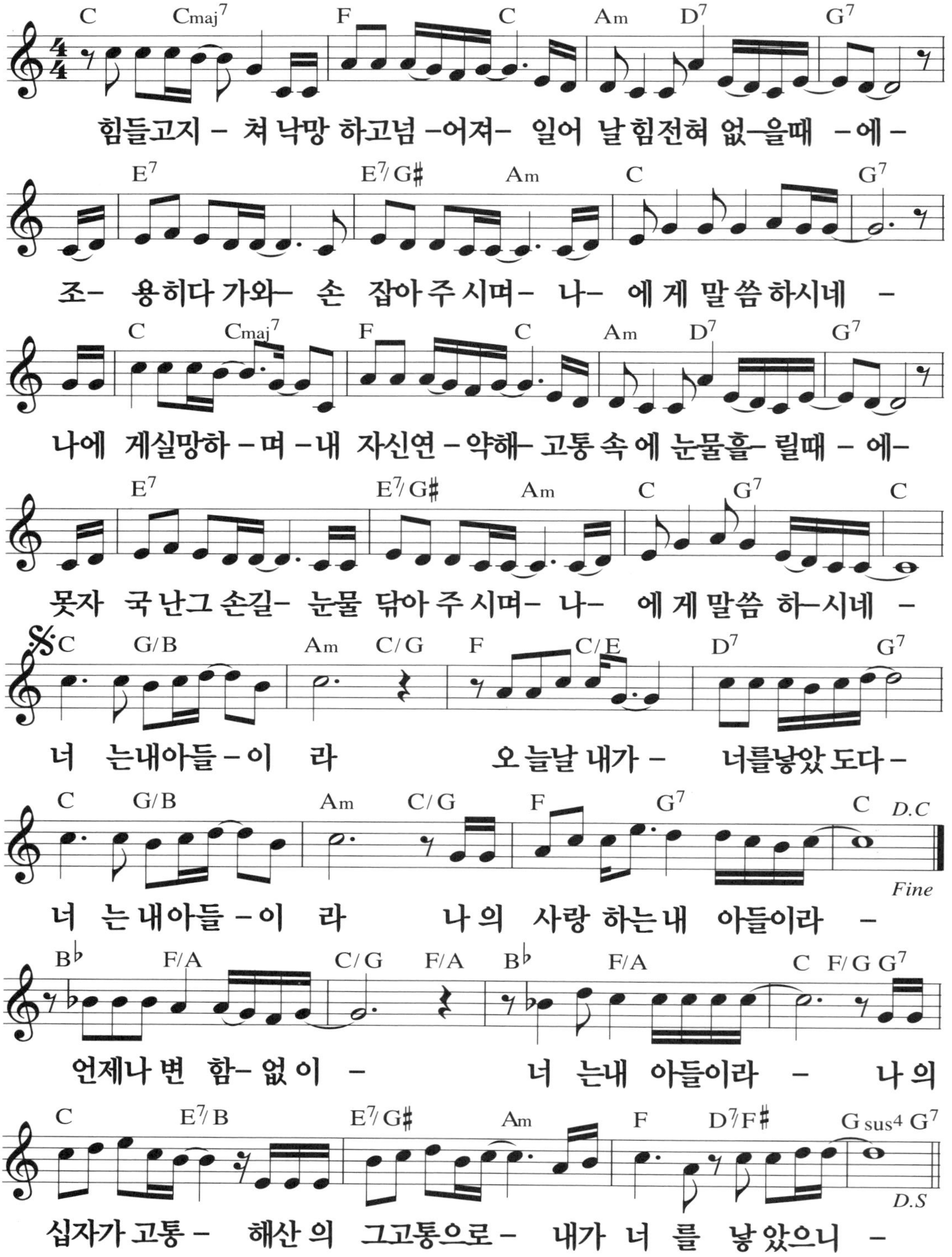

힘들고지 - 쳐 낙망 하고넘 -어져- 일어 날힘전혀 없-을때 -에-

조- 용히다 가와- 손 잡아 주 시며- 나- 에 게 말씀 하시네 -

나에 게실망하 -며 -내 자신연 -약해- 고통 속 에 눈물흘- 릴때 - 에-

못자 국 난그 손길- 눈물 닦아 주 시며- 나- 에 게 말씀 하-시네 -

너 는내아들 -이 라 오 늘날 내가 - 너를낳았 도다 -

너 는내아들 -이 라 나 의 사랑 하는내 아들이라 -

언제나 변 함- 없 이 - 너 는내 아들이라 - 나 의

십자가 고통 - 해산 의 그고통으로 - 내가 너 를 낳았으니 -

성령충만 은혜충만

발 행 일 : 2015년 7월 15일 (1판 6쇄)
펴 낸 이 : 김수곤
펴 낸 곳 : CCM2U
출 판 등 록 : 1999년 9월 21일 제54호
악 보 편 집 : 노수정, 김종인
표지디자인 : 김은경
업 무 지 원 : 기태훈, 김한희

주 소 : 서울시 송파구 백제고분로 27길 12
전 화 : (02) 2203-2739
F A X : (02) 2203-2738
E - mail : ccm2you@gmail.com
Homepage : www.ccm2u.com